대화로 배우는 한국어

español(스페인어)
edición traducida(번역판)

- 대화 (sustantivo) : diálogo, conversación
Acción de hablar con alguien. O tal habla.

- 로 : **No hay expresión equivalente**
Posposición que indica el método o la forma de cierto lugar.

- 배우다 (verbo) : aprender, asimilar
Adquirir nuevos conocimientos.

- -는 : **No hay expresión equivalente**
Desinencia que hace que la palabra antecedente ejerza la función de un componente determinante, e indica que un suceso o una acción se produce en el presente.

- 한국어 (sustantivo) : idioma coreano, lengua coreana
Idioma que se usa en Corea.

※ 이 책의 폰트는 '함초롬 바탕체'를 사용하였습니다.

< 저자(autor) >

㈜한글2119연구소

• 연구개발전담부서

• ISO 9001 : 품질경영시스템 인증

• ISO 14001 : 환경경영시스템 인증

• 이메일(correo electrónico) : gjh0675@naver.com

< 동영상(vídeo) 자료(documento) >

HANPUK_español(traducción)
https://www.youtube.com/@HANPUK_Spanish

제 2024153361 호

연구개발전담부서 인정서

1. 전담부서명: 연구개발전담부서

   [소속기업명: (주)한글2119연구소]

2. 소　재　지: 인천광역시 부평구 마장로264번길 33
   상가동 제지하층 제2호 (산곡동, 뉴서울아파트)

3. 신고 연월일: 2024년 05월 02일

과학기술정보통신부

「기초연구진흥 및 기술개발지원에 관한 법률」 제14조의
2제1항 및 같은 법 시행령 제27조제1항에 따라 위와 같이
기업의 연구개발전담부서로 인정합니다.

2024년 5월 13일

한국산업기술진흥협회장

G-CERTI *Certificate*

hereby certifies that

Hangul 2119 Research Institute Co., Ltd.

Rm. 2, Lower level, Sangga-dong, 33, Majang-ro 264beon-gil, Bupyeong-gu, Incheon, Korea

meets the Standard Requirements & Scope as following

ISO 9001:2015
Quality Management Systems

Creation of Media Content, Publication of Korean Paper and Electronic Textbooks, Production and Release of Albums for Korean Language Education

Certificate No: GIS-6934-QC		Code	: 08, 39
Initial Date : 2024-05-21		Issue Date	: 2024-05-21
Expiry Date : 2027-05-20		Valid Period	: 2024-05-21 ~ 2027-05-20

Signed for and on behalf of GCERTI
President I.K Cho

MSCB-113

IAS ACCREDITED
Management Systems
Certification Body
MSCB-112

G-CERTI *certificate*

hereby certifies that

Hangul 2119 Research Institute Co., Ltd.

Rm. 2, Lower level, Sangga-dong, 33, Majang-ro 264beon-gil,
Bupyeong-gu, Incheon, Korea

meets the Standard Requirements & Scope as following

ISO 14001:2015
Environmental Management Systems

Creation of Media Content, Publication
of Korean Paper and Electronic Textbooks, Production and
Release of Albums for Korean Language Education

Certificate No: GIS-6934-EC	Code	: 08, 39
Initial Date : 2024-05-21	Issue Date	: 2024-05-21
Expiry Date : 2027-05-20	Valid Period	: 2024-05-21 ~ 2027-05-20

Signed for and on behalf of GCERTI
President I.K.Cho

G-CERTi
SYSTEM SERVICE
MSCB-113

IAS ACCREDITED
Management Systems
Certification Body
MSCB-113

< 목차(indice) >

< 대화(diálogo) > - 1

배고플 텐데 왜 밥을 많이 남겼어?
배고플 텐데 왜 바블 마니 남겨써?
baegopeul tende wae babeul mani namgyeosseo?

사실은 조금 전에 간식으로 빵을 먹었거든요.
사시른 조금 저네 간시그로 빵을 머걷꺼드뇨.
sasireun jogeum jeone gansigeuro ppangeul meogeotgeodeunyo.

< 설명(explicación) / 번역(traducción) >

배고프+[ㄹ 텐데] 왜 밥+을 많이 남기+었+어?
　　배고플 텐데　　　　　　　　　남겼어

- 배고프다 (adjetivo) : 배 속이 빈 것을 느껴 음식이 먹고 싶다.
  hambriento, famélico
  Que siente el estómago vacío y ganas de comer.

- -ㄹ 텐데 : 앞에 오는 말에 대하여 말하는 사람의 강한 추측을 나타내면서 그와 관련되는 내용을 이어
  　　　　말할 때 쓰는 표현.
  No hay expresión equivalente
  Expresión que indica una contundente suposición del hablante sobre un hecho y se usa para proponer un contenido relacionado a ello.

- 왜 (adverbio) : 무슨 이유로. 또는 어째서.
  por qué, porque
  Por qué causa. O el porqué.

- 밥 (sustantivo) : 쌀과 다른 곡식에 물을 붓고 물이 없어질 때까지 끓여서 익힌 음식.
  No hay expresión equivalente
  Comida hecha hirviendo granos como el arroz hasta que desaparezca el agua.

- 을 : 동작이 직접적으로 영향을 미치는 대상을 나타내는 조사.
  No hay expresión equivalente
  Posposición que se usa para indicar el objeto que ha sido influido directamente por una acción.

- **많이 (adverbio)** : 수나 양, 정도 등이 일정한 기준보다 넘게.
  mucho, abundantemente, copiosamente
  Más de un determinado número, cantidad o nivel de referencia.

- **남기다 (verbo)** : 다 쓰지 않고 나머지가 있게 하다.
  quedarse, sobrarse
  Dejar sobras de algo sin utilizarlo enteramente.

- **-었-** : 어떤 사건이 과거에 완료되었거나 그 사건의 결과가 현재까지 지속되는 상황을 나타내는 어미.
  No hay expresión equivalente
  Desinencia que se usa cuando cierto suceso fue acabado en el pasado o cuando el resultado de ese suceso continúa hasta el presente.

- **-어** : (두루낮춤으로) 어떤 사실을 서술하거나 **물음**, 명령, 권유를 나타내는 종결 어미.
  No hay expresión equivalente
  (TRATAMIENTO DE MODESTIA GENERAL) Desinencia de terminación que se usa cuando se describe cierto hecho; o pregunta, ordena o reclama algo. **<interrogación>**

사실+은 조금 전+에 간식+으로 **빵**+을 먹+었+거든요.

- **사실 (sustantivo)** : 겉으로 드러나지 않은 일을 솔직하게 말할 때 쓰는 말.
  verdad
  Palabra que se usa para hablar honestamente sobre hechos que no se exponen por fuera.

- **은** : 문장 속에서 어떤 대상이 화제임을 나타내는 조사.
  No hay expresión equivalente
  Posposición que se usa para indicar que cierto objeto es tópico en la oración.

- **조금 (sustantivo)** : 짧은 시간 동안.
  poco
  Corto tiempo.

- **전 (sustantivo)** : 일정한 때보다 앞.
  antes, previo
  Delante de un momento determinado.

- **에** : 앞말이 시간이나 때임을 나타내는 조사.
  No hay expresión equivalente
  Posposición que se usa cuando la palabra anterior indica hora o tiempo.

- **간식 (sustantivo)** : 식사와 식사 사이에 간단히 먹는 음식.
  merienda, refrigerio, tentempié
  Alimento ligero que se ingiere entre las comidas.

• 으로 : 신분이나 자격을 나타내는 조사.
No hay expresión equivalente
Posposición que indica la posición social o la capacidad de alguien.

• 빵 (sustantivo) : 밀가루를 반죽하여 발효시켜 찌거나 구운 음식.
pan
Comida horneada o cocida al vapor con masa de harina fermentada.

• 을 : 동작이 직접적으로 영향을 미치는 대상을 나타내는 조사.
No hay expresión equivalente
Posposición que se usa para indicar el objeto que ha sido influido directamente por una acción.

• 먹다 (verbo) : 음식 등을 입을 통하여 배 속에 들여보내다.
comer
Introducir por boca alimentos, etc. en el estómago.

• -었- : 사건이 과거에 일어났음을 나타내는 어미.
No hay expresión equivalente
Desinencia que se usa cuando indica que el suceso ocurrió en el pasado.

• -거든요 : (두루높임으로) 앞의 내용에 대해 말하는 사람이 생각한 이유나 원인, 근거를 나타내는 표현.
No hay expresión equivalente
(TRATAMIENTO HONORÍFICO GENERAL) Expresión que se usa cuando el hablante quiere mostrar su propia opinión sobre la causa o el fundamento de lo que se ha dicho en el comentario anterior de la cláusula.

< 대화(diálogo) > - 2

제가 지금 돈이 얼마 없거든요. 회비를 다음에 드려도 될까요?
제가 지금 도니 얼마 업꺼드뇨. 회비를 다으메 드려도 될까요?
jega jigeum doni eolma eopgeodeunyo. hoebireul daeume deuryeodo doelkkayo?

네. 그럼 다음 주 모임에 오실 때 주세요.
네. 그럼 다음 주 모이메 오실 때 주세요.
ne. geureom daeum ju moime osil ttae juseyo.

< 설명(explicación) / 번역(traducción) >

제+가 지금 돈+이 얼마 없+거든요.

회비+를 다음+에 드리+[어도 되]+ㄹ까요?
드려도 될까요

• **제 (pronombre)** : 말하는 사람이 자신을 낮추어 가리키는 말인 '저'에 조사 '가'가 붙을 때의 형태.
yo
Forma que toma '저' -palabra que usa el hablante para referirse a sí mismo en tono de humildad- cuando va antecedida de la posposición '가'.

• **가** : 어떤 상태나 상황에 놓인 대상이나 동작의 주체를 나타내는 조사.
No hay expresión equivalente
Posposición que se usa para indicar el objeto de cierto estado o situación o el agente de un movimiento.

• **지금 (adverbio)** : 말을 하고 있는 바로 이때에. 또는 그 즉시에.
ahora
En este preciso momento en que se está hablando. O de inmediato.

• **돈 (sustantivo)** : 물건을 사고팔 때나 일한 값으로 주고받는 동전이나 지폐.
dinero, plata
Moneda o billete que se intercambia al comprar o vender objetos o se entrega como forma de pago en el trabajo.

• 이 : 어떤 상태나 상황의 대상이나 동작의 주체를 나타내는 조사.
No hay expresión equivalente
Posposición que se usa para indicar el objeto de cierto estado o situación o el agente de un movimiento.

• 얼마 (sustantivo) : 밝힐 필요가 없는 적은 수량, 값, 정도.
cuánto
Poca cantidad, valor y grado que no vale la pena mencionarlo.

• 없다 (adjetivo) : 어떤 물건을 가지고 있지 않거나 자격이나 능력 등을 갖추지 않은 상태이다.
incapacitado
Estado en que alguien no posee un objeto ni tiene algún tipo de capacidad o derecho.

• -거든요 : (두루높임으로) 앞으로 이어질 내용의 전제를 이야기하면서 뒤에 이야기가 계속 이어짐을 나타내는 표현.
No hay expresión equivalente
(TRATAMIENTO HONORÍFICO GENERAL) Expresión que usa el hablante para insinuar que lo que acaba de hablar es la premisa de lo que va a decir a continuación, y que su historia continúa.

• 회비 (sustantivo) : 모임에서 사용하기 위하여 그 모임의 회원들이 내는 돈.
cuota de socio
Dinero pagado por los miembros de una asociación para gastos comunes.

• 를 : 동작이 직접적으로 영향을 미치는 대상을 나타내는 조사.
No hay expresión equivalente
Posposición que indica el objeto que influye directamente en la acción.

• 다음 (sustantivo) : 시간이 지난 뒤.
luego
Una vez transcurrido un determinado período de tiempo.

• 에 : 앞말이 시간이나 때임을 나타내는 조사.
No hay expresión equivalente
Posposición que se usa cuando la palabra anterior indica hora o tiempo.

• 드리다 (verbo) : (높임말로) 주다. 무엇을 다른 사람에게 건네어 가지게 하거나 사용하게 하다.
obsequiar
(TRATAMIENTO HONORÍFICO) Dar. Traspasar una cosa a una persona para que se adueñe o la aproveche.

• -어도 되다 : 어떤 행동에 대한 허락이나 허용을 나타낼 때 쓰는 표현.
No hay expresión equivalente
Expresión que indica permiso o autorización sobre una acción.

• -ㄹ까요 : (두루높임으로) 듣는 사람에게 의견을 묻거나 제안함을 나타내는 표현.
No hay expresión equivalente
(TRATAMIENTO HONORÍFICO GENERAL) Expresión para preguntar la opinión del oyente o para hacerle una propuesta.

네.

그럼 다음 주 모임+에 <u>오+시+[ㄹ 때]</u> 주+세요.
오실 때

• **네 (interjección)** : 윗사람의 물음이나 명령 등에 긍정하여 대답할 때 쓰는 말.
sí
Exclamación para responder positivamente a una pregunta u orden de un mayor.

• **그럼 (adverbio)** : 앞의 내용을 받아들이거나 그 내용을 바탕으로 하여 새로운 주장을 할 때 쓰는 말.
entonces, pues, en ese caso, en tal caso, de ser así
Se usa para manifestar que se admite lo antedicho, o plantear un nuevo argumento fundamentado en eso.

• **다음 (sustantivo)** : 이번 차례의 바로 뒤.
próximo, siguiente
Según un orden de sucesión, el que inmediatamente sigue.

• **주 (sustantivo)** : 월요일부터 일요일까지의 칠 일 동안.
semana
Durante siete días de la semana, de lunes a domingo.

• **모임 (sustantivo)** : 어떤 일을 하기 위하여 여러 사람이 모이는 일.
reunión, junta, encuentro
Acción de juntarse varias personas para realizar algún trabajo.

• **에** : 앞말이 목적지이거나 어떤 행위의 진행 방향임을 나타내는 조사.
No hay expresión equivalente
Posposición que se usa cuando la palabra anterior indica el destino o la dirección de avance de cierta acción.

• **오다 (verbo)** : 어떤 목적이 있는 모임에 참석하기 위해 다른 곳에 있다가 이곳으로 위치를 옮기다.
trasladar
Mover la ubicación de un lugar a otro para participar en una reunión con un objetivo.

• -시- : 어떤 동작이나 상태의 주체를 높이는 뜻을 나타내는 어미.

No hay expresión equivalente

Desinencia que se usa para dar un tratamiento honorífico al agente de una acción verbal o de un determinado estado.

• -ㄹ 때 : 어떤 행동이나 상황이 일어나는 동안이나 그 시기 또는 그러한 일이 일어난 경우를 나타내는 표현.

No hay expresión equivalente

Expresión que indica el surgimiento de un mismo hecho o de algo en un mismo tiempo, mientras surge alguna situación o se realiza alguna acción.

• **주다 (verbo)** : 물건 등을 남에게 건네어 가지거나 쓰게 하다.

entregar, dar, ofrecer

Hacer que el otro utilice o posea un objeto.

• -세요 : (두루높임으로) 설명, 의문, 명령, **요청**의 뜻을 나타내는 종결 어미.

No hay expresión equivalente

(TRATAMIENTO HONORÍFICO GENERAL) Desinencia de terminación que se usa cuando se manifiesta el sentido de explicación, duda, orden, reclamación, etc. **<petición>**

< 대화(diálogo) > - 3

내가 급한 사정이 생겨서 못 가게 된 공연 티켓이 있는데 네가 갈래?
내가 그판 사정이 생겨서 몯 가게 된 공연 티케시 인는데 네가 갈래?
naega geupan sajeongi saenggyeoseo mot gage doen gongyeon tikesi inneunde nega gallae?

정말? 그러면 나야 고맙지.
정말? 그러면 나야 고맙찌.
jeongmal? geureomyeon naya gomapji.

< 설명(explicación) / 번역(traducción) >

내+가 <u>급하+ㄴ</u> 사정+이 <u>생기+어서</u> 못 <u>가+[게 되]+ㄴ</u> 공연 티켓+이 있+는데
　　　급한　　　　　생겨서　　　　가게 된

네+가 <u>가+ㄹ래</u>?
　　　갈래

- 내 (pronombre) : '나'에 조사 '가'가 붙을 때의 형태.
  yo
  Forma que toma la palabra '나' cuando va antecedida de la posposición '가'.

- 가 : 어떤 상태나 상황에 놓인 대상이나 동작의 주체를 나타내는 조사.
  No hay expresión equivalente
  Posposición que se usa para indicar el objeto de cierto estado o situación o el agente de un movimiento.

- 급하다 (adjetivo) : 사정이나 형편이 빨리 처리해야 할 상태에 있다.
  urgente, apremiante
  Que está en una situación o circunstancia apremiante, que requiere de una pronta solución.

- -ㄴ : 앞의 말이 관형어의 기능을 하게 만들고 현재의 상태를 나타내는 어미.
  No hay expresión equivalente
  Desinencia que hace que la palabra antecedente ejerza la función de una palabra determinante, e indica el estado del presente.

• **사정 (sustantivo)** : 일의 형편이나 이유.
circunstancia
Razón o situación de un hecho.

• **이** : 어떤 상태나 상황의 대상이나 동작의 주체를 나타내는 조사.
No hay expresión equivalente
Posposición que se usa para indicar el objeto de cierto estado o situación o el agente de un movimiento.

• **생기다 (verbo)** : 사고나 일, 문제 등이 일어나다.
ocasionarse, provocarse, resultarse, originarse, sucederse
Producirse accidente, asunto, problema, etc.

• **-어서** : 이유나 근거를 나타내는 연결 어미.
No hay expresión equivalente
Desinencia conectora que se usa para indicar causa o fundamento.

• **못 (adverbio)** : 동사가 나타내는 동작을 할 수 없게.
no
Para negar la acción indicada por el verbo.

• **가다 (verbo)** : 어떤 목적을 가진 모임에 참석하기 위해 이동하다.
Ir
Trasladarse para participar en una reunión que se celebra con objetivo determinado.

• **-게 되다** : 앞의 말이 나타내는 상태나 상황이 됨을 나타내는 표현.
No hay expresión equivalente
Expresión que se usa para mostrar se ha llegado a un estado o una situación descrita previamente.

• **-ㄴ** : 앞의 말이 관형어의 기능을 하게 만들고 사건이나 동작이 완료되어 그 상태가 유지되고 있음을 나타내는 어미.
No hay expresión equivalente
Desinencia que hace que la palabra antecedente ejerza la función de una palabra determinante, e indica que un suceso o una acción se mantiene en el mismo estado que cuando concluyó en un momento del pasado.

• **공연 (sustantivo)** : 음악, 무용, 연극 등을 많은 사람들 앞에서 보이는 것.
espectáculo, función
Presentación ante un público de una obra musical, de baile o teatral.

• **티켓 (sustantivo)** : 입장권, 승차권 등의 표.
billete, tiquete, tique, boleto
Entrada, tarjeta para viajar en un medio de transporte, etc..

- **이** : 어떤 상태나 상황의 대상이나 동작의 주체를 나타내는 조사.
  No hay expresión equivalente
  Posposición que se usa para indicar el objeto de cierto estado o situación o el agente de un movimiento.

- **있다 (adjetivo)** : 어떤 물건을 가지고 있거나 자격이나 능력 등을 갖춘 상태이다.
  existente, disponible, capacitado
  Que posee cierto objeto o tiene derecho o capacidad para algo.

- **-는데** : 뒤의 말을 하기 위하여 그 대상과 관련이 있는 상황을 미리 말함을 나타내는 연결 어미.
  No hay expresión equivalente
  Desinencia conectora que se usa cuando se habla con antelación una circunstancia pasada relacionada con la palabra posterior.

- **네 (pronombre)** : '너'에 조사 '가'가 붙을 때의 형태.
  tú
  Forma que toma la palabra '너' cuando va antecedida de la posposición '가'.

- **가** : 어떤 상태나 상황에 놓인 대상이나 동작의 주체를 나타내는 조사.
  No hay expresión equivalente
  Posposición que se usa para indicar el objeto de cierto estado o situación o el agente de un movimiento.

- **가다 (verbo)** : 어떤 목적을 가진 모임에 참석하기 위해 이동하다.
  Ir
  Trasladarse para participar en una reunión que se celebra con objetivo determinado.

- **-ㄹ래** : (두루낮춤으로) 앞으로 어떤 일을 하려고 하는 자신의 의사를 나타내거나 그 일에 대하여 듣는 사람의 의사를 물어봄을 나타내는 종결 어미.
  No hay expresión equivalente
  (TRATAMIENTO DE MODESTIA GENERAL) Desinencia de terminación que se usa cuando se presenta la intención de llevar a cabo cierta cosa en adelante o pregunta la opinión del oyente sobre ella.

정말?

그러면 나+야 고맙+지.

- **정말 (sustantivo)** : 거짓이 없는 사실. 또는 사실과 조금도 틀림이 없는 말.
  verdad
  Hecho sin falsedad. Palabra que no es nada diferente a la realidad.

• **그러면 (adverbio)** : 앞의 내용이 뒤의 내용의 조건이 될 때 쓰는 말.

entonces, pues, en ese caso, en tal caso, de ser así

Se usa para denotar que lo antedicho es condición de lo que se dirá a continuación.

• **나 (pronombre)** : 말하는 사람이 친구나 아랫사람에게 자기를 가리키는 말.

yo

Pronombre que usa el hablante para referirse a sí mismo ante alguien de edad igual o menor.

• **야** : 강조의 뜻을 나타내는 조사.

No hay expresión equivalente

Posposición que indica énfasis.

• **고맙다 (adjetivo)** : 남이 자신을 위해 무엇을 해주어서 마음이 흐뭇하고 보답하고 싶다.

agradecido

Que está satisfecho uno porque otra persona hizo algo para él y desea devolverle el favor.

• **-지** : (두루낮춤으로) 말하는 사람이 자신에 대한 이야기나 자신의 생각을 친근하게 말할 때 쓰는 종결 어미.

No hay expresión equivalente

(TRATAMIENTO DE MODESTIA GENERAL) Desinencia de terminación que se usa cuando el hablante habla íntimamente sobre su historia o idea.

< 대화(diálogo) > - 4

저녁때 손님이 오신다고 불고기에다가 잡채까지 준비하게요?
저녁때 손니미 오신다고 불고기에다가 잡채까지 준비하게요?
jeonyeoktttae sonnimi osindago bulgogiedaga japchaekkaji junbihageyo?

그럼, 그 정도는 준비해야지.
그럼, 그 정도는 준비해야지.
geureom, geu jeongdoneun junbihaeyaji.

< 설명(explicación) / 번역(traducción) >

저녁때 손님+이 오+시+ㄴ다고 불고기+에다가 잡채+까지 준비하+게요?
오신다고

• **저녁때 (sustantivo)** : 저녁밥을 먹는 때.
anochecer
Hora de la cena.

• **손님 (sustantivo)** : (높임말로) 다른 곳에서 찾아온 사람.
invitado, convidado
(TRATAMIENTO HONORÍFICO) Persona que visita desde otro lugar.

• 이 : 어떤 상태나 상황의 대상이나 동작의 주체를 나타내는 조사.
No hay expresión equivalente
Posposición que se usa para indicar el objeto de cierto estado o situación o el agente de un movimiento.

• **오다 (verbo)** : 무엇이 다른 곳에서 이곳으로 움직이다.
venir, llegar
Trasladarse de otro lugar a donde está la persona que habla.

• -시- : 어떤 동작이나 상태의 주체를 높이는 뜻을 나타내는 어미.
No hay expresión equivalente
Desinencia que se usa para dar un tratamiento honorífico al agente de una acción verbal o de un determinado estado.

• -ㄴ다고 : 어떤 행위의 목적, 의도를 나타내거나 어떤 상황의 이유, 원인을 나타내는 연결 어미.
No hay expresión equivalente
Desinencia conectora que se usa cuando se indica el propósito o la intención de cierta acción, o la causa o la razón de cierta circunstancia.

• 불고기 (sustantivo) : 얇게 썰어 양념한 돼지고기나 쇠고기를 불에 구운 한국 전통 음식.
bulgogi, asado coreano, barbacoa coreana
Plato tradicional de Corea que se prepara asando la carne de cerdo o res, previamente condimentadas y cortadas finamente.

• 에다가 : 더해지는 대상을 나타내는 조사.
No hay expresión equivalente
Posposición que indica el sujeto que se suma.

• 잡채 (sustantivo) : 여러 가지 채소와 고기 등을 가늘게 썰어 기름에 볶은 것을 당면과 섞어 만든 음식.
japchae, plato de fideo de patata en polvo con verduras y carnes
Comida mixta con fideo de patata en polvo y varias verduras y carnes que se cortan delgadamente y se tuestan en aceite.

• 까지 : 현재의 상태나 정도에서 그 위에 더함을 나타내는 조사.
No hay expresión equivalente
Posposición que se usa para indicar algo que sobrepasa el estado o nivel actual.

• 준비하다 (verbo) : 미리 마련하여 갖추다.
preparar
Tener listo preparándolo anticipadamente.

• -게요 : (두루높임으로) 앞의 내용이 그러하다면 뒤의 내용은 어떠할 것이라고 추측해 물음을 나타내는 표현.
No hay expresión equivalente
(TRATAMIENTO HONORÍFICO GENERAL) Expresión que se usa para preguntar si algo va a ocurrir o realizarse, conjeturando en base a lo dicho anteriormente que eso podría suceder.

그럼, 그 정도+는 <u>준비하+여야지</u>.
준비해야지

• 그럼 (interjección) : 말할 것도 없이 당연하다는 뜻으로 대답할 때 쓰는 말.
No hay expresión equivalente
Exclamación para responder que algo es obvio sin duda alguna.

• 그 (determinante) : 앞에서 이미 이야기한 대상을 가리킬 때 쓰는 말.

ese

Expresión usada para designar algo que se acaba de mencionar.

• 정도 (sustantivo) : 사물의 성질이나 가치를 좋고 나쁨이나 더하고 덜한 정도로 나타내는 분량이나 수준.

grado

Cantidad o nivel por los que representan la cualidad o el valor de una cosa en bueno o malo y en superior o inferior.

• 는 : 강조의 뜻을 나타내는 조사.

No hay expresión equivalente

Posposición que indica énfasis.

• 준비하다 (verbo) : 미리 마련하여 갖추다.

preparar

Tener listo preparándolo anticipadamente.

• -여야지 : (두루낮춤으로) 말하는 사람의 결심이나 의지를 나타내는 종결 어미.

No hay expresión equivalente

(TRATAMIENTO DE MODESTIA GENERAL) Desinencia de terminación que se usa cuando se manifiesta la decisión o la voluntad del hablante.

< 대화(diálogo) > - 5

장사가 잘됐으면 제가 그만뒀게요?
장사가 잘돼쓰면 제가 그만뒬께요?
jangsaga jaldwaesseumyeon jega geumandwotgeyo?

요즘은 장사하는 사람들이 다 어렵다고 하더라고요.
요즈믄 장사하는 사람드리 다 어렵따고 하더라고요.
yojeumeun jangsahaneun saramdeuri da eoryeopdago hadeoragoyo.

< 설명(explicación) / 번역(traducción) >

장사+가 잘되+었으면 제+가 그만두+었+게요?
　　　　잘됐으면　　　　　　　그만뒀게요

- **장사 (sustantivo)** : 이익을 얻으려고 물건을 사서 팖. 또는 그런 일.
negocio, comercio, transacción
Venta tras comprar mercancías con el fin de obtener ganancias. O ese acto.

- **가** : 어떤 상태나 상황에 놓인 대상이나 동작의 주체를 나타내는 조사.
No hay expresión equivalente
Posposición que se usa para indicar el objeto de cierto estado o situación o el agente de un movimiento.

- **잘되다 (verbo)** : 어떤 일이나 현상이 좋게 이루어지다.
salir bien
Realizarse bien cierto hecho o fenómeno.

- **-었으면** : 현재 그렇지 않음을 표현하기 위해 실제 상황과 반대되는 가정을 할 때 쓰는 표현.
No hay expresión equivalente
Expresión que se usa para suponer una situación opuesta a la realidad y expresar que actualmente no es así.

- **제 (pronombre)** : 말하는 사람이 자신을 낮추어 가리키는 말인 '저'에 조사 '가'가 붙을 때의 형태.
yo
Forma que toma '저' -palabra que usa el hablante para referirse a sí mismo en tono de humildad- cuando va antecedida de la posposición '가'.

• 가 : 어떤 상태나 상황에 놓인 대상이나 동작의 주체를 나타내는 조사.
No hay expresión equivalente
Posposición que se usa para indicar el objeto de cierto estado o situación o el agente de un movimiento.

• **그만두다 (verbo)** : 하던 일을 중간에 그치고 하지 않다.
abandonar, dejar, renunciar, desistir
Abandonar a medio camino lo que se estaba haciendo.

• -었- : 어떤 사건이 과거에 완료되었거나 그 사건의 결과가 현재까지 지속되는 상황을 나타내는 어미.
No hay expresión equivalente
Desinencia que se usa cuando cierto suceso fue acabado en el pasado o cuando el resultado de ese suceso continúa hasta el presente.

• -게요 : (두루높임으로) 앞의 내용이 사실이라면 당연히 뒤의 내용이 이루어지겠지만 실제로는 그렇지 않음을 나타내는 표현.
No hay expresión equivalente
(TRATAMIENTO HONORÍFICO GENERAL) Expresión que se usa para mostrar que si lo dicho anteriormente fuera correcto, sería obvio lo que se dice a continuación pero en realidad no es así.

요즘+은 장사하+는 사람+들+이 다 어렵+다고 하+더라고요.

• **요즘 (sustantivo)** : 아주 가까운 과거부터 지금까지의 사이.
estos días
Desde un pasado cercano hasta ahora.

• 은 : 문장 속에서 어떤 대상이 화제임을 나타내는 조사.
No hay expresión equivalente
Posposición que se usa para indicar que cierto objeto es tópico en la oración.

• **장사하다 (verbo)** : 이익을 얻으려고 물건을 사서 팔다.
negociar, comerciar
Vender mercancías compradas con el fin de obtener ganancias.

• -는 : 앞의 말이 관형어의 기능을 하게 만들고 사건이나 동작이 현재 일어남을 나타내는 어미.
No hay expresión equivalente
Desinencia que hace que la palabra antecedente ejerza la función de un componente determinante, e indica que un suceso o una acción se produce en el presente.

• **사람 (sustantivo)** : 특별히 정해지지 않은 자기 외의 남을 가리키는 말.
persona, adversario, contraparte
Palabra que indica a los demás que no se encuentran especialmente definidos.

• 들 : '복수'의 뜻을 더하는 접미사.
No hay expresión equivalente
Sufijo que añade el significado de 'plural'.

• 이 : 어떤 상태나 상황의 대상이나 동작의 주체를 나타내는 조사.
No hay expresión equivalente
Posposición que se usa para indicar el objeto de cierto estado o situación o el agente de un movimiento.

• 다 (adverbio) : 남거나 빠진 것이 없이 모두.
todo
Enteramente, sin falta alguna.

• 어렵다 (adjetivo) : 곤란한 일이나 고난이 많다.
dificultoso, complicado, complejo, engorroso
Que hay mucha complicación o adversidad.

• -다고 : 다른 사람에게서 들은 내용을 간접적으로 전달하거나 주어의 생각, 의견 등을 나타내는 표현.
No hay expresión equivalente
Expresión que se usa para transmitir de manera indirecta algo que se ha escuchado o mostrar la opinión o postura del sujeto.

• 하다 (verbo) : 무엇에 대해 말하다.
abordar, tratar
Hablar sobre un tema.

• -더라고요 : (두루높임으로) 과거에 경험하여 새로 알게 된 사실에 대해 지금 상대방에게 옮겨 전할 때 쓰는 표현.
No hay expresión equivalente
(TRATAMIENTO HONORÍFICO GENERAL) Expresión que se usa cuando el hablante transmite actualmente al adversario algo nuevo que acaba de conocer por haberlo experimentado directamente en el pasado.

< 대화(diálogo) > - 6

우리 가족 중에서 누가 가장 늦게 일어나게요?
우리 가족 중에서 누가 가장 늘께 이러나게요?
uri gajok jungeseo nuga gajang neutge ireonageyo?

보나 마나 너겠지, 뭐.
보나 마나 너겔찌, 뭐.
bona mana neogetji, mwo.

< 설명(explicación) / 번역(traducción) >

우리 가족 중+에서 <u>누(구)</u>+가 가장 늦+게 일어나+게요?
누가

- **우리 (pronombre)** : 말하는 사람이 자기보다 높지 않은 사람에게 자기와 관련된 것을 친근하게 나타낼 때 쓰는 말.
  el nuestro, la nuestra
  Palabra que el hablante usa para mostrar íntimamente lo que está relacionado consigo delante de una persona que no es superior a él.

- **가족 (sustantivo)** : 주로 한 집에 모여 살고 결혼이나 부모, 자식, 형제 등의 관계로 이루어진 사람들의 집단. 또는 그 구성원.
  familia
  Grupo de personas unidas por el matrimonio o mediante lazos sanguíneos y que, por lo general, viven en una misma casa. O integrante de tal grupo de personas.

- **중 (sustantivo)** : 여럿 가운데.
  No hay expresión equivalente
  Entre varios.

- **에서** : 여럿으로 이루어진 일정한 범위의 안.
  No hay expresión equivalente
  Dentro de un cierto alcance compuesto por varios.

- **누구 (pronombre)** : 모르는 사람을 가리키는 말.
  alguien, quién
  Pronombre que designa a alguien desconocido.

• **가** : 어떤 상태나 상황에 놓인 대상이나 동작의 주체를 나타내는 조사.
No hay expresión equivalente
Posposición que se usa para indicar el objeto de cierto estado o situación o el agente de un movimiento.

• **가장 (adverbio)** : 여럿 가운데에서 제일로.
el más, el mejor
El mejor o el máximo entre varios.

• **늦다 (adjetivo)** : 기준이 되는 때보다 뒤져 있다.
atrasado, retrasado
Que está atrasado respecto al punto de referencia.

• **-게** : 앞의 말이 뒤에서 가리키는 일의 목적이나 결과, 방식, 정도 등이 됨을 나타내는 연결 어미.
No hay expresión equivalente
Desinencia conectora que se usa cuando la palabra anterior es el objetivo, resultado, método, grado, etc. que indica al posterior.

• **일어나다 (verbo)** : 잠에서 깨어나다.
levantarse
Despertarse del sueño.

• **-게요** : (두루높임으로) 듣는 사람에게 한 번 추측해서 대답해 보라고 물을 때 쓰는 표현.
No hay expresión equivalente
(TRATAMIENTO HONORÍFICO GENERAL) Expresión que se usa para preguntar algo al interlocutor en espera de una respuesta conjeturada.

보+[나 마나] 너+(이)+겠+지, 뭐.
너겠지

• **보다 (verbo)** : 눈으로 대상의 존재나 겉모습을 알다.
ver, mirar, observar
Percibir por los ojos la existencia o la apariencia de un objeto.

• **-나 마나** : 그렇게 하나 그렇게 하지 않으나 다름이 없는 상황임을 나타내는 표현.
No hay expresión equivalente
Expresión que indica que da lo mismo realizar o no alguna cosa.

• **너 (pronombre)** : 듣는 사람이 친구나 아랫사람일 때, 그 사람을 가리키는 말.
tú, vos
Pronombre que designa al oyente cuando éste es de la misma edad o menor que el hablante.

• 이다 : 주어가 지시하는 대상의 속성이나 부류를 지정하는 뜻을 나타내는 서술격 조사.

No hay expresión equivalente

Posposición de caso atributivo, que se usa para designar el atributo o la clase del objeto al que se refiere el sujeto.

• -겠- : 미래의 일이나 추측을 나타내는 어미.

No hay expresión equivalente

Desinencia que se usa para indicar algo del futuro o una conjetura.

• -지 : (두루낮춤으로) 말하는 사람이 자신에 대한 이야기나 자신의 생각을 친근하게 말할 때 쓰는 종결 어미.

No hay expresión equivalente

(TRATAMIENTO DE MODESTIA GENERAL) Desinencia de terminación que se usa cuando el hablante habla íntimamente sobre su historia o idea.

• **뭐 (interjección)** : 사실을 말할 때, 상대의 생각을 가볍게 반박하거나 새롭게 일깨워 주는 뜻으로 하는 말.

No hay expresión equivalente

A la hora de decir la verdad, palabra que se usa para oponerse suavemente la opinión del adversario o para hacer recordar algo nuevo.

< 대화(diálogo) > - 7

저 앞 도로에서 무슨 일이 생겼나 봐요. 길이 이렇게 막히게요.
저 압 도로에서 무슨 이리 생견나 봐요. 기리 이러케 마키게요.
jeo ap doroeseo museun iri saenggyeonna bwayo. giri ireoke makigeyo.

사고라도 난 모양이네.
사고라도 난 모양이네.
sagorado nan moyangine.

< 설명(explicación) / 번역(traducción) >

저 앞 도로+에서 무슨 일+이 <u>생기+었+[나 보]+아요</u>.
생겼나 봐요

길+이 이렇+게 막히+게요.

- 저 (determinante) : 말하는 사람과 듣는 사람에게서 멀리 떨어져 있는 대상을 가리킬 때 쓰는 말.
  aquel, aquella
  Palabra que se usa para señalar un objeto bien apartado del hablante y el oyente.

- 앞 (sustantivo) : 향하고 있는 쪽이나 곳.
  frente,, delante
  Lugar o lado a donde se dirige.

- 도로 (sustantivo) : 사람이나 차가 잘 다닐 수 있도록 만들어 놓은 길.
  camino, calle, sendero, vía, paso, ruta, vereda
  Camino construido para el pase de personas o coches.

- 에서 : 앞말이 행동이 이루어지고 있는 장소임을 나타내는 조사.
  No hay expresión equivalente
  Posposición que se usa para indicar el lugar en el que se realiza la acción de la palabra anterior.

- 무슨 (determinante) : 확실하지 않거나 잘 모르는 일, 대상, 물건 등을 물을 때 쓰는 말.
  qué
  Palabra que se usa para inquirir sobre alguien o algo incierto o desconocido.

- 일 (sustantivo) : 어떤 내용을 가진 상황이나 사실.
  cosa, hecho
  Circunstancia o verdad con cierto contextó.

- 이 : 어떤 상태나 상황의 대상이나 동작의 주체를 나타내는 조사.
  No hay expresión equivalente
  Posposición que se usa para indicar el objeto de cierto estado o situación o el agente de un movimiento.

- 생기다 (verbo) : 사고나 일, 문제 등이 일어나다.
  ocasionarse, provocarse, resultarse, originarse, sucederse
  Producirse accidente, asunto, problema, etc.

- -었- : 어떤 사건이 과거에 완료되었거나 그 사건의 결과가 현재까지 지속되는 상황을 나타내는 어미.
  No hay expresión equivalente
  Desinencia que se usa cuando cierto suceso fue acabado en el pasado o cuando el resultado de ese suceso continúa hasta el presente.

- -나 보다 : 앞의 말이 나타내는 사실을 추측함을 나타내는 표현.
  No hay expresión equivalente
  Expresión que se usa para mostrar que el hablante está suponiendo un acto o estado que representa el comentario anterior.

- -아요 : (두루높임으로) 어떤 사실을 서술하거나 질문, 명령, 권유함을 나타내는 종결 어미.
  No hay expresión equivalente
  (TRATAMIENTO HONORÍFICO GENERAL) Desinencia de terminación que se usa cuando se describe cierto hecho; o pregunta, ordena o reclama algo. <narración>

- 길 (sustantivo) : 사람이나 차 등이 지나다닐 수 있게 땅 위에 일정한 너비로 길게 이어져 있는 공간.
  calle
  Camino alargado y delimitado para que puedan transitar coches o personas.

- 이 : 어떤 상태나 상황의 대상이나 동작의 주체를 나타내는 조사.
  No hay expresión equivalente
  Posposición que se usa para indicar el objeto de cierto estado o situación o el agente de un movimiento.

- 이렇다 (adjetivo) : 상태, 모양, 성질 등이 이와 같다.
  tal
  Dicho del estado, la forma o el carácter de algo: que es como este.

- -게 : 앞의 말이 뒤에서 가리키는 일의 목적이나 결과, 방식, 정도 등이 됨을 나타내는 연결 어미.
  No hay expresión equivalente
  Desinencia conectora que se usa cuando la palabra anterior es el objetivo, resultado, método, grado, etc. que indica al posterior.

• **막히다 (verbo)** : 길에 차가 많아 차가 제대로 가지 못하게 되다.
congestionarse, embotellarse
Obstruirse o detenerse el paso por una aglomeración excesiva de vehículos.

• **-게요** : (두루높임으로) 앞 문장의 내용에 대한 근거를 제시할 때 쓰는 표현.
No hay expresión equivalente
(TRATAMIENTO HONORÍFICO GENERAL) Expresión que se usa para ofrecer fundamento del contenido de la oración precedente.

사고+라도 나+[ㄴ 모양이]+네.
난 모양이네

• **사고 (sustantivo)** : 예상하지 못하게 일어난 좋지 않은 일.
accidente
Hecho malo que surge sin previsión.

• **라도** : 유사한 것을 예로 들어 설명할 때 쓰는 조사.
No hay expresión equivalente
Posposición que se usa para explicar algo tomando un ejemplo similar a él.

• **나다 (verbo)** : 어떤 현상이나 사건이 일어나다.
ocurrir, estallar, surgir, suceder, acontecer
Generarse algún fenómeno o suceso.

• **-ㄴ 모양이다** : 다른 사실이나 상황으로 보아 현재 어떤 일이 일어났거나 어떤 상태라고 추측함을 나타내는 표현.
No hay expresión equivalente
Expresión que se usa para suponer el estado actual considerando indicios o circunstancias relacionadas.

• **-네** : (아주낮춤으로) 지금 깨달은 일에 대하여 말함을 나타내는 종결 어미.
No hay expresión equivalente
(TRATAMIENTO DE MODESTIA MÁXIMA) Desinencia de terminación que se usa cuando se habla de lo que se ha enterado ahora.

< 대화(diálogo) > - 8

다음 달에 적금을 타면 뭐 하게요?
다음 다레 적끄믈 타면 뭐 하게요?
daeum dare jeokgeumeul tamyeon mwo hageyo?

그걸로 딸아이 피아노 사 주려고 해요.
그걸로 따라이 피아노 사 주려고 해요.
geugeollo ttarai piano sa juryeogo haeyo.

< 설명(explicación) / 번역(traducción) >

다음 달+에 적금+을 타+면 뭐 하+게요?

- **다음 (sustantivo)** : 어떤 차례에서 바로 뒤.
  próximo, siguiente
  Según un orden de sucesión, el que va inmediatamente después.

- **달 (sustantivo)** : 일 년을 열둘로 나누어 놓은 기간.
  mes
  Una de las partes o períodos de los doce en que se divide un año.

- **에** : 앞말이 시간이나 때임을 나타내는 조사.
  No hay expresión equivalente
  Posposición que se usa cuando la palabra anterior indica hora o tiempo.

- **적금 (sustantivo)** : 은행에 일정한 돈을 일정한 기간 동안 낸 다음에 찾는 저금.
  ahorro
  Ahorro que se retira luego de depositar en el banco determinado monto de dinero durante un periodo determinado.

- **을** : 동작이 직접적으로 영향을 미치는 대상을 나타내는 조사.
  No hay expresión equivalente
  Posposición que se usa para indicar el objeto que ha sido influido directamente por una acción.

- **타다 (verbo)** : 몫이나 상으로 주는 돈이나 물건을 받다.
  recibir, aceptar
  Recibir un objeto o dinero que se da como premio o porque le corresponde.

• -면 : 뒤에 오는 말에 대한 근거나 조건이 됨을 나타내는 연결 어미.
No hay expresión equivalente
Desinencia conectora que se usa cuando es un fundamento o condición del contenido posterior.

• 뭐 (pronombre) : 모르는 사실이나 사물을 가리키는 말.
¿qué?, ¿cuál?
Pronombre interrogativo que se usa para inquirir un hecho o una cosa.

• 하다 (verbo) : 어떤 행동이나 동작, 활동 등을 행하다.
hacer, realizar
Llevar a cabo un acto o una acción.

• -게요 : (두루높임으로) 상대의 의도를 물을 때 쓰는 표현.
No hay expresión equivalente
(TRATAMIENTO HONORÍFICO GENERAL) Expresión que se usa para preguntar la intención del interlocutor.

그것(그거)+ㄹ로 딸아이 피아노 사+[(아) 주]+[려고 하]+여요.
그걸로   사 주려고 해요

• 그것 (pronombre) : 앞에서 이미 이야기한 대상을 가리키는 말.
eso, esa persona
Pronombre que designa a un referente ya mencionado.

• ㄹ로 : 어떤 일의 수단이나 도구를 나타내는 조사.
No hay expresión equivalente
Posposición que indica el medio o el instrumento de cierta cosa.

• 딸아이 (sustantivo) : 남에게 자기 딸을 이르는 말.
hija, retoña
Palabra para referirse a la propia hija frente a otro.

• 피아노 (sustantivo) : 검은색과 흰색 건반을 손가락으로 두드리거나 눌러서 소리를 내는 큰 악기.
piano
Instrumento musical que produce sonido cuando se presiona con los dedos sus teclas blancas y negras.

• 사다 (verbo) : 돈을 주고 어떤 물건이나 권리 등을 자기 것으로 만들다.
comprar, adquirir, obtener
Apoderarse de cierta cosa o derecho tras pagar el dinero.

• -아 주다 : 남을 위해 앞의 말이 나타내는 행동을 함을 나타내는 표현.

No hay expresión equivalente

Expresión que indica la realización de una acción que indica el comentario anterior para el bien del otro.

• -려고 하다 : 앞의 말이 나타내는 행동을 할 의도나 의향이 있음을 나타내는 표현.

No hay expresión equivalente

Expresión que indica que tiene la voluntad o está dispuesto a mostrar en acciones lo dicho anteriormente.

• -여요 : (두루높임으로) 어떤 사실을 서술하거나 질문, 명령, 권유함을 나타내는 종결 어미.

No hay expresión equivalente

(TRATAMIENTO HONORÍFICO GENERAL) Desinencia de terminación que se usa cuando se describe cierto hecho; o pregunta, ordena o reclama algo. **<narración>**

< 대화(diálogo) > - 9

누가 책상을 치우라고 시켰어요?
누가 책상을 치우라고 시켜써요?
nuga chaeksangeul chiurago sikyeosseoyo?

제가 영수에게 치우게 했습니다.
제가 영수에게 치우게 햏씀니다.
jega yeongsuege chiuge haetseumnida.

< 설명(explicación) / 번역(traducción) >

누(구)+가 책상+을 치우+라고 시키+었+어요?
누가   **시켰어요**

- 누구 (pronombre) : 모르는 사람을 가리키는 말.
  alguien, quién
  Pronombre que designa a alguien desconocido.

- 가 : 어떤 상태나 상황에 놓인 대상이나 동작의 주체를 나타내는 조사.
  No hay expresión equivalente
  Posposición que se usa para indicar el objeto de cierto estado o situación o el agente de un movimiento.

- 책상 (sustantivo) : 책을 읽거나 글을 쓰거나 사무를 볼 때 앞에 놓고 쓰는 상.
  escritorio
  Mesa que se utiliza para leer libros, escribir o realizar tareas.

- 을 : 동작이 직접적으로 영향을 미치는 대상을 나타내는 조사.
  No hay expresión equivalente
  Posposición que se usa para indicar el objeto que ha sido influido directamente por una acción.

- 치우다 (verbo) : 물건을 다른 데로 옮기다.
  mover, remover, trasladar
  Poner en otro lugar alguna cosa.

• -라고 : 다른 사람에게 들은 명령이나 권유 등의 내용을 간접적으로 전할 때 쓰는 표현.

No hay expresión equivalente

Expresión que se usa para trasmitir indirectamente el contenido de una orden o una sugerencia que escuchó de otra persona.

• 시키다 (verbo) : 어떤 일이나 행동을 하게 하다.

ordenar

Mandar que se realice algún trabajo o acción.

• -었- : 사건이 과거에 일어났음을 나타내는 어미.

No hay expresión equivalente

Desinencia que se usa cuando indica que el suceso ocurrió en el pasado.

• -어요 : (두루높임으로) 어떤 사실을 서술하거나 질문, 명령, 권유함을 나타내는 종결 어미.

No hay expresión equivalente

(TRATAMIENTO HONORÍFICO GENERAL) Desinencia de terminación que se usa cuando se describe cierto hecho; o pregunta, ordena o reclama algo. **<pregunta>**

제+가 영수+에게 <u>치우+[게 하]</u>+였+습니다.
치우게 했습니다

• 제 (pronombre) : 말하는 사람이 자신을 낮추어 가리키는 말인 '저'에 조사 '가'가 붙을 때의 형태.

yo

Forma que toma '저' -palabra que usa el hablante para referirse a sí mismo en tono de humildad- cuando va antecedida de la posposición '가'.

• 가 : 어떤 상태나 상황에 놓인 대상이나 동작의 주체를 나타내는 조사.

No hay expresión equivalente

Posposición que se usa para indicar el objeto de cierto estado o situación o el agente de un movimiento.

• 영수 (sustantivo) : nombre de una persona

• 에게 : 어떤 행동이 미치는 대상임을 나타내는 조사.

No hay expresión equivalente

Posposición que indica ser un objeto influyente de cierta acción.

• 치우다 (verbo) : 물건을 다른 데로 옮기다.

mover, remover, trasladar

Poner en otro lugar alguna cosa.

• -게 하다 : 남에게 어떤 행동을 하도록 시키거나 물건이 어떤 작동을 하게 만듦을 나타내는 표현.
No hay expresión equivalente
Expresión que indica la acción de hacer que alguien realice cierta actividad o hacer que algo ejecute cierta función.

• -였- : 사건이 과거에 일어났음을 나타내는 어미.
No hay expresión equivalente
Desinencia que se usa para indicar que el suceso ocurrió en el pasado.

• -습니다 : (아주높임으로) 현재의 동작이나 상태, 사실을 정중하게 설명함을 나타내는 종결 어미.
No hay expresión equivalente
(TRATAMIENTO HONORÍFICO MÁXIMO) Desinencia de terminación que se usa cuando se explica respetuosamente la acción, estado o hecho del presente.

< 대화(diálogo) > - 10

어머니가 아직도 여행을 못 가게 하셔?
어머니가 아직또 여행을 몯 가게 하셔?
eomeoniga ajikdo yeohaengeul mot gage hasyeo?

응. 끝까지 허락을 안 해 주실 모양이야.
응. 끋까지 허라글 안 해 주실 모양이야.
eung. kkeutkkaji heorageul an hae jusil moyangiya.

< 설명(explicación) / 번역(traducción) >

어머니+가 아직+도 여행+을 못 <u>가+[게 하]+시+어</u>?
가게 하셔

- **어머니 (sustantivo)** : 자기를 낳아 준 여자를 이르거나 부르는 말.
  madre, mamá
  Palabra usada para referirse o llamar a su progenitora.

- **가** : 어떤 상태나 상황에 놓인 대상이나 동작의 주체를 나타내는 조사.
  No hay expresión equivalente
  Posposición que se usa para indicar el objeto de cierto estado o situación o el agente de un movimiento.

- **아직 (adverbio)** : 어떤 일이나 상태 또는 어떻게 되기까지 시간이 더 지나야 함을 나타내거나, 어떤 일이나 상태가 끝나지 않고 계속 이어지고 있음을 나타내는 말.
  todavía, aún, ni hasta ahora
  Palabra que indica que es necesario esperar más tiempo hasta que algún asunto alcance determinado nivel o estado, o denota que algo continúa en determinado nivel o estado sin cambiar.

- **도** : 놀라움, 감탄, 실망 등의 감정을 강조함을 나타내는 조사.
  No hay expresión equivalente
  Posposición que enfatiza sentimientos como asombro, admiración, desilusión, etc.

- **여행 (sustantivo)** : 집을 떠나 다른 지역이나 외국을 두루 구경하며 다니는 일.
  viaje, visita, paseo, recorrido, excursión, expedición, gira
  Acción de marcharse de la casa para pasear disfrutando de diferentes aspectos de otra región u otro país.

· 을 : 그 행동의 목적이 되는 일을 나타내는 조사.
No hay expresión equivalente
Posposición que se usa para indicar algo que es objetivo de cierta acción.

· 못 (adverbio) : 동사가 나타내는 동작을 할 수 없게.
no
Para negar la acción indicada por el verbo.

· 가다 (verbo) : 어떤 목적을 가지고 일정한 곳으로 움직이다.
Ir
Trasladarse a cierto lugar con objetivo determinado.

· -게 하다 : 다른 사람의 어떤 행동을 허용하거나 허락함을 나타내는 표현.
No hay expresión equivalente
Expresión que indica que se ha otorgado permiso o autorización a alguien para realizar cierta acción.

· -시- : 어떤 동작이나 상태의 주체를 높이는 뜻을 나타내는 어미.
No hay expresión equivalente
Desinencia que se usa para dar un tratamiento honorífico al agente de una acción verbal o de un determinado estado.

· -어 : (두루낮춤으로) 어떤 사실을 서술하거나 물음, 명령, 권유를 나타내는 종결 어미.
No hay expresión equivalente
(TRATAMIENTO DE MODESTIA GENERAL) Desinencia de terminación que se usa cuando se describe cierto hecho; o pregunta, ordena o reclama algo. **<interrogación>**

응.

끝+까지 허락+을 안 하+[여 주]+시+[ㄹ 모양이]+야.
해 주실 모양이야

· 응 (interjección) : 상대방의 물음이나 명령 등에 긍정하여 대답할 때 쓰는 말.
¡sí!
Interjección que se usa para contestar afirmativamente la pregunta o la orden de otra persona.

· 끝 (sustantivo) : 시간에서의 마지막 때.
final
Última fase de un período.

• 까지 : 어떤 범위의 끝임을 나타내는 조사.
No hay expresión equivalente
Posposición que se usa para denotar el término o límite de algo.

• 허락 (sustantivo) : 요청하는 일을 하도록 들어줌.
autorización, consentimiento, permiso
Acción de aceptar la petición del otro.

• 을 : 동작이 직접적으로 영향을 미치는 대상을 나타내는 조사.
No hay expresión equivalente
Posposición que se usa para indicar el objeto que ha sido influido directamente por una acción.

• 안 (adverbio) : 부정이나 반대의 뜻을 나타내는 말.
no
Palabra que expresa negación u oposición.

• 하다 (verbo) : 어떤 행동이나 동작, 활동 등을 행하다.
hacer, realizar
Llevar a cabo un acto o una acción.

• -여 주다 : 남을 위해 앞의 말이 나타내는 행동을 함을 나타내는 표현.
No hay expresión equivalente
Expresión que indica la realización de una acción que indica el comentario anterior para el bien del otro.

• -시- : 어떤 동작이나 상태의 주체를 높이는 뜻을 나타내는 어미.
No hay expresión equivalente
Desinencia que se usa para dar un tratamiento honorífico al agente de una acción verbal o de un determinado estado.

• -ㄹ 모양이다 : 다른 사실이나 상황으로 보아 앞으로 어떤 일이 일어나거나 어떤 상태일 것이라고 추측함을 나타내는 표현.
No hay expresión equivalente
Expresión que indica la suposición de un estado o el surgimiento de un hecho teniendo en cuenta otra situación o caso.

• -아 : (두루낮춤으로) 어떤 사실에 대하여 서술하거나 물음을 나타내는 종결 어미.
No hay expresión equivalente
(TRATAMIENTO DE MODESTIA GENERAL) Desinencia de terminación que se usa cuando se describe o interroga sobre cierto hecho. <narración>

< 대화(diálogo) > - 11

할머니는 집에 계세요?
할머니는 지베 계세요(게세요)?
halmeonineun jibe gyeseyo(geseyo)?

응. 그런데 주무시고 계시니 깨우지 말고 좀 기다려.
응. 그런데 주무시고 계시니(게시니) 깨우지 말고 좀 기다려.
eung. geureonde jumusigo gyesini(gesini) kkaeuji malgo jom gidaryeo.

< 설명(explicación) / 번역(traducción) >

할머니+는 집+에 계시+어요?
계세요

- **할머니 (sustantivo)** : 아버지의 어머니, 또는 어머니의 어머니를 이르거나 부르는 말.
  halmeoni, abuela
  Respecto de una persona, palabra usada para referirse o llamar a la madre de su propio padre o madre.

- **는** : 문장 속에서 어떤 대상이 화제임을 나타내는 조사.
  No hay expresión equivalente
  Posposición que muestra que el referente es el tópico de una oración.

- **집 (sustantivo)** : 사람이나 동물이 추위나 더위 등을 막고 그 속에 들어 살기 위해 지은 건물.
  casa, vivienda, hogar
  Edificio que construye una persona o un animal para bloquear el frío o el calor y vivir dentro del mismo.

- **에** : 앞말이 어떤 장소나 자리임을 나타내는 조사.
  No hay expresión equivalente
  Posposición que se usa cuando la palabra anterior indica cierto lugar o sitio.

- **계시다 (verbo)** : (높임말로) 높은 분이나 어른이 어느 곳에 있다.
  encontrarse
  (TRATAMIENTO HONORÍFICO) Estar el superior o mayor en un lugar.

• -어요 : (두루높임으로) 어떤 사실을 서술하거나 질문, 명령, 권유함을 나타내는 종결 어미.
No hay expresión equivalente
(TRATAMIENTO HONORÍFICO GENERAL) Desinencia de terminación que se usa cuando se describe cierto hecho; o pregunta, ordena o reclama algo. **<pregunta>**

응.

그런데 주무시+[고 계시]+니 깨우+[지 말]+고 좀 기다리+어.
기다려

• **응 (interjección)** : 상대방의 물음이나 명령 등에 긍정하여 대답할 때 쓰는 말.
¡sí!
Interjección que se usa para contestar afirmativamente la pregunta o la orden de otra persona.

• **그런데 (adverbio)** : 이야기를 앞의 내용과 관련시키면서 다른 방향으로 바꿀 때 쓰는 말.
a propósito
Se usa para cambiar de tema y hablar de otra cosa, sin interrumpir el flujo de la conversación.

• **주무시다 (verbo)** : (높임말로) 자다.
dormir
(TRATAMIENTO HONORÍFICO) Dormir.

• **-고 계시다** : (높임말로) 앞의 말이 나타내는 행동이 계속 진행됨을 나타내는 표현.
No hay expresión equivalente
(TRATAMIENTO HONORÍFICO) Expresión que indica que la acción que representa la parte anterior de la cláusula continúa.

• **-니** : 뒤에 오는 말에 대하여 앞에 오는 말이 원인이나 근거, 전제가 됨을 나타내는 연결 어미.
No hay expresión equivalente
Desinencia conectora que se usa cuando la palabra anterior es una causa, fundamento o premisa de la palabra posterior.

• **깨우다 (verbo)** : 잠들거나 취한 상태 등에서 벗어나 온전한 정신 상태로 돌아오게 하다.
despertarse, desadormecerse, desembriagarse, desemborracharse
Volver al estado normal de la mente superando el sueño o la embriaguez.

• **-지 말다** : 앞의 말이 나타내는 행동을 하지 못하게 함을 나타내는 표현.
No hay expresión equivalente
Expresión que se usa para prohibir la acción del comentario mencionado anteriormente.

- -고 : 앞의 말과 뒤의 말이 차례대로 일어남을 나타내는 연결 어미.
  No hay expresión equivalente
  Desinencia conectora que se usa cuando la palabra anterior y la posterior se producen sucesivamente.

- **좀 (adverbio)** : 시간이 짧게.
  en corto tiempo
  En corto tiempo.

- **기다리다 (verbo)** : 사람, 때가 오거나 어떤 일이 이루어질 때까지 시간을 보내다.
  esperar, aguardar, permanecer, quedarse
  Dejar pasar el tiempo hasta que llegue una persona o una oportunidad, o se realice cierto hecho.

- -어 : (두루낮춤으로) 어떤 사실을 서술하거나 물음, 명령, 권유를 나타내는 종결 어미.
  No hay expresión equivalente
  (TRATAMIENTO DE MODESTIA GENERAL) Desinencia de terminación que se usa cuando se describe cierto hecho; o pregunta, ordena o reclama algo. **<orden>**

< 대화(diálogo) > - 12

여기서 산 가방을 환불하고 싶은데 어떻게 하면 되나요?
여기서 산 가방을 환불하고 시픈데 어떠케 하면 되나요?
yeogiseo san gabangeul hwanbulhago sipeunde eotteoke hamyeon doenayo?

네, 손님. 영수증은 가지고 계신가요?
네, 손님. 영수증은 가지고 계신가요(게신가요)?
ne, sonnim. yeongsujeungeun gajigo gyesingayo(gesingayo)?

< 설명(explicación) / 번역(traducción) >

여기+서 사+ㄴ 가방+을 환불하+[고 싶]+은데 어떻게 하+[면 되]+나요?
　　　　산

- **여기 (pronombre)** : 말하는 사람에게 가까운 곳을 가리키는 말.
  aquí, acá
  Palabra que señala el lugar cercano al hablante.

- **서** : 앞말이 행동이 이루어지고 있는 장소임을 나타내는 조사.
  No hay expresión equivalente
  Posposición que se usa para indicar el lugar en el que se realiza la acción de la palabra anterior.

- **사다 (verbo)** : 돈을 주고 어떤 물건이나 권리 등을 자기 것으로 만들다.
  comprar, adquirir, obtener
  Apoderarse de cierta cosa o derecho tras pagar el dinero.

- **-ㄴ** : 앞의 말이 관형어의 기능을 하게 만들고 사건이나 동작이 과거에 일어났음을 나타내는 어미.
  No hay expresión equivalente
  Desinencia que hace que la palabra antecedente ejerza la función de una palabra determinante, e indica que un suceso o una acción se produjo en el pasado.

- **가방 (sustantivo)** : 물건을 넣어 손에 들거나 어깨에 멜 수 있게 만든 것.
  bolso, cartera
  Bolsa de mano u hombro que se usa para llevar objetos personales.

• 을 : 동작이 직접적으로 영향을 미치는 대상을 나타내는 조사.

No hay expresión equivalente

Posposición que se usa para indicar el objeto que ha sido influido directamente por una acción.

• **환불하다 (verbo)** : 이미 낸 돈을 되돌려주다.

reembolsar, devolver el dinero

Devolver el dinero que se ha pagado.

• -고 싶다 : 앞의 말이 나타내는 행동을 하기를 원함을 나타내는 표현.

No hay expresión equivalente

Expresión que se usa para mostrar el deseo de hacer un acto que representa el comentario anterior de la cláusula.

• -은데 : 뒤의 말을 하기 위하여 그 대상과 관련이 있는 상황을 미리 말함을 나타내는 연결 어미.

No hay expresión equivalente

Desinencia conectora que se usa cuando se habla con antelación de una circunstancia referente a la palabra posterior para poder comentarla.

• **어떻게 (adverbio)** : 어떤 방법으로. 또는 어떤 방식으로.

cómo

Por cierta manera o método.

• **하다 (verbo)** : 어떤 방식으로 행위를 이루다.

realizar, hacer, ejecutar

Cumplir una acción mediante alguna manera.

• -면 되다 : 조건이 되는 어떤 행동을 하거나 어떤 상태만 갖추어지면 문제가 없거나 충분함을 나타내는 표현.

No hay expresión equivalente

Expresión que indica la realización de una acción que sirve de condición o muestra de que no hay problema o es suficiente con que se llegue a cierto nivel.

• -나요 : (두루높임으로) 앞의 내용에 대해 상대방에게 물어볼 때 쓰는 표현.

No hay expresión equivalente

(TRATAMIENTO HONORÍFICO GENERAL) Expresión que se usa para hacer preguntas al adversario sobre el comentario anterior.

네, 손님.

영수증+은 가지+[고 계시]+ㄴ가요?
가지고 계신가요

- **네 (interjección)** : 윗사람의 물음이나 명령 등에 긍정하여 대답할 때 쓰는 말.
  sí
  Exclamación para responder positivamente a una pregunta u orden de un mayor.

- **손님 (sustantivo)** : (높임말로) 여관이나 음식점 등의 가게에 찾아온 사람.
  cliente
  (TRATAMIENTO HONORÍFICO) Persona que visita un establecimiento como un hostal o un restaurante.

- **영수증 (sustantivo)** : 돈이나 물건을 주고받은 사실이 적힌 종이.
  recibo, comprobante
  Papel en donde se indica el hecho de haber intercambiado dinero o un objeto.

- 은 : 문장 속에서 어떤 대상이 화제임을 나타내는 조사.
  No hay expresión equivalente
  Posposición que se usa para indicar que cierto objeto es tópico en la oración.

- **가지다 (verbo)** : 무엇을 손에 쥐거나 몸에 지니다.
  tener
  Asir alguna cosa con la mano o llevar algo en el cuerpo.

- -고 계시다 : (높임말로) 앞의 말이 나타내는 행동의 결과가 계속됨을 나타내는 표현.
  No hay expresión equivalente
  (TRATAMIENTO HONORÍFICO) Expresión que indica que el resultado de la acción que representa la parte anterior de la cláusula continúa.

- -ㄴ가요 : (두루높임으로) 현재의 사실에 대한 물음을 나타내는 종결 어미.
  No hay expresión equivalente
  (TRATAMIENTO HONORÍFICO GENERAL) Desinencia de terminación que se usa cuando se cuestiona un hecho del presente.

< 대화(diálogo) > - 13

숙제는 다 하고 나서 놀아라.
숙쩨는 다 하고 나서 노라라.
sukjeneun da hago naseo norara.

벌써 다 했어요. 저 놀다 올게요.
벌써 다 해써요. 저 놀다 올께요.
beolsseo da haesseoyo. jeo nolda olgeyo.

< 설명(explicación) / 번역(traducción) >

숙제+는 다 <u>하+[고 나]+(아)서</u> 놀+아라.
하고 나서

• **숙제 (sustantivo)** : 학생들에게 복습이나 예습을 위하여 수업 후에 하도록 내 주는 과제.
trabajo escolar, tarea, deberes
Trabajo que dan a los alumnos en el colegio para que lo hagan después de las clases, repasando lo aprendido y preparando lo que se va a aprender.

• **는** : 문장 속에서 어떤 대상이 화제임을 나타내는 조사.
No hay expresión equivalente
Posposición que muestra que el referente es el tópico de una oración.

• **다 (adverbio)** : 남거나 빠진 것이 없이 모두.
todo
Enteramente, sin falta alguna.

• **하다 (verbo)** : 어떤 행동이나 동작, 활동 등을 행하다.
hacer, realizar
Llevar a cabo un acto o una acción.

• **-고 나다** : 앞에 오는 말이 나타내는 행동이 끝났음을 나타내는 표현.
No hay expresión equivalente
Expresión que indica que la acción que representa la parte anterior de la cláusula terminó.

- -아서 : 앞의 말과 뒤의 말이 순차적으로 일어남을 나타내는 연결 어미.
  No hay expresión equivalente
  Desinencia conectora que se usa cuando la palabra anterior y la posterior ocurren consecutivamente.

- **놀다 (verbo)** : 놀이 등을 하면서 재미있고 즐겁게 지내다.
  divertirse
  Pasar el tiempo divirtiéndose con juegos.

- -아라 : (아주낮춤으로) 명령을 나타내는 종결 어미.
  No hay expresión equivalente
  (TRATAMIENTO DE MODESTIA MÁXIMA) Desinencia de terminación que se usa cuando se mandan órdenes.

벌써 다 하+였+어요.
했어요

저 놀+다 오+ㄹ게요.
올게요

- **벌써 (adverbio)** : 이미 오래전에.
  ya, hace tiempo, antes
  Hace mucho tiempo.

- **다 (adverbio)** : 남거나 빠진 것이 없이 모두.
  todo
  Enteramente, sin falta alguna.

- **하다 (verbo)** : 어떤 행동이나 동작, 활동 등을 행하다.
  hacer, realizar
  Llevar a cabo un acto o una acción.

- -였- : 어떤 사건이 과거에 완료되었거나 그 사건의 결과가 현재까지 지속되는 상황을 나타내는 어미.
  No hay expresión equivalente
  Desinencia que se usa cuando cierto suceso fue acabado en el pasado o cuando el resultado de ese suceso continúa hasta el presente.

- -어요 : (두루높임으로) 어떤 사실을 서술하거나 질문, 명령, 권유함을 나타내는 종결 어미.
  No hay expresión equivalente
  (TRATAMIENTO HONORÍFICO GENERAL) Desinencia de terminación que se usa cuando se describe cierto hecho; o pregunta, ordena o reclama algo. <narración>

• **저 (pronombre)** : 말하는 사람이 듣는 사람에게 자신을 낮추어 가리키는 말.

　yo

　Palabra que usa el hablante delante del oyente con tono de humildad.

• **놀다 (verbo)** : 놀이 등을 하면서 재미있고 즐겁게 지내다.

　divertirse

　Pasar el tiempo divirtiéndose con juegos.

• **-다** : 어떤 행동이나 상태 등이 중단되고 다른 행동이나 상태로 바뀜을 나타내는 연결 어미.

　No hay expresión equivalente

　Desinencia conectora que se usa cuando se suspende cierta acción o estado y se convierte en otra acción o estado.

• **오다 (verbo)** : 무엇이 다른 곳에서 이곳으로 움직이다.

　venir, llegar

　Trasladarse de otro lugar a donde está la persona que habla.

• **-ㄹ게요** : (두루높임으로) 말하는 사람이 어떤 행동을 할 것을 듣는 사람에게 약속하거나 의지를 나타내는 표현.

　No hay expresión equivalente

　(TRATAMIENTO HONORÍFICO GENERAL) Expresión que se usa para prometer o anunciar al oyente una acción que realizará el hablante.

< 대화(diálogo) > - 14

이번 달리기 대회에서 시우가 일 등 할 줄 알았는데.
이번 달리기 대회에서 시우가 일 등 할 쭐 아란는데.
ibeon dalligi daehoeeseo siuga il deung hal jul aranneunde.

그러게, 너무 욕심을 부리다 넘어지고 만 거지.
그러게, 너무 욕씨믈 부리다 너머지고 만 거지.
geureoge, neomu yoksimeul burida neomeojigo man geoji.

< 설명(explicación) / 번역(traducción) >

이번 달리기 대회+에서 시우+가 일 등 <u>하</u>+[ㄹ 줄] 알+았+는데.
할 줄

- **이번 (sustantivo)** : 곧 돌아올 차례. 또는 막 지나간 차례.
  este, esta vez, este turno
  Turno que sigue inmediatamente después, o que acaba de pasar.

- **달리기 (sustantivo)** : 일정한 거리를 누가 빨리 뛰는지 겨루는 경기.
  carrera
  Competencia en la que la persona que recorre una distancia determinada corriente gana.

- **대회 (sustantivo)** : 여러 사람이 실력이나 기술을 겨루는 행사.
  competición, torneo
  Evento donde varias personas compiten en habilidades y técnicas.

- **에서** : 앞말이 행동이 이루어지고 있는 장소임을 나타내는 조사.
  No hay expresión equivalente
  Posposición que se usa para indicar el lugar en el que se realiza la acción de la palabra anterior.

- **시우 (sustantivo)** : nombre de una persona

- **가** : 어떤 상태나 상황에 놓인 대상이나 동작의 주체를 나타내는 조사.
  No hay expresión equivalente
  Posposición que se usa para indicar el objeto de cierto estado o situación o el agente de un movimiento.

- **일 (determinante)** : 첫 번째의.
No hay expresión equivalente
Primero.

- **등 (sustantivo)** : 등급이나 등수를 나타내는 단위.
No hay expresión equivalente
Unidad que indica rango o graduación.

- **하다 (verbo)** : 어떠한 결과를 이루어 내다.
lograr, realizar
Lograr un resultado.

- **-ㄹ 줄** : 어떤 사실이나 상태에 대해 알고 있거나 모르고 있음을 나타내는 표현.
No hay expresión equivalente
Expresión que indica una realidad o una situación.

- **알다 (verbo)** : 어떤 사실을 그러하다고 여기거나 생각하다.
pensar, creer
Considerar o pensar que una verdad es tal como se cree.

- **-았-** : 사건이 과거에 일어났음을 나타내는 어미.
No hay expresión equivalente
Desinencia que se usa para mostrar que el suceso ocurrió en el pasado.

- **-는데** : (두루낮춤으로) 듣는 사람의 반응을 기대하며 어떤 일에 대해 감탄함을 나타내는 종결 어미.
No hay expresión equivalente
(TRATAMIENTO DE MODESTIA GENERAL) Desinencia de terminación que se usa cuando se admira cierto hecho del pasado esperando la reacción del oyente.

그러게, 너무 욕심+을 부리+다 넘어지+[고 말(마)]+[ㄴ 것(거)]+(이)+지.
넘어지고 만 거지

- **그러게 (interjección)** : 상대방의 말에 찬성하거나 동의하는 뜻을 나타낼 때 쓰는 말.
de verdad, de veras
Exclamación para expresar acuerdo o consentimiento respecto al comentario de la otra persona.

- **너무 (adverbio)** : 일정한 정도나 한계를 훨씬 넘어선 상태로.
demasiado, excesivamente
Habiendo excedido en gran medida determinado nivel o límite.

- **욕심** (sustantivo) : 무엇을 지나치게 탐내거나 가지고 싶어 하는 마음.
  codicia
  Deseo o apetito ansioso y excesivo de algo.

- **을** : 동작이 직접적으로 영향을 미치는 대상을 나타내는 조사.
  No hay expresión equivalente
  Posposición que se usa para indicar el objeto que ha sido influido directamente por una acción.

- **부리다** (verbo) : 바람직하지 못한 행동이나 성질을 계속 드러내거나 보이다.
  mostrar, enseñar, exponer, manifestar
  Seguir mostrando continuamente una actitud o carácter indeseable.

- **-다** : 앞에 오는 말이 뒤에 오는 말의 원인이나 근거가 됨을 나타내는 연결 어미.
  No hay expresión equivalente
  Desinencia conectora que se usa cuando el contenido anterior es la causa o fundamento del contenido posterior.

- **넘어지다** (verbo) : 서 있던 사람이나 물체가 중심을 잃고 한쪽으로 기울어지며 쓰러지다.
  ladear, desnivelar
  Inclinar, torcer o desequilibrar lo que originalmente estaba firme.

- **-고 말다** : 앞에 오는 말이 가리키는 행동이 안타깝게도 끝내 일어났음을 나타내는 표현.
  No hay expresión equivalente
  Expresión que indica que la acción que representa la parte anterior de la cláusula ocurrió lamentablemente.

- **-ㄴ 것** : 명사가 아닌 것을 문장에서 명사처럼 쓰이게 하거나 '이다' 앞에 쓰일 수 있게 할 때 쓰는 표현.
  No hay expresión equivalente
  Expresión que posibilita que, en una oración, sea usado como sustantivo algo que no es, o se anteponga a '이다'.

- **이다** : 주어가 지시하는 대상의 속성이나 부류를 지정하는 뜻을 나타내는 서술격 조사.
  No hay expresión equivalente
  Posposición de caso atributivo, que se usa para designar el atributo o la clase del objeto al que se refiere el sujeto.

- **-지** : (두루낮춤으로) 말하는 사람이 자신에 대한 이야기나 자신의 생각을 친근하게 말할 때 쓰는 종결 어미.
  No hay expresión equivalente
  (TRATAMIENTO DE MODESTIA GENERAL) Desinencia de terminación que se usa cuando el hablante habla íntimamente sobre su historia o idea.

< 대화(diálogo) > - 15

감독님, 저희 모두가 마지막 경기에 거는 기대가 큽니다.
감동님, 저히 모두가 마지막 경기에 거는 기대가 큼니다.
gamdongnim, jeohi moduga majimak gyeonggie geoneun gidaega keumnida.

네. 마지막 경기는 꼭 승리하고 말겠습니다.
네. 마지막 경기는 꼭 승니하고 말겠씀니다.
ne. majimak gyeonggineun kkok seungnihago malgetseumnida.

< 설명(explicación) / 번역(traducción) >

감독+님, 저희 모두+가 마지막 경기+에 걸(거)+는 기대+가 크+ㅂ니다.
                                              거는   큽니다

- **감독 (sustantivo)** : 공연, 영화, 운동 경기 등에서 일의 전체를 지휘하며 책임지는 사람.
  director, entrenador
  Persona que está al mando de todo el trabajo y es la responsable en un espectáculo, película o juego deportivo.

- **님** : '높임'의 뜻을 더하는 접미사.
  No hay expresión equivalente
  Sufijo que añade tono honorífico.

- **저희 (pronombre)** : 말하는 사람이 자기보다 높은 사람에게 자기를 포함한 여러 사람들을 가리키는 말.
  nosotros
  Palabra que usa el hablante para señalar a varias personas incluyendo a sí mismo a un persona superior que él.

- **모두 (sustantivo)** : 남거나 빠진 것이 없는 전체.
  la totalidad, el todo
  El conjunto de una clase o especie, sin que falte ninguno.

- **가** : 어떤 상태나 상황에 놓인 대상이나 동작의 주체를 나타내는 조사.
  No hay expresión equivalente
  Posposición que se usa para indicar el objeto de cierto estado o situación o el agente de un movimiento.

- **마지막 (sustantivo)** : 시간이나 순서의 맨 끝.
  lo último, lo postrero
  En una sucesión de tiempo o serie, lo que está de último.

- **경기 (sustantivo)** : 운동이나 기술 등의 능력을 서로 겨룸.
  partido, competición
  Acción de competir en cuanto a habilidades en el campo del deporte o la tecnología.

- **에** : 앞말이 어떤 행위나 감정 등의 대상임을 나타내는 조사.
  No hay expresión equivalente
  Posposición que se usa cuando la palabra anterior es objeto de cierta acción, sentimiento, etc.

- **걸다 (verbo)** : 앞으로의 일에 대한 희망 등을 품거나 기대하다.
  esperanzarse
  Tener la ilusión o ilusionarse con lo que sucederá en el futuro.

- **-는** : 앞의 말이 관형어의 기능을 하게 만들고 사건이나 동작이 현재 일어남을 나타내는 어미.
  No hay expresión equivalente
  Desinencia que hace que la palabra antecedente ejerza la función de un componente determinante, e indica que un suceso o una acción se produce en el presente.

- **기대 (sustantivo)** : 어떤 일이 이루어지기를 바라며 기다림.
  esperanza, expectativa, expectación
  A la espera y con el deseo de que se haga realidad una cosa.

- **가** : 어떤 상태나 상황에 놓인 대상이나 동작의 주체를 나타내는 조사.
  No hay expresión equivalente
  Posposición que se usa para indicar el objeto de cierto estado o situación o el agente de un movimiento.

- **크다 (adjetivo)** : 어떤 일의 규모, 범위, 정도, 힘 등이 보통 수준을 넘다.
  grande, amplio, extenso
  Que el volumen, el alcance, la intensidad o la fuerza de un trabajo supera el estándar normal.

- **-ㅂ니다** : (아주높임으로) 현재의 동작이나 상태, 사실을 정중하게 설명함을 나타내는 종결 어미.
  No hay expresión equivalente
  (TRATAMIENTO HONORÍFICO MÁXIMO) Desinencia de terminación que se usa cuando se explica cortésmente una acción, un estado, o un hecho del presente.

네.

마지막 경기+는 꼭 승리하+[고 말]+겠+습니다.

- **네 (interjección)** : 윗사람의 물음이나 명령 등에 긍정하여 대답할 때 쓰는 말.
sí
Exclamación para responder positivamente a una pregunta u orden de un mayor.

- **마지막 (sustantivo)** : 시간이나 순서의 맨 끝.
lo último, lo postrero
En una sucesión de tiempo o serie, lo que está de último.

- **경기 (sustantivo)** : 운동이나 기술 등의 능력을 서로 겨룸.
partido, competición
Acción de competir en cuanto a habilidades en el campo del deporte o la tecnología.

- **는** : 문장 속에서 어떤 대상이 화제임을 나타내는 조사.
No hay expresión equivalente
Posposición que muestra que el referente es el tópico de una oración.

- **꼭 (adverbio)** : 어떤 일이 있어도 반드시.
sin falta, sin duda
Sí que sí, suceda lo que suceda.

- **승리하다 (verbo)** : 전쟁이나 경기 등에서 이기다.
triunfar, ganar, vencer, derrotar
Vencer en la guerra, partido, etc.

- **-고 말다** : 앞에 오는 말이 가리키는 일을 이루고자 하는 말하는 사람의 강한 의지를 나타내는 표현.
No hay expresión equivalente
Expresión que se usa para mostrar la voluntad contundente del hablante para llevar a cabo algo que representa el comentario anterior de la cláusula.

- **-겠-** : 말하는 사람의 의지를 나타내는 어미.
No hay expresión equivalente
Desinencia que se usa para mostrar la voluntad del hablante.

- **-습니다** : (아주높임으로) 현재의 동작이나 상태, 사실을 정중하게 설명함을 나타내는 종결 어미.
No hay expresión equivalente
(TRATAMIENTO HONORÍFICO MÁXIMO) Desinencia de terminación que se usa cuando se explica respetuosamente la acción, estado o hecho del presente.

< 대화(diálogo) > - 16

시간이 지나고 보니 모든 순간이 다 소중한 것 같아.
시가니 지나고 보니 모든 순가니 다 소중한 걸 가타.
sigani jinago boni modeun sungani da sojunghan geot gata.

무슨 일 있어? 갑자기 왜 그런 말을 해?
무슨 일 이써? 갑짜기 왜 그런 마를 해?
museun il isseo? gapjagi wae geureon mareul hae?

< 설명(explicación) / 번역(traducción) >

시간+이 지나+[고 보]+니 모든 순간+이 다 <u>소중하+[ㄴ 것 같]</u>+아.
소중한 것 같아

- **시간 (sustantivo)** : 자연히 지나가는 세월.
  tiempo
  Época que pasa naturalmente.

- 이 : 어떤 상태나 상황의 대상이나 동작의 주체를 나타내는 조사.
  No hay expresión equivalente
  Posposición que se usa para indicar el objeto de cierto estado o situación o el agente de un movimiento.

- **지나다 (verbo)** : 시간이 흘러 그 시기에서 벗어나다.
  pasar, transcurrir
  Ir más allá de un momento debido al paso del tiempo.

- -고 보다 : 앞의 말이 나타내는 행동을 하고 난 후에 뒤의 말이 나타내는 사실을 새로 깨달음을 나타내는 표현.
  No hay expresión equivalente
  Expresión que se usa para mostrar el entendimiento de lo que representa el comentario posterior de la cláusula, tras llevar a cabo la acción que representa el comentario anterior.

- -니 : 앞에서 이야기한 내용과 관련된 다른 사실을 이어서 설명할 때 쓰는 연결 어미.
  No hay expresión equivalente
  Desinencia conectora que se usa cuando se explica de seguido un hecho contrario al contenido comentado anteriormente.

- **모든 (determinante)** : 빠지거나 남는 것 없이 전부인.
  todo
  Que se comprende enteramente en el número de algo, sin que falte ni sobre.

- **순간 (sustantivo)** : 아주 짧은 시간 동안.
  momento
  Tiempo muy corto.

- **이** : 어떤 상태나 상황의 대상이나 동작의 주체를 나타내는 조사.
  No hay expresión equivalente
  Posposición que se usa para indicar el objeto de cierto estado o situación o el agente de un movimiento.

- **다 (adverbio)** : 남거나 빠진 것이 없이 모두.
  todo
  Enteramente, sin falta alguna.

- **소중하다 (adjetivo)** : 매우 귀중하다.
  importante, precioso, cuidadoso, cariñoso
  Que tiene importancia.

- **-ㄴ 것 같다** : 추측을 나타내는 표현.
  No hay expresión equivalente
  Expresión que se usa a la hora de conjeturar algo.

- **-아** : (두루낮춤으로) 어떤 사실을 서술하거나 물음, 명령, 권유를 나타내는 종결 어미.
  No hay expresión equivalente
  (TRATAMIENTO DE MODESTIA GENERAL) Desinencia de terminación que se usa cuando se describe cierto hecho; o pregunta, ordena o reclama algo. <narración>

무슨 일 있+어?

갑자기 왜 그런 말+을 하+여?
해

- **무슨 (determinante)** : 확실하지 않거나 잘 모르는 일, 대상, 물건 등을 물을 때 쓰는 말.
  qué
  Palabra que se usa para inquirir sobre alguien o algo incierto o desconocido.

- **일 (sustantivo)** : 해결하거나 처리해야 할 문제나 사항.
  asunto
  Problema o caso que se debe solucionar o arreglar.

• 있다 (adjetivo) : 어떤 사람에게 무슨 일이 생긴 상태이다.
existente
Que le ha ocurrido algo a alguien.

• -어 : (두루낮춤으로) 어떤 사실을 서술하거나 물음, 명령, 권유를 나타내는 종결 어미.
No hay expresión equivalente
(TRATAMIENTO DE MODESTIA GENERAL) Desinencia de terminación que se usa cuando se describe cierto hecho; o pregunta, ordena o reclama algo. **<interrogación>**

• 갑자기 (adverbio) : 미처 생각할 틈도 없이 빨리.
de repente, repentinamente, de golpe, de pronto, súbitamente
Súbitamente, sin tiempo para discurrir.

• 왜 (adverbio) : 무슨 이유로. 또는 어째서.
por qué, porque
Por qué causa. O el porqué.

• 그런 (determinante) : 상태, 모양, 성질 등이 그러한.
tal, semejante
De tal estado, forma o naturaleza.

• 말 (sustantivo) : 생각이나 느낌을 표현하고 전달하는 사람의 소리.
habla, palabra
Voz de una persona que expresa y transmite un pensamiento o un sentimiento.

• 을 : 동작이 직접적으로 영향을 미치는 대상을 나타내는 조사.
No hay expresión equivalente
Posposición que se usa para indicar el objeto que ha sido influido directamente por una acción.

• 하다 (verbo) : 어떤 행동이나 동작, 활동 등을 행하다.
hacer, realizar
Llevar a cabo un acto o una acción.

• -여 : (두루낮춤으로) 어떤 사실을 서술하거나 물음, 명령, 권유를 나타내는 종결 어미.
No hay expresión equivalente
(TRATAMIENTO DE MODESTIA GENERAL) Desinencia de terminación que se usa cuando se describe cierto hecho; o pregunta, ordena o reclama algo. **<interrogación>**

< 대화(diálogo) > - 17

날씨가 추우니까 따뜻한 게 먹고 싶네.
날씨가 추우니까 따뜨탄 게 먹꼬 심네.
nalssiga chuunikka ttatteutan ge meokgo simne.

그럼 오늘 점심은 삼계탕을 먹으러 갈까?
그럼 오늘 점시믄 삼계탕을(삼게탕을) 머그러 갈까?
geureom oneul jeomsimeun samgyetangeul(samgetangeul) meogeureo galkka?

< 설명(explicación) / 번역(traducción) >

날씨+가 <u>춥(추우)+니까</u> <u>따뜻하+[ㄴ 것(거)]</u>+이 먹+[고 싶]+네.
　　　　　추우니까　　　　　**따뜻한 게**

- **날씨 (sustantivo)** : 그날그날의 기온이나 공기 중에 비, 구름, 바람, 안개 등이 나타나는 상태.
  tiempo
  Término genérico para referirse a las variaciones diarias del estado atmosférico en las cuales se incluyen la temperatura y fenómenos climáticos como la lluvia, la nubosidad, el viento y la neblina.

- **가** : 어떤 상태나 상황에 놓인 대상이나 동작의 주체를 나타내는 조사.
  No hay expresión equivalente
  Posposición que se usa para indicar el objeto de cierto estado o situación o el agente de un movimiento.

- **춥다 (adjetivo)** : 대기의 온도가 낮다.
  frío
  Que es baja la temperatura atmosférica.

- **-니까** : 뒤에 오는 말에 대하여 앞에 오는 말이 원인이나 근거, 전제가 됨을 강조하여 나타내는 연결 어미.
  No hay expresión equivalente
  Desinencia conectora que se usa cuando la palabra anterior es una causa, fundamento o premisa de la palabra posterior.

- **따뜻하다 (adjetivo)** : 아주 덥지 않고 기분이 좋은 정도로 온도가 알맞게 높다.
  templado
  Que presenta una temperatura moderadamente calurosa que provoca una sensación agradable.

- **-ㄴ 것** : 명사가 아닌 것을 문장에서 명사처럼 쓰이게 하거나 '이다' 앞에 쓰일 수 있게 할 때 쓰는 표현.
  No hay expresión equivalente
  Expresión que posibilita que, en una oración, sea usado como sustantivo algo que no es, o se anteponga a '이다'.

- **이** : 어떤 상태나 상황의 대상이나 동작의 주체를 나타내는 조사.
  No hay expresión equivalente
  Posposición que se usa para indicar el objeto de cierto estado o situación o el agente de un movimiento.

- **먹다 (verbo)** : 음식 등을 입을 통하여 배 속에 들여보내다.
  comer
  Introducir por boca alimentos, etc. en el estómago.

- **-고 싶다** : 앞의 말이 나타내는 행동을 하기를 원함을 나타내는 표현.
  No hay expresión equivalente
  Expresión que se usa para mostrar el deseo de hacer un acto que representa el comentario anterior de la cláusula.

- **-네** : (예사 낮춤으로) 단순한 서술을 나타내는 종결 어미.
  No hay expresión equivalente
  (TRATAMIENTO DE MODESTIA ORDINARIA) Desinencia de terminación que se usa para mostrar una descripción simple.

그럼 오늘 점심+은 삼계탕+을 먹+으러 가+ㄹ까?
갈까

- **그럼 (adverbio)** : 앞의 내용을 받아들이거나 그 내용을 바탕으로 하여 새로운 주장을 할 때 쓰는 말.
  entonces, pues, en ese caso, en tal caso, de ser así
  Se usa para manifestar que se admite lo antedicho, o plantear un nuevo argumento fundamentado en eso.

- **오늘 (sustantivo)** : 지금 지나가고 있는 이날.
  hoy
  Día actual que está transcurriendo ahora.

• **점심 (sustantivo)** : 아침과 저녁 식사 중간에, 낮에 하는 식사.
  almuerzo
  Comida que se toma al mediodía entre el desayuno y la cena.

• **은** : 문장 속에서 어떤 대상이 화제임을 나타내는 조사.
  No hay expresión equivalente
  Posposición que se usa para indicar que cierto objeto es tópico en la oración.

• **삼계탕 (sustantivo)** : 어린 닭에 인삼, 찹쌀, 대추 등을 넣고 푹 삶은 음식.
  samgyetang, sopa de pollo
  Comida que se prepara hirviendo el pollo con ginseng, arroz glutinoso y dátiles, entre otros ingredientes.

• **을** : 동작이 직접적으로 영향을 미치는 대상을 나타내는 조사.
  No hay expresión equivalente
  Posposición que se usa para indicar el objeto que ha sido influido directamente por una acción.

• **먹다 (verbo)** : 음식 등을 입을 통하여 배 속에 들여보내다.
  comer
  Introducir por boca alimentos, etc. en el estómago.

• **-으러** : 가거나 오거나 하는 동작의 목적을 나타내는 연결 어미.
  No hay expresión equivalente
  Desinencia conectora que se usa cuando se manifiesta el propósito de la acción de ir o venir.

• **가다 (verbo)** : 어떤 목적을 가지고 일정한 곳으로 움직이다.
  Ir
  Trasladarse a cierto lugar con objetivo determinado.

• **-ㄹ까** : (두루낮춤으로) 듣는 사람의 의사를 물을 때 쓰는 종결 어미.
  No hay expresión equivalente
  (TRATAMIENTO DE MODESTIA GENERAL) Desinencia de terminación que se usa cuando se indica la idea o la conjetura del hablante o alguien pregunta la opinión de la contraparte.

< 대화(diálogo) > - 18

아들이 자꾸 컴퓨터를 새로 사 달라고 해요.
아드리 자꾸 컴퓨터를 새로 사 달라고 해요.
adeuri jakku keompyuteoreul saero sa dallago haeyo.

그렇게 갖고 싶어 하는데 하나 사 줘요.
그러케 갇꼬 시퍼 하는데 하나 사 줘요.
geureoke gatgo sipeo haneunde hana sa jwoyo.

< 설명(explicación) / 번역(traducción) >

아들+이 자꾸 컴퓨터+를 새로 <u>사+[(아) 달]+라고</u> <u>하+여요</u>.
사 달라고   해요

- **아들 (sustantivo)** : 남자인 자식.
  hijo
  Hijo.

- 이 : 어떤 상태나 상황의 대상이나 동작의 주체를 나타내는 조사.
  No hay expresión equivalente
  Posposición que se usa para indicar el objeto de cierto estado o situación o el agente de un movimiento.

- **자꾸 (adverbio)** : 여러 번 계속하여.
  frecuentemente, repetidamente, a menudo
  Repetidas veces.

- **컴퓨터 (sustantivo)** : 전자 회로를 이용하여 문서, 사진, 영상 등의 대량의 데이터를 빠르고 정확하게 처리하는 기계.
  ordenador, computadora
  Máquina o sistema de tratamiento de la información que realiza operaciones automáticas, para las cuales ha sido previamente programada.

- 를 : 동작이 직접적으로 영향을 미치는 대상을 나타내는 조사.
  No hay expresión equivalente
  Posposición que indica el objeto que influye directamente en la acción.

• **새로 (adverbio)** : 전과 달리 새롭게. 또는 새것으로.
nuevamente
Renovarse de nuevo.

• **사다 (verbo)** : 돈을 주고 어떤 물건이나 권리 등을 자기 것으로 만들다.
comprar, adquirir, obtener
Apoderarse de cierta cosa o derecho tras pagar el dinero.

• **-아 달다** : 앞의 말이 나타내는 행동을 해 줄 것을 요구함을 나타내는 표현.
No hay expresión equivalente
Expresión que indica petición de que realice una acción que indica el comentario anterior.

• **-라고** : 다른 사람에게 들은 명령이나 권유 등의 내용을 간접적으로 전할 때 쓰는 표현.
No hay expresión equivalente
Expresión que se usa para trasmitir indirectamente el contenido de una orden o una sugerencia que escuchó de otra persona.

• **하다 (verbo)** : 무엇에 대해 말하다.
abordar, tratar
Hablar sobre un tema.

• **-여요** : (두루높임으로) 어떤 사실을 서술하거나 질문, 명령, 권유함을 나타내는 종결 어미.
No hay expresión equivalente
(TRATAMIENTO HONORÍFICO GENERAL) Desinencia de terminación que se usa cuando se describe cierto hecho; o pregunta, ordena o reclama algo. <narración>

그렇+게 갖+[고 싶어 하]+는데 하나 사+[(아) 주]+어요.
사 줘요

• **그렇다 (adjetivo)** : 상태, 모양, 성질 등이 그와 같다.
tal, semejante
Que es de tal estado, forma o naturaleza.

• **-게** : 앞의 말이 뒤에서 가리키는 일의 목적이나 결과, 방식, 정도 등이 됨을 나타내는 연결 어미.
No hay expresión equivalente
Desinencia conectora que se usa cuando la palabra anterior es el objetivo, resultado, método, grado, etc. que indica al posterior.

• **갖다 (verbo)** : 자기 것으로 하다.
tomar
Ocupar o apoderarse de algo.

• -고 싶어 하다 : 앞의 말이 나타내는 행동을 하기를 바라거나 그렇게 되기를 원함을 나타내는 표현.
No hay expresión equivalente
Expresión que se usa para mostrar el deseo de hacer o llegarse a hacer un acto que representa el comentario anterior de la cláusula.

• -는데 : 뒤의 말을 하기 위하여 그 대상과 관련이 있는 상황을 미리 말함을 나타내는 연결 어미.
No hay expresión equivalente
Desinencia conectora que se usa cuando se habla con antelación una circunstancia pasada relacionada con la palabra posterior.

• **하나 (pronombre numeral)** : 숫자를 셀 때 맨 처음의 수.
uno
El primero en orden numérico.

• **사다 (verbo)** : 돈을 주고 어떤 물건이나 권리 등을 자기 것으로 만들다.
comprar, adquirir, obtener
Apoderarse de cierta cosa o derecho tras pagar el dinero.

• -아 주다 : 남을 위해 앞의 말이 나타내는 행동을 함을 나타내는 표현.
No hay expresión equivalente
Expresión que indica la realización de una acción que indica el comentario anterior para el bien del otro.

• -어요 : (두루높임으로) 어떤 사실을 서술하거나 질문, 명령, 권유함을 나타내는 종결 어미.
No hay expresión equivalente
(TRATAMIENTO HONORÍFICO GENERAL) Desinencia de terminación que se usa cuando se describe cierto hecho; o pregunta, ordena o reclama algo. **<orden>**

< 대화(diálogo) > - 19

출발했니? 언제쯤 도착할 것 같아?
출발핸니? 언제쯤 도차칼 껃 가타?
chulbalhaenni? eonjejjeum dochakal geot gata?

지금 가고 있으니까 십 분쯤 뒤에 도착할 거야.
지금 가고 이쓰니까 십 분쯤 뒤에 도차칼 꺼야.
jigeum gago isseunikka sip bunjjeum dwie dochakal geoya.

< 설명(explicación) / 번역(traducción) >

<u>출발하</u>+<u>였</u>+니?
　출발했니

언제+쯤 <u>도착하</u>+[ㄹ 것 같]+아?
　　　도착할 것 같아

- **출발하다 (verbo)** : 어떤 곳을 향하여 길을 떠나다.
  salir, partir
  Partir hacia un destino.

- **-였-** : 어떤 사건이 과거에 완료되었거나 그 사건의 결과가 현재까지 지속되는 상황을 나타내는 어미.
  No hay expresión equivalente
  Desinencia que se usa cuando cierto suceso fue acabado en el pasado o cuando el resultado de ese suceso continúa hasta el presente.

- **-니** : (아주낮춤으로) 물음을 나타내는 종결 어미.
  No hay expresión equivalente
  (TRATAMIENTO DE MODESTIA MÁXIMA) Desinencia de terminación que se usa cuando se interroga algo.

- **언제 (pronombre)** : 알지 못하는 어느 때.
  cuando
  Cierto tiempo que no se sabe.

• 쯤 : '정도'의 뜻을 더하는 접미사.
No hay expresión equivalente
Sufijo que añade el significado de 'nivel'.

• **도착하다 (verbo)** : 목적지에 다다르다.
llegar
Arribar a un determinado lugar.

• -ㄹ 것 같다 : 추측을 나타내는 표현.
No hay expresión equivalente
Expresión que indica suposición.

• -아 : (두루낮춤으로) 어떤 사실을 서술하거나 물음, 명령, 권유를 나타내는 종결 어미.
No hay expresión equivalente
(TRATAMIENTO DE MODESTIA GENERAL) Desinencia de terminación que se usa cuando se describe cierto hecho; o pregunta, ordena o reclama algo. **<interrogación>**

지금 가+[고 있]+으니까 십 분+쯤 뒤+에 도착하+[ㄹ 것(거)]+(이)+야.
도착할 거야

• **지금 (adverbio)** : 말을 하고 있는 바로 이때에. 또는 그 즉시에.
ahora
En este preciso momento en que se está hablando. O de inmediato.

• **가다 (verbo)** : 한 곳에서 다른 곳으로 장소를 이동하다.
Ir
Trasladarse de un lugar a otro.

• -고 있다 : 앞의 말이 나타내는 행동이 계속 진행됨을 나타내는 표현.
No hay expresión equivalente
Expresión que indica que la acción que representa la parte anterior de la cláusula continúa.

• -으니까 : 뒤에 오는 말에 대하여 앞에 오는 말이 원인이나 근거, 전제가 됨을 강조하여 나타내는 연결 어미.
No hay expresión equivalente
Desinencia conectora que se usa cuando la palabra anterior es una causa, fundamento o premisa de la palabra posterior.

• **십 (determinante)** : 열의.
No hay expresión equivalente
diez

• 분 (sustantivo) : 한 시간의 60분의 1을 나타내는 시간의 단위.

No hay expresión equivalente

Unidad de tiempo que muestra una sexagésima parte de una hora.

• 쯤 : '정도'의 뜻을 더하는 접미사.

No hay expresión equivalente

Sufijo que añade el significado de 'nivel'.

• 뒤 (sustantivo) : 시간이나 순서상으로 다음이나 나중.

después, luego, posterior, más tarde

Hablando del tiempo o un orden, luego o el próximo.

• 에 : 앞말이 시간이나 때임을 나타내는 조사.

No hay expresión equivalente

Posposición que se usa cuando la palabra anterior indica hora o tiempo.

• 도착하다 (verbo) : 목적지에 다다르다.

llegar

Arribar a un determinado lugar.

• -ㄹ 것 : 명사가 아닌 것을 문장에서 명사처럼 쓰이게 하거나 '이다' 앞에 쓰일 수 있게 할 때 쓰는 표현.

No hay expresión equivalente

Expresión que se usa para hacer que una palabra que no es sustantivo sea utilizada como tal en una oración, o para hacer que se use delante de '이다'.

• 이다 : 주어가 지시하는 대상의 속성이나 부류를 지정하는 뜻을 나타내는 서술격 조사.

No hay expresión equivalente

Posposición de caso atributivo, que se usa para designar el atributo o la clase del objeto al que se refiere el sujeto.

• -야 : (두루낮춤으로) 어떤 사실에 대하여 서술하거나 물음을 나타내는 종결 어미.

No hay expresión equivalente

(TRATAMIENTO DE MODESTIA GENERAL) Desinencia de terminación que se usa cuando se describe o interroga sobre cierto hecho. <narración>

< 대화(diálogo) > - 20

넌 안경을 쓰고 있을 때 더 멋있어 보인다.
넌 안경을 쓰고 이쓸 때 더 머시써 보인다.
neon angyeongeul sseugo isseul ttae deo meosisseo boinda.

그래? 이제부터 계속 쓰고 다닐까 봐.
그래? 이제부터 계속(게속) 쓰고 다닐까 봐.
geurae? ijebuteo gyesok(gesok) sseugo danilkka bwa.

< 설명(explicación) / 번역(traducción) >

너+는 안경+을 쓰+[고 있]+[을 때] 더 멋있+[어 보이]+ㄴ다.
넌   멋있어 보인다

- 너 (pronombre) : 듣는 사람이 친구나 아랫사람일 때, 그 사람을 가리키는 말.
  tú, vos
  Pronombre que designa al oyente cuando éste es de la misma edad o menor que el hablante.

- 는 : 문장 속에서 어떤 대상이 화제임을 나타내는 조사.
  No hay expresión equivalente
  Posposición que muestra que el referente es el tópico de una oración.

- 안경 (sustantivo) : 눈을 보호하거나 시력이 좋지 않은 사람이 잘 볼 수 있도록 눈에 쓰는 물건.
  anteojos, gafas, lentes
  Objeto que se utiliza como corrector de la vista o protector de ojos para personas con problemas de visión.

- 을 : 동작이 직접적으로 영향을 미치는 대상을 나타내는 조사.
  No hay expresión equivalente
  Posposición que se usa para indicar el objeto que ha sido influido directamente por una acción.

- 쓰다 (verbo) : 얼굴에 어떤 물건을 걸거나 덮어쓰다.
  ponerse, taparse
  Ponerse o cubrirse la cara con cierto objeto.

• -고 있다 : 앞의 말이 나타내는 행동의 결과가 계속됨을 나타내는 표현.
No hay expresión equivalente
Expresión que indica que el resultado de la acción que representa la parte anterior de la cláusula continúa.

• -을 때 : 어떤 행동이나 상황이 일어나는 동안이나 그 시기 또는 그러한 일이 일어난 경우를 나타내는 표현.
No hay expresión equivalente
Expresión que indica el surgimiento de un mismo hecho o de algo en un mismo tiempo, mientras surge alguna situación o se realiza alguna acción.

• 더 (adverbio) : 비교의 대상이나 어떤 기준보다 정도가 크게, 그 이상으로.
más
En mayor grado o número que un determinado referente de comparación o estándar.

• 멋있다 (adjetivo) : 매우 좋거나 훌륭하다.
elegante, fino, de buen gusto
Muy bueno o excelente.

• -어 보이다 : 겉으로 볼 때 앞의 말이 나타내는 것처럼 느껴지거나 추측됨을 나타내는 표현.
No hay expresión equivalente
Expresión que indica que externamente, puede sentir o especular lo que quiere decir el comentario anterior.

• -ㄴ다 : (아주낮춤으로) 현재 사건이나 사실을 서술함을 나타내는 종결 어미.
No hay expresión equivalente
(TRATAMIENTO DE MODESTIA MÁXIMA) Desinencia de terminación que se usa cuando se describe un suceso o hecho del presente.

그래?

이제+부터 계속 쓰+고 다니+[ㄹ까 보]+아.
다닐까 봐

• 그래 (interjección) : 상대편의 말에 대한 감탄이나 가벼운 놀라움을 나타낼 때 쓰는 말.
¿sí?
Exclamación para expresar un poco de sorpresa o emoción sobre el comentario de la otra persona.

• 이제 (sustantivo) : 말하고 있는 바로 이때.
ahora
Justamente este momento en que se está hablando.

• 부터 : 어떤 일의 시작이나 처음을 나타내는 조사.
No hay expresión equivalente
Posposición que indica el inicio o la partida de cierta cosa.

• **계속 (adverbio)** : 끊이지 않고 잇따라.
seguidamente, continuamente, sin cesar, sin interrupción
De seguido, sin interrupción.

• **쓰다 (verbo)** : 얼굴에 어떤 물건을 걸거나 덮어쓰다.
ponerse, taparse
Ponerse o cubrirse la cara con cierto objeto.

• -고 : 앞의 말이 나타내는 행동이나 그 결과가 뒤에 오는 행동이 일어나는 동안에 그대로 지속됨을 나타내는 연결 어미.
No hay expresión equivalente
Desinencia conectora que se usa cuando la acción y su resultado que indica la palabra anterior siguen igual que durante el desarrollo de la acción que viene después.

• **다니다 (verbo)** : 이리저리 오고 가다.
pasarse
Ir y venir de acá para allá.

• -ㄹ까 보다 : 앞에 오는 말이 나타내는 행동을 할 의도가 있음을 나타내는 표현.
No hay expresión equivalente
Expresión que indica que está dispuesto a realizar la acción que describe el comentario anterior.

• -아 : (두루낮춤으로) 어떤 사실을 서술하거나 물음, 명령, 권유를 나타내는 종결 어미.
No hay expresión equivalente
(TRATAMIENTO DE MODESTIA GENERAL) Desinencia de terminación que se usa cuando se describe cierto hecho; o pregunta, ordena o reclama algo. **<narración>**

< 대화(diálogo) > - 21

이건 어렸을 때 찍은 제 가족 사진이에요.
이건 어려쓸 때 찌근 제 가족 사지니에요.
igeon eoryeosseul ttae jjigeun je gajok sajinieyo.

시우 씨 어렸을 때는 키가 작고 통통했군요.
시우 씨 어려쓸 때는 키가 작꼬 통통핻꾸뇨.
siu ssi eoryeosseul ttaeneun kiga jakgo tongtonghaetgunyo.

< 설명(explicación) / 번역(traducción) >

이것(이거)+은 어리+었+[을 때] 찍+은 저+의 가족 사진+이+에요.
　　이건　　　　　　어렸을 때　　　　　　제

- **이것(이거) (pronombre)** : 말하는 사람에게 가까이 있거나 말하는 사람이 생각하고 있는 것을 가리키는 말.
  este
  Palabra que se utiliza para designar al sujeto sobre el que se está pensando o se encuentra cerca de la persona que está hablando.

- **은** : 문장 속에서 어떤 대상이 화제임을 나타내는 조사.
  No hay expresión equivalente
  Posposición que se usa para indicar que cierto objeto es tópico en la oración.

- **어리다 (adjetivo)** : 나이가 적다.
  joven
  De poca edad.

- **-었-** : 사건이 과거에 일어났음을 나타내는 어미.
  No hay expresión equivalente
  Desinencia que se usa cuando indica que el suceso ocurrió en el pasado.

- **-을 때** : 어떤 행동이나 상황이 일어나는 동안이나 그 시기 또는 그러한 일이 일어난 경우를 나타내는 표현.
  No hay expresión equivalente
  Expresión que indica el surgimiento de un mismo hecho o de algo en un mismo tiempo, mientras surge alguna situación o se realiza alguna acción.

- **찍다 (verbo)** : 어떤 대상을 카메라로 비추어 그 모양을 필름에 옮기다.
  tomar, capturar, filmar, sacar
  Pasar a una película fotográfica filmando la escena con una cámara.

- **-은** : 앞의 말이 관형어의 기능을 하게 만들고 사건이나 동작이 과거에 일어났음을 나타내는 어미.
  No hay expresión equivalente
  Desinencia que hace que la palabra antecedente ejerza la función de un componente determinante, e indica que una acción se realizó en el pasado.

- **저 (pronombre)** : 말하는 사람이 듣는 사람에게 자신을 낮추어 가리키는 말.
  yo
  Palabra que usa el hablante delante del oyente con tono de humildad.

- **의** : 앞의 말이 뒤의 말에 대하여 소유, 소속, 소재, 관계, 기원, 주체의 관계를 가짐을 나타내는 조사.
  No hay expresión equivalente
  Posposición que se usa para indicar que la palabra anterior tiene una relación de posesión, pertenencia, integración, conexión, procedencia, sujeto con la posterior.

- **가족 (sustantivo)** : 주로 한 집에 모여 살고 결혼이나 부모, 자식, 형제 등의 관계로 이루어진 사람들의 집단. 또는 그 구성원.
  familia
  Grupo de personas unidas por el matrimonio o mediante lazos sanguíneos y que, por lo general, viven en una misma casa. O integrante de tal grupo de personas.

- **사진 (sustantivo)** : 사물의 모습을 오래 보존할 수 있도록 사진기로 찍어 종이나 컴퓨터 등에 나타낸 영상.
  fotografía, foto
  Imagen que aparece en computadora o papel al tomarla a través de una cámara para conservar un objeto por mucho tiempo.

- **이다** : 주어가 지시하는 대상의 속성이나 부류를 지정하는 뜻을 나타내는 서술격 조사.
  No hay expresión equivalente
  Posposición de caso atributivo, que se usa para designar el atributo o la clase del objeto al que se refiere el sujeto.

- **-에요** : (두루높임으로) 어떤 사실을 서술하거나 질문함을 나타내는 종결 어미.
  No hay expresión equivalente
  (TRATAMIENTO HONORÍFICO GENERAL) Desinencia de terminación que se usa cuando se describe o interroga cierto hecho. <narración>

시우 씨 어리+었+[을 때]+는 키+가 작+고 통통하+였+군요.
　　　　어렸을 때는　　　　　　　　통통했군요

• **시우 (sustantivo)** : nombre de una persona

• **씨 (sustantivo)** : 그 사람을 높여 부르거나 이르는 말.
No hay expresión equivalente
Palabra que se añade al final del nombre de alguien para llamarle o hacer alusión a él de manera respetuosa.

• **어리다 (adjetivo)** : 나이가 적다.
joven
De poca edad.

• **-었-** : 사건이 과거에 일어났음을 나타내는 어미.
No hay expresión equivalente
Desinencia que se usa cuando indica que el suceso ocurrió en el pasado.

• **-을 때** : 어떤 행동이나 상황이 일어나는 동안이나 그 시기 또는 그러한 일이 일어난 경우를 나타내는 표현.
No hay expresión equivalente
Expresión que indica el surgimiento de un mismo hecho o de algo en un mismo tiempo, mientras surge alguna situación o se realiza alguna acción.

• **는** : 어떤 대상이 다른 것과 대조됨을 나타내는 조사.
No hay expresión equivalente
Posposición que indica que el referente contrasta con otro.

• **키 (sustantivo)** : 사람이나 동물이 바로 섰을 때의 발에서부터 머리까지의 몸의 길이.
estatura, altura
Largo del cuerpo desde los pies a la cabeza al pararse derecho una persona o un animal.

• **가** : 어떤 상태나 상황에 놓인 대상이나 동작의 주체를 나타내는 조사.
No hay expresión equivalente
Posposición que se usa para indicar el objeto de cierto estado o situación o el agente de un movimiento.

• **작다 (adjetivo)** : 길이, 넓이, 부피 등이 다른 것이나 보통보다 덜하다.
pequeño, chico, diminuto
Que es menos que lo normal o con respecto a otra cosa en largo, ancho o volumen.

• **-고** : 두 가지 이상의 대등한 사실을 나열할 때 쓰는 연결 어미.
No hay expresión equivalente
Desinencia conectora que se usa cuando se enumeran más de dos hechos similares.

• **통통하다 (adjetivo)** : 키가 작고 살이 쪄서 몸이 옆으로 퍼져 있다.
regordete, rechoncho
Dicho de una persona, ser gruesa y de poca altura.

• -였- : 사건이 과거에 일어났음을 나타내는 어미.
No hay expresión equivalente
Desinencia que se usa para indicar que el suceso ocurrió en el pasado.

• -군요 : (두루높임으로) 새롭게 알게 된 사실에 주목하거나 감탄함을 나타내는 표현.
No hay expresión equivalente
(TRATAMIENTO HONORÍFICO GENERAL) Expresión que indica emoción después de confirmar o darse cuenta de algo nuevo.

• -였- : 사건이 과거에 일어났음을 나타내는 어미.
No hay expresión equivalente

< 대화(diálogo) > - 22

꼼꼼한 지우 씨도 어제 큰 실수를 했나 봐요.
꼼꼼한 지우 씨도 어제 큰 실쑤를 핸나 봐요.
kkomkkomhan jiu ssido eoje keun silsureul haenna bwayo.

아무리 꼼꼼한 사람이라도 서두르면 실수하기 쉽지요.
아무리 꼼꼼한 사라미라도 서두르면 실쑤하기 쉽찌요.
amuri kkomkkomhan saramirado seodureumyeon silsuhagi swipjiyo.

< 설명(explicación) / 번역(traducción) >

꼼꼼하+ㄴ 지우 씨+도 어제 크+ㄴ 실수+를 하+였+[나 보]+아요.
꼼꼼한   큰   했나 봐요

- **꼼꼼하다 (adjetivo)** : 빈틈이 없이 자세하고 차분하다.
  puntual, ordenado, metódico, escrupuloso
  Minucioso, detallista y cuidadoso.

- **-ㄴ** : 앞의 말이 관형어의 기능을 하게 만들고 현재의 상태를 나타내는 어미.
  No hay expresión equivalente
  Desinencia que hace que la palabra antecedente ejerza la función de una palabra determinante, e indica el estado del presente.

- **지우 (sustantivo)** : nombre de una persona

- **씨 (sustantivo)** : 그 사람을 높여 부르거나 이르는 말.
  No hay expresión equivalente
  Palabra que se añade al final del nombre de alguien para llamarle o hacer alusión a él de manera respetuosa.

- **도** : 이미 있는 어떤 것에 다른 것을 더하거나 포함함을 나타내는 조사.
  No hay expresión equivalente
  Posposición que añade o incluye algo a cierta cosa ya existente.

- **어제 (adverbio)** : 오늘의 하루 전날에.
  ayer
  En el día que precede al de hoy.

- **크다 (adjetivo)** : 어떤 일의 규모, 범위, 정도, 힘 등이 보통 수준을 넘다.
  grande, amplio, extenso
  Que el volumen, el alcance, la intensidad o la fuerza de un trabajo supera el estándar normal.

- **-ㄴ** : 앞의 말이 관형어의 기능을 하게 만들고 현재의 상태를 나타내는 어미.
  No hay expresión equivalente
  Desinencia que hace que la palabra antecedente ejerza la función de una palabra determinante, e indica el estado del presente.

- **실수 (sustantivo)** : 잘 알지 못하거나 조심하지 않아서 저지르는 잘못.
  error, falta
  Cosa que se hace erradamente por falta de conocimiento o negligencia.

- **를** : 동작이 직접적으로 영향을 미치는 대상을 나타내는 조사.
  No hay expresión equivalente
  Posposición que indica el objeto que influye directamente en la acción.

- **하다 (verbo)** : 어떤 행동이나 동작, 활동 등을 행하다.
  hacer, realizar
  Llevar a cabo un acto o una acción.

- **-였-** : 사건이 과거에 일어났음을 나타내는 어미.
  No hay expresión equivalente
  Desinencia que se usa para indicar que el suceso ocurrió en el pasado.

- **-나 보다** : 앞의 말이 나타내는 사실을 추측함을 나타내는 표현.
  No hay expresión equivalente
  Expresión que se usa para mostrar que el hablante está suponiendo un acto o estado que representa el comentario anterior.

- **-아요** : (두루높임으로) 어떤 사실을 서술하거나 질문, 명령, 권유함을 나타내는 종결 어미.
  No hay expresión equivalente
  (TRATAMIENTO HONORÍFICO GENERAL) Desinencia de terminación que se usa cuando se describe cierto hecho; o pregunta, ordena o reclama algo. <narración>

아무리 꼼꼼하+ㄴ 사람+이라도 서두르+면 실수하+[기가 쉽]+지요.
꼼꼼한

- **아무리 (adverbio)** : 정도가 매우 심하게.
  por más que, por mucho que
  De modo muy excesivo.

• **꼼꼼하다** (adjetivo) : 빈틈이 없이 자세하고 차분하다.
puntual, ordenado, metódico, escrupuloso
Minucioso, detallista y cuidadoso.

• **-ㄴ** : 앞의 말이 관형어의 기능을 하게 만들고 현재의 상태를 나타내는 어미.
No hay expresión equivalente
Desinencia que hace que la palabra antecedente ejerza la función de una palabra determinante, e indica el estado del presente.

• **사람** (sustantivo) : 생각할 수 있으며 언어와 도구를 만들어 사용하고 사회를 이루어 사는 존재.
persona, hombre, ser humano
Existencia que puede pensar, inventa el lenguaje y la herramienta que utiliza y vive formando una sociedad.

• **이라도** : 다른 경우들과 마찬가지임을 나타내는 조사.
No hay expresión equivalente
Posposición que se usa para indicar que es lo mismo que otros casos.

• **서두르다** (verbo) : 일을 빨리하려고 침착하지 못하고 급하게 행동하다.
apurarse
Moverse prisa sin tranquilidad para acelerar cierta cosa.

• **-면** : 뒤에 오는 말에 대한 근거나 조건이 됨을 나타내는 연결 어미.
No hay expresión equivalente
Desinencia conectora que se usa cuando es un fundamento o condición del contenido posterior.

• **실수하다** (verbo) : 잘 알지 못하거나 조심하지 않아서 잘못을 저지르다.
cometer error, cometer falta
Hacer algo erradamente por falta de conocimiento o negligencia.

• **-기가 쉽다** : 앞의 말이 나타내는 행위를 하거나 그런 상태가 될 가능성이 많음을 나타내는 표현.
No hay expresión equivalente
Expresión que se usa para mostrar la alta posibilidad de que un acto que representa el comentario anterior se realice o una situación se realice de la manera que indica el comentario anterior.

• **-지요** : (두루높임으로) 말하는 사람이 자신에 대한 이야기나 자신의 생각을 친근하게 말할 때 쓰는 종결 어미.
No hay expresión equivalente
(TRATAMIENTO HONORÍFICO GENERAL) Desinencia de terminación que se usa cuando el hablante habla íntimamente sobre su historia o idea.

< 대화(diálogo) > - 23

방이 되게 좁은 줄 알았는데 이렇게 보니 괜찮네.
방이 되게 조븐 줄 아란는데 이러케 보니 괜찬네.
bangi doege jobeun jul aranneunde ireoke boni gwaenchanne.

좁은 공간도 꾸미기 나름이야.
조븐 공간도 꾸미기 나르미야.
jobeun gonggando kkumigi nareumiya.

< 설명(explicación) / 번역(traducción) >

방+이 되게 좁+[은 줄] 알+았+는데 이렇+게 보+니 괜찮+네.

- **방 (sustantivo)** : 사람이 살거나 일을 하기 위해 벽을 둘러서 막은 공간.
  habitación, cuarto
  Espacio rodeado de paredes que sirve como lugar de residencia o trabajo.

- **이** : 어떤 상태나 상황의 대상이나 동작의 주체를 나타내는 조사.
  No hay expresión equivalente
  Posposición que se usa para indicar el objeto de cierto estado o situación o el agente de un movimiento.

- **되게 (adverbio)** : 아주 몹시.
  muy, mucho, sumamente, extremadamente
  Extremadamente.

- **좁다 (adjetivo)** : 면이나 바닥 등의 면적이 작다.
  angosto, pequeño, estrecho, reducido
  Que es pequeña la dimensión de una superficie o un suelo.

- **-은 줄** : 어떤 사실이나 상태에 대해 알고 있거나 모르고 있음을 나타내는 표현.
  No hay expresión equivalente
  Expresión que indica que está al tanto del método o del hecho, o que lo desconoce.

- **알다 (verbo)** : 어떤 사실을 그러하다고 여기거나 생각하다.
  pensar, creer
  Considerar o pensar que una verdad es tal como se cree.

• -았- : 사건이 과거에 일어났음을 나타내는 어미.

No hay expresión equivalente

Desinencia que se usa para mostrar que el suceso ocurrió en el pasado.

• -는데 : 뒤의 말을 하기 위하여 그 대상과 관련이 있는 상황을 미리 말함을 나타내는 연결 어미.

No hay expresión equivalente

Desinencia conectora que se usa cuando se habla con antelación una circunstancia pasada relacionada con la palabra posterior.

• 이렇다 (adjetivo) : 상태, 모양, 성질 등이 이와 같다.

tal

Dicho del estado, la forma o el carácter de algo: que es como este.

• -게 : 앞의 말이 뒤에서 가리키는 일의 목적이나 결과, 방식, 정도 등이 됨을 나타내는 연결 어미.

No hay expresión equivalente

Desinencia conectora que se usa cuando la palabra anterior es el objetivo, resultado, método, grado, etc. que indica al posterior.

• 보다 (verbo) : 대상의 내용이나 상태를 알기 위하여 살피다.

ver, mirar, observar

Observar el contenido o estado de un objeto para estar al tanto.

• -니 : 뒤에 오는 말에 대하여 앞에 오는 말이 원인이나 근거, 전제가 됨을 나타내는 연결 어미.

No hay expresión equivalente

Desinencia conectora que se usa cuando la palabra anterior es una causa, fundamento o premisa de la palabra posterior.

• 괜찮다 (adjetivo) : 꽤 좋다.

bastante bueno, no malo, satisfactorio

Bastante bueno.

• -네 : (아주낮춤으로) 지금 깨달은 일에 대하여 말함을 나타내는 종결 어미.

No hay expresión equivalente

(TRATAMIENTO DE MODESTIA MÁXIMA) Desinencia de terminación que se usa cuando se habla de lo que se ha enterado ahora.

좁+은 공간+도 꾸미+[기 나름이]+야.

• 좁다 (adjetivo) : 면이나 바닥 등의 면적이 작다.

angosto, pequeño, estrecho, reducido

Que es pequeña la dimensión de una superficie o un suelo.

- -은 : 앞의 말이 관형어의 기능을 하게 만들고 현재의 상태를 나타내는 어미.

No hay expresión equivalente

Desinencia que hace que la palabra antecedente ejerza la función de un componente determinante, e indica que el estado del presente.

- 공간 (sustantivo) : 아무것도 없는 빈 곳이나 자리.

espacio

Extensión o lugar vacío.

- 도 : 이미 있는 어떤 것에 다른 것을 더하거나 포함함을 나타내는 조사.

No hay expresión equivalente

Posposición que añade o incluye algo a cierta cosa ya existente.

- 꾸미다 (verbo) : 모양이 좋아지도록 손질하다.

adornar, adornar, ornamentar, ornar, embellecer, hermosear, aderezar, ataviar, engalanar

Cuidar algo para que se mejore la figura

- -기 나름이다 : 어떤 일이 앞의 말이 나타내는 행동을 어떻게 하느냐에 따라 달라질 수 있음을 나타내는 표현.

No hay expresión equivalente

Expresión que se usa para indicar que un asunto puede dar varios resultados dependiendo de cómo se va a hacer lo que presenta el comentario anterior.

- -야 : (두루낮춤으로) 어떤 사실에 대하여 서술하거나 물음을 나타내는 종결 어미.

No hay expresión equivalente

(TRATAMIENTO DE MODESTIA GENERAL) Desinencia de terminación que se usa cuando se describe o interroga sobre cierto hecho. <narración>

< 대화(diálogo) > - 24

나물 반찬 말고 더 맛있는 거 없어요?
나물 반찬 말고 더 마신는 거 업써요?
namul banchan malgo deo masinneun geo eopseoyo?

반찬 투정하지 말고 **빨리** 먹기나 해.
반찬 투정하지 말고 빨리 먹끼나 해.
banchan tujeonghaji malgo ppalli meokgina hae.

< 설명(explicación) / 번역(traducción) >

나물 반찬 말+고 더 맛있+[는 것(거)] 없+어요?
맛있는 거

- **나물 (sustantivo)** : 먹을 수 있는 풀이나 나뭇잎, 채소 등을 삶거나 볶거나 또는 날것으로 양념하여 무친 반찬.
  namul, plato con hierbas cocidas
  Plato preparado cociendo, friendo o sazonando hierbas u hojas comestible.

- **반찬 (sustantivo)** : 식사를 할 때 밥에 곁들여 먹는 음식.
  guarnición, acompañamiento
  Plato que se sirve junto con el arroz a la hora de la comida.

- **말다 (verbo)** : 앞의 것이 아니고 뒤의 것임을 나타내는 말.
  contraponer
  Dícese de la conjunción adversativa "sino", que opone un concepto negativo a otro afirmativo que le precede.

- **-고** : 두 가지 이상의 대등한 사실을 나열할 때 쓰는 연결 어미.
  No hay expresión equivalente
  Desinencia conectora que se usa cuando se enumeran más de dos hechos similares.

- **더 (adverbio)** : 비교의 대상이나 어떤 기준보다 정도가 크게, 그 이상으로.
  más
  En mayor grado o número que un determinado referente de comparación o estándar.

- **맛있다** (adjetivo) : 맛이 좋다.
  sabroso, delicioso, rico, apetitoso
  Que sabe bien.

- **-는 것** : 명사가 아닌 것을 문장에서 명사처럼 쓰이게 하거나 '이다' 앞에 쓰일 수 있게 할 때 쓰는 표현.
  No hay expresión equivalente
  Expresión que se usa para hacer que una palabra que no es sustantivo sea utilizada como tal en una oración, o para hacer que se use delante de '이다'.

- **없다** (adjetivo) : 사람, 사물, 현상 등이 어떤 곳에 자리나 공간을 차지하고 존재하지 않는 상태이다.
  inexistente, irreal
  Estado en que una persona, un objeto o un fenómeno no ocupa un espacio ni existe.

- **-어요** : (두루높임으로) 어떤 사실을 서술하거나 질문, 명령, 권유함을 나타내는 종결 어미.
  No hay expresión equivalente
  (TRATAMIENTO HONORÍFICO GENERAL) Desinencia de terminación que se usa cuando se describe cierto hecho; o pregunta, ordena o reclama algo. <pregunta>

반찬 투정하+[지 말]+고 빨리 먹+[기나 하]+여.
먹기나 해

- **반찬** (sustantivo) : 식사를 할 때 밥에 곁들여 먹는 음식.
  guarnición, acompañamiento
  Plato que se sirve junto con el arroz a la hora de la comida.

- **투정하다** (verbo) : 무엇이 모자라거나 마음에 들지 않아 떼를 쓰며 조르다.
  quejarse, refunfuñar
  Manifestar su disconformidad con alguien o algo que le resulta insatisfactorio o insuficiente.

- **-지 말다** : 앞의 말이 나타내는 행동을 하지 못하게 함을 나타내는 표현.
  No hay expresión equivalente
  Expresión que se usa para prohibir la acción del comentario mencionado anteriormente.

- **-고** : 앞의 말과 뒤의 말이 차례대로 일어남을 나타내는 연결 어미.
  No hay expresión equivalente
  Desinencia conectora que se usa cuando la palabra anterior y la posterior se producen sucesivamente.

- **빨리** (adverbio) : 걸리는 시간이 짧게.
  rápidamente, ágilmente
  Demorando poco tiempo.

• **먹다 (verbo)** : 음식 등을 입을 통하여 배 속에 들여보내다.
comer
Introducir por boca alimentos, etc. en el estómago.

• -기나 하다 : 마음에 차지는 않지만 듣는 사람이나 다른 사람이 앞의 말이 나타내는 행동을 하길 바랄 때 쓰는 표현.
No hay expresión equivalente
Expresión que se usa para mostrar un deseo con mala gana de que el adversario realice un acto que representa el contenido anterior.

• -여 : (두루낮춤으로) 어떤 사실을 서술하거나 물음, 명령, 권유를 나타내는 종결 어미.
No hay expresión equivalente
(TRATAMIENTO DE MODESTIA GENERAL) Desinencia de terminación que se usa cuando se describe cierto hecho; o pregunta, ordena o reclama algo. **<orden>**

< 대화(diálogo) > - 25

수박 한 통에 이만 원이라고요? 좀 비싼데요.
수박 한 통에 이만 워니라고요? 좀 비싼데요.
subak han tonge iman woniragoyo? jom bissandeyo.

비싸기는요. 요즘 물가가 얼마나 올랐는데요.
비싸기느뇨. 요즘 물까가 얼마나 올란는데요.
bissagineunyo. yojeum mulgaga eolmana ollanneundeyo.

< 설명(explicación) / 번역(traducción) >

수박 한 통+에 이만 원+이+라고요?

좀 비싸+ㄴ데요.
　　비싼데요

- **수박 (sustantivo)** : 둥글고 크며 초록 빛깔에 검푸른 줄무늬가 있으며 속이 붉고 수분이 많은 과일.
  sandía
  Fruta grande y redonda de color verdoso con rayas negras cuyo interior es rojizo y que tiene mucho jugo.

- **한 (determinante)** : 하나의.
  No hay expresión equivalente
  uno

- **통 (sustantivo)** : 배추나 수박, 호박 등을 세는 단위.
  tong, unidad
  Unidad de conteo de coles, sandías, calabacines, etc.

- **에** : 앞말이 기준이 되는 대상이나 단위임을 나타내는 조사.
  No hay expresión equivalente
  Posposición que se usa cuando la palabra anterior es objeto o unidad de criterio.

- **이만** : 20,000

• 원 (sustantivo) : 한국의 화폐 단위.
won
Unidad monetaria de Corea.

• 이다 : 주어가 지시하는 대상의 속성이나 부류를 지정하는 뜻을 나타내는 서술격 조사.
No hay expresión equivalente
Posposición de caso atributivo, que se usa para designar el atributo o la clase del objeto al que se refiere el sujeto.

• -라고요 : (두루높임으로) 다른 사람의 말을 확인하거나 따져 물을 때 쓰는 표현.
No hay expresión equivalente
(TRATAMIENTO HONORÍFICO GENERAL) Expresión que se usa para confirmar o chequear lo que dice otra persona.

• 좀 (adverbio) : 분량이나 정도가 적게.
de bajo nivel o poca cantidad
De bajo nivel o poca cantidad.

• 비싸다 (adjetivo) : 물건값이나 어떤 일을 하는 데 드는 비용이 보통보다 높다.
caro, costoso, cotizado, altivo
Que exige un precio o un costo más alto del promedio.

• -ㄴ데요 : (두루높임으로) 의외라 느껴지는 어떤 사실을 감탄하여 말할 때 쓰는 표현.
No hay expresión equivalente
(TRATAMIENTO HONORÍFICO GENERAL) Expresión que se usa para hablar con emoción sobre un hecho inesperado.

비싸+기는요.

요즘 물가+가 얼마나 오르(올르)+았+는데요.
올랐는데요

• 비싸다 (adjetivo) : 물건값이나 어떤 일을 하는 데 드는 비용이 보통보다 높다.
caro, costoso, cotizado, altivo
Que exige un precio o un costo más alto del promedio.

• -기는요 : (두루높임으로) 상대방의 말을 가볍게 부정하거나 반박함을 나타내는 표현.
No hay expresión equivalente
(TRATAMIENTO HONORÍFICO GENERAL) Expresión que se usa para negar o refutar suavemente lo que el adversario dice.

- **요즘 (sustantivo)** : 아주 가까운 과거부터 지금까지의 사이.
  estos días
  Desde un pasado cercano hasta ahora.

- **물가 (sustantivo)** : 물건이나 서비스의 평균적인 가격.
  precios
  Precio promedio de bienes o servicios.

- **가** : 어떤 상태나 상황에 놓인 대상이나 동작의 주체를 나타내는 조사.
  No hay expresión equivalente
  Posposición que se usa para indicar el objeto de cierto estado o situación o el agente de un movimiento.

- **얼마나 (adverbio)** : 상태나 느낌 등의 정도가 매우 크고 대단하게.
  cuánto
  Grande y extraordinario el grado de un estado, sentimiento, etc.

- **오르다 (verbo)** : 값, 수치, 온도, 성적 등이 이전보다 많아지거나 높아지다.
  elevar, aumentar
  Subir y crecer en número respecto al pasado un precio, índice, temperatura o calificación.

- **-았-** : 어떤 사건이 과거에 완료되었거나 그 사건의 결과가 현재까지 지속되는 상황을 나타내는 어미.
  No hay expresión equivalente
  Desinencia que se usa cuando cierto suceso fue acabado en el pasado o cuando el resultado de ese suceso continúa hasta el presente.

- **-는데요** : (두루높임으로) 어떤 상황을 전달하여 듣는 사람의 반응을 기대함을 나타내는 표현.
  No hay expresión equivalente
  (TRATAMIENTO HONORÍFICO GENERAL) Expresión que se usa cuando se espera una reacción del oyente mientras trasmite una situación.

< 대화(diálogo) > - 26

왜 나한테 거짓말을 했어?
왜 나한테 거진마를 해써?
wae nahante geojinmareul haesseo?

그건 너와 멀어질까 봐 두려웠기 때문이야.
그건 너와 머러질까 봐 두려월끼 때무니야.
geugeon neowa meoreojilkka bwa duryeowotgi ttaemuniya.

< 설명(explicación) / 번역(traducción) >

왜 나+한테 거짓말+을 <u>하+였+어</u>?
했어

- **왜 (adverbio)** : 무슨 이유로. 또는 어째서.
  por qué, porque
  Por qué causa. O el porqué.

- **나 (pronombre)** : 말하는 사람이 친구나 아랫사람에게 자기를 가리키는 말.
  yo
  Pronombre que usa el hablante para referirse a sí mismo ante alguien de edad igual o menor.

- **한테** : 어떤 행동이 미치는 대상임을 나타내는 조사.
  No hay expresión equivalente
  Posposición que se usa para indicar el objeto de una acción.

- **거짓말 (sustantivo)** : 사실이 아닌 것을 사실인 것처럼 꾸며서 하는 말.
  mentira, falacia
  Argumento que se cuenta como si fuera verdad pese a que no lo es.

- **을** : 동작이 직접적으로 영향을 미치는 대상을 나타내는 조사.
  No hay expresión equivalente
  Posposición que se usa para indicar el objeto que ha sido influido directamente por una acción.

• 하다 (verbo) : 어떤 행동이나 동작, 활동 등을 행하다.

hacer, realizar

Llevar a cabo un acto o una acción.

• -였- : 사건이 과거에 일어났음을 나타내는 어미.

No hay expresión equivalente

Desinencia que se usa para indicar que el suceso ocurrió en el pasado.

• -어 : (두루낮춤으로) 어떤 사실을 서술하거나 물음, 명령, 권유를 나타내는 종결 어미.

No hay expresión equivalente

(TRATAMIENTO DE MODESTIA GENERAL) Desinencia de terminación que se usa cuando se describe cierto hecho; o pregunta, ordena o reclama algo. <interrogación>

그것(그거)+은 너+와 멀어지+[ㄹ까 보]+아 두렵(두려우)+었+[기 때문]+이+야.
그건　　　　　　　　멀어질까 봐　　　　　　두려웠기 때문이야

• 그것 (pronombre) : 앞에서 이미 이야기한 대상을 가리키는 말.

eso, esa persona

Pronombre que designa a un referente ya mencionado.

• 은 : 문장 속에서 어떤 대상이 화제임을 나타내는 조사.

No hay expresión equivalente

Posposición que se usa para indicar que cierto objeto es tópico en la oración.

• 너 (pronombre) : 듣는 사람이 친구나 아랫사람일 때, 그 사람을 가리키는 말.

tú, vos

Pronombre que designa al oyente cuando éste es de la misma edad o menor que el hablante.

• 와 : 무엇인가를 상대로 하여 어떤 일을 할 때 그 상대임을 나타내는 조사.

No hay expresión equivalente

Posposición que se usa para indicar el adversario cuando se realiza algo contra algo.

• 멀어지다 (verbo) : 친하던 사이가 다정하지 않게 되다.

distanciarse

Enfriarse los afectos que se profesaban dos o más personas, generalmente amigos.

• -ㄹ까 보다 : 앞에 오는 말이 나타내는 상황이 될 것을 걱정하거나 두려워함을 나타내는 표현.

No hay expresión equivalente

Expresión que indica miedo o preocupación de que surja una situación que describe el comentario anterior.

• -아 : 앞에 오는 말이 뒤에 오는 말에 대한 원인이나 이유임을 나타내는 연결 어미.
No hay expresión equivalente
Desinencia conectora que se usa cuando la palabra anterior es la causa o la razón de la palabra posterior.

• **두렵다 (adjetivo)** : 걱정되고 불안하다.
preocupado, inquieto, intranquilo
Que está preocupado e inquieto.

• -었- : 사건이 과거에 일어났음을 나타내는 어미.
No hay expresión equivalente
Desinencia que se usa cuando indica que el suceso ocurrió en el pasado.

• -기 때문 : 앞의 내용이 뒤에 오는 일의 원인이나 까닭임을 나타내는 표현.
No hay expresión equivalente
Expresión que indica que lo que se dice en la parte anterior de la cláusula es el origen o la causa del suceso que se dice en la parte posterior.

• 이다 : 주어가 지시하는 대상의 속성이나 부류를 지정하는 뜻을 나타내는 서술격 조사.
No hay expresión equivalente
Posposición de caso atributivo, que se usa para designar el atributo o la clase del objeto al que se refiere el sujeto.

• -야 : (두루낮춤으로) 어떤 사실에 대하여 서술하거나 물음을 나타내는 종결 어미.
No hay expresión equivalente
(TRATAMIENTO DE MODESTIA GENERAL) Desinencia de terminación que se usa cuando se describe o interroga sobre cierto hecho. **<narración>**

< 대화(diálogo) > - 27

이번 휴가 때 남자 친구에게 운전을 배우기로 했어.
이번 휴가 때 남자 친구에게 운저늘 배우기로 해써.
ibeon hyuga ttae namja chinguege unjeoneul baeugiro haesseo.

그러면 분명히 서로 싸우게 될 텐데…….
그러면 분명히 서로 싸우게 될 텐데…….
geureomyeon bunmyeonghi seoro ssauge doel tende…….

< 설명(explicación) / 번역(traducción) >

이번 휴가 때 남자 친구+에게 운전+을 배우+[기로 하]+였+어.
배우기로 했어

- **이번 (sustantivo)** : 곧 돌아올 차례. 또는 막 지나간 차례.
  este, esta vez, este turno
  Turno que sigue inmediatamente después, o que acaba de pasar.

- **휴가 (sustantivo)** : 직장이나 군대 등의 단체에 속한 사람이 일정한 기간 동안 일터를 벗어나서 쉬는 일. 또는 그런 기간.
  vacación
  Dicho del integrante de una organización como una compañía o el Ejército, acción de abandonar su lugar de trabajo para tomarse descanso durante un determinado período de tiempo. O tal período mismo.

- **때 (sustantivo)** : 어떤 시기 동안.
  en aquel entonces
  Durante un cierto momento.

- **남자 친구 (sustantivo)** : 여자가 사랑하는 감정을 가지고 사귀는 남자.
  novio
  Hombre con quien una mujer mantiene una relación amorosa.

- 에게 : 어떤 행동의 주체이거나 비롯되는 대상임을 나타내는 조사.
  No hay expresión equivalente
  Posposición que indica ser el agente u objeto del que procede cierta acción.

• 운전 (sustantivo) : 기계나 자동차를 움직이고 조종함.
conducción
Manejo de un vehículo o maquinaria.

• 을 : 동작이 직접적으로 영향을 미치는 대상을 나타내는 조사.
No hay expresión equivalente
Posposición que se usa para indicar el objeto que ha sido influido directamente por una acción.

• 배우다 (verbo) : 새로운 기술을 익히다.
aprender, estudiar, formarse
Practicar nuevas técnicas.

• -기로 하다 : 앞의 말이 나타내는 행동을 할 것을 결심하거나 약속함을 나타내는 표현.
No hay expresión equivalente
Expresión que se usa para mostrar la decisión o la promesa que va a realizar un acto que representa el comentario anterior.

• -였- : 어떤 사건이 과거에 완료되었거나 그 사건의 결과가 현재까지 지속되는 상황을 나타내는 어미.
No hay expresión equivalente
Desinencia que se usa cuando cierto suceso fue acabado en el pasado o cuando el resultado de ese suceso continúa hasta el presente.

• -어 : (두루낮춤으로) 어떤 사실을 서술하거나 물음, 명령, 권유를 나타내는 종결 어미.
No hay expresión equivalente
(TRATAMIENTO DE MODESTIA GENERAL) Desinencia de terminación que se usa cuando se describe cierto hecho; o pregunta, ordena o reclama algo. <narración>

그러면 분명히 서로 싸우+[게 되]+[ㄹ 텐데]…….
싸우게 될 텐데

• 그러면 (adverbio) : 앞의 내용이 뒤의 내용의 조건이 될 때 쓰는 말.
entonces, pues, en ese caso, en tal caso, de ser así
Se usa para denotar que lo antedicho es condición de lo que se dirá a continuación.

• 분명히 (adverbio) : 어떤 사실이 틀림이 없이 확실하게.
seguramente, ciertamente, infaliblemente
Sin lugar a dudas acerca de algún hecho.

• 서로 (adverbio) : 관계를 맺고 있는 둘 이상의 대상이 각기 그 상대에 대하여.
uno con otro
Dícese de cada trato con cualquier persona relacionada.

• **싸우다 (verbo)** : 말이나 힘으로 이기려고 다투다.

pelear, luchar

Combatir para ganar con palabras o fuerzas.

• **-게 되다** : 앞의 말이 나타내는 상태나 상황이 됨을 나타내는 표현.

No hay expresión equivalente

Expresión que se usa para mostrar se ha llegado a un estado o una situación descrita previamente.

• **-ㄹ 텐데** : 앞에 오는 말에 대하여 말하는 사람의 강한 추측을 나타내면서 그와 관련되는 내용을 이어 말할 때 쓰는 표현.

No hay expresión equivalente

Expresión que indica una contundente suposición del hablante sobre un hecho y se usa para proponer un contenido relacionado a ello.

< 대화(diálogo) > - 28

운동선수로서 뭐가 제일 힘들어?
운동선수로서 뭐가 제일 힘드러?
undongseonsuroseo mwoga jeil himdeureo?

글쎄, 체중을 조절하기 위한 끊임없는 노력이겠지.
글쎄, 체중을 조절하기 위한 끄니멈는 노려기겓찌.
geulsse, chejungeul jojeolhagi wihan kkeunimeomneun noryeogigetji.

< 설명(explicación) / 번역(traducción) >

운동선수+로서 뭐+가 제일 힘들+어?

• **운동선수 (sustantivo)** : 운동에 뛰어난 재주가 있어 전문적으로 운동을 하는 사람.
  atleta
  Persona con talento deportivo que practica o se dedica al atletismo.

• **로서** : 어떤 지위나 신분, 자격을 나타내는 조사.
  No hay expresión equivalente
  Posposición que indica cierto puesto, posición social o facultad de alguien.

• **뭐 (pronombre)** : 모르는 사실이나 사물을 가리키는 말.
  ¿qué?, ¿cuál?
  Pronombre interrogativo que se usa para inquirir un hecho o una cosa.

• **가** : 어떤 상태나 상황에 놓인 대상이나 동작의 주체를 나타내는 조사.
  No hay expresión equivalente
  Posposición que se usa para indicar el objeto de cierto estado o situación o el agente de un movimiento.

• **제일 (adverbio)** : 여럿 중에서 가장.
  primeramente
  Lo primero entre varios.

• **힘들다 (adjetivo)** : 어떤 일을 하는 것이 어렵거나 곤란하다.
  difícil
  Difícil de realizar un acto determinado.

- -어 : (두루낮춤으로) 어떤 사실을 서술하거나 물음, 명령, 권유를 나타내는 종결 어미.
  No hay expresión equivalente
  (TRATAMIENTO DE MODESTIA GENERAL) Desinencia de terminación que se usa cuando se describe cierto hecho; o pregunta, ordena o reclama algo. **<interrogación>**

글쎄, 체중+을 조절하+[기 위한] 끊임없+는 노력+이+겠+지.

- **글쎄 (interjección)** : 상대방의 물음이나 요구에 대하여 분명하지 않은 태도를 나타낼 때 쓰는 말.
  pues
  Exclamación para expresar una actitud no precisa sobre una pregunta o petición de la contraparte.

- **체중 (sustantivo)** : 몸의 무게.
  peso corporal
  Peso del cuerpo.

- 을 : 동작이 직접적으로 영향을 미치는 대상을 나타내는 조사.
  No hay expresión equivalente
  Posposición que se usa para indicar el objeto que ha sido influido directamente por una acción.

- **조절하다 (verbo)** : 균형에 맞게 바로잡거나 상황에 알맞게 맞추다.
  regular, controlar
  Ajustar en estado apropiado o poner las cosas en orden.

- -기 위한 : 뒤에 오는 명사를 수식하면서 그 목적이나 의도를 나타내는 표현.
  No hay expresión equivalente
  Expresión que se usa para mostrar el propósito o la intención mientras se determina el comentario que sigue a continuación.

- **끊임없다 (adjetivo)** : 계속하거나 이어져 있던 것이 끊이지 아니하다.
  continuo, ininterrumpido, incesante
  Dícese de algo que ha permanecido continuo o está conectado que sigue sin cortarse o interrumpirse.

- -는 : 앞의 말이 관형어의 기능을 하게 만들고 사건이나 동작이 현재 일어남을 나타내는 어미.
  No hay expresión equivalente
  Desinencia que hace que la palabra antecedente ejerza la función de un componente determinante, e indica que un suceso o una acción se produce en el presente.

- **노력 (sustantivo)** : 어떤 목적을 이루기 위하여 힘을 들이고 애를 씀.
  esfuerzo
  Fuerza y empeño que se ponen para la consecución de un fin.

• 이다 : 주어가 지시하는 대상의 속성이나 부류를 지정하는 뜻을 나타내는 서술격 조사.

No hay expresión equivalente

Posposición de caso atributivo, que se usa para designar el atributo o la clase del objeto al que se refiere el sujeto.

• -겠- : 미래의 일이나 추측을 나타내는 어미.

No hay expresión equivalente

Desinencia que se usa para indicar algo del futuro o una conjetura.

• -지 : (두루낮춤으로) 말하는 사람이 자신에 대한 이야기나 자신의 생각을 친근하게 말할 때 쓰는 종결 어미.

No hay expresión equivalente

(TRATAMIENTO DE MODESTIA GENERAL) Desinencia de terminación que se usa cuando el hablante habla íntimamente sobre su historia o idea.

< 대화(diálogo) > - 29

요즘 부쩍 운동을 열심히 하시네요.
요즘 부쩍 운동을 열씸히 하시네요.
yojeum bujjeok undongeul yeolsimhi hasineyo.

건강을 유지하기 위해서 운동을 좀 해야겠더라고요.
건강을 유지하기 위해서 운동을 좀 해야겓떠라고요.
geongangeul yujihagi wihaeseo undongeul jom haeyagetdeoragoyo.

< 설명(explicación) / 번역(traducción) >

요즘 부쩍 운동+을 열심히 하+시+네요.

- **요즘 (sustantivo)** : 아주 가까운 과거부터 지금까지의 사이.
  estos días
  Desde un pasado cercano hasta ahora.

- **부쩍 (adverbio)** : 어떤 사물이나 현상이 갑자기 크게 변화하는 모양.
  señaladamente, marcadamente, notablemente
  Modo en que algún objeto o fenómeno experimenta repentinamente un gran cambio.

- **운동 (sustantivo)** : 몸을 단련하거나 건강을 위하여 몸을 움직이는 일.
  ejercitación, ejercicio
  Acción de fortalecer el cuerpo o mover el cuerpo para la salud.

- **을** : 동작이 직접적으로 영향을 미치는 대상을 나타내는 조사.
  No hay expresión equivalente
  Posposición que se usa para indicar el objeto que ha sido influido directamente por una acción.

- **열심히 (adverbio)** : 어떤 일에 온 정성을 다하여.
  apasionadamente, fervientemente, asiduamente
  Con mucho esmero en cierta cosa.

- **하다 (verbo)** : 어떤 행동이나 동작, 활동 등을 행하다.
  hacer, realizar
  Llevar a cabo un acto o una acción.

• -시- : 어떤 동작이나 상태의 주체를 높이는 뜻을 나타내는 어미.
No hay expresión equivalente
Desinencia que se usa para dar un tratamiento honorífico al agente de una acción verbal o de un determinado estado.

• -네요 : (두루높임으로) 말하는 사람이 직접 경험하여 새롭게 알게 된 사실에 대해 감탄함을 나타낼 때 쓰는 표현.
No hay expresión equivalente
(TRATAMIENTO HONORÍFICO GENERAL) Expresión que se usa para mostrar que el hablante presenta una emoción sobre algo nuevo que se acaba de conocer por haberlo experimentado directamente.

건강+을 유지하+[기 위해서] 운동+을 좀 <u>하+여야겠+더라고요</u>.
해야겠더라고요

• **건강 (sustantivo)** : 몸이나 정신이 이상이 없이 튼튼한 상태.
salud
Condición o estado óptimo del cuerpo o la mente.

• **을** : 동작이 직접적으로 영향을 미치는 대상을 나타내는 조사.
No hay expresión equivalente
Posposición que se usa para indicar el objeto que ha sido influido directamente por una acción.

• **유지하다 (verbo)** : 어떤 상태나 상황 등을 그대로 이어 나가다.
mantener, sostener, conservar
Conservar el estado o la situación actual.

• **-기 위해서** : 어떤 일을 하는 목적인 의도를 나타내는 표현.
No hay expresión equivalente
Expresión que se usa para mostrar la finalidad de una acción.

• **운동 (sustantivo)** : 몸을 단련하거나 건강을 위하여 몸을 움직이는 일.
ejercitación, ejercicio
Acción de fortalecer el cuerpo o mover el cuerpo para la salud.

• **을** : 동작이 직접적으로 영향을 미치는 대상을 나타내는 조사.
No hay expresión equivalente
Posposición que se usa para indicar el objeto que ha sido influido directamente por una acción.

· 좀 (adverbio) : 분량이나 정도가 적게.

de bajo nivel o poca cantidad

De bajo nivel o poca cantidad.

· 하다 (verbo) : 어떤 행동이나 동작, 활동 등을 행하다.

hacer, realizar

Llevar a cabo un acto o una acción.

· -여야겠- : 앞의 말이 나타내는 행동에 대한 강한 의지를 나타내거나 그 행동을 할 필요가 있음을 완곡
하게 말할 때 쓰는 표현.

No hay expresión equivalente

Expresión que se usa para representar una fuerte voluntad sobre alguna acción que indica el comentario anterior o para suponer la necesidad de realizar tal acción.

· -더라고요 : (두루높임으로) 과거에 경험하여 새로 알게 된 사실에 대해 지금 상대방에게 옮겨 전할 때
쓰는 표현.

No hay expresión equivalente

(TRATAMIENTO HONORÍFICO GENERAL) Expresión que se usa cuando el hablante transmite actualmente al adversario algo nuevo que acaba de conocer por haberlo experimentado directamente en el pasado.

< 대화(diálogo) > - 30

해외여행을 떠나기 전에 무엇을 준비해야 할까요?
해외여행을 떠나기 저네 무어슬 준비해야 할까요?
haeoeyeohaengeul tteonagi jeone mueoseul junbihaeya halkkayo?

먼저 여권을 준비하고 환전도 해야 해요.
먼저 여꿔늘 준비하고 환전도 해야 해요.
meonjeo yeogwoneul junbihago hwanjeondo haeya haeyo.

< 설명(explicación) / 번역(traducción) >

해외여행+을 떠나+[기 전에] 무엇+을 <u>준비하+[여야 하]+ㄹ까요</u>?
                                          준비해야 할까요

- **해외여행 (sustantivo)** : 외국으로 여행을 가는 일. 또는 그런 여행.
  viaje al extranjero
  Acción de viajar a un país extranjero. O un viaje de este tipo.

- **을** : 그 행동의 목적이 되는 일을 나타내는 조사.
  No hay expresión equivalente
  Posposición que se usa para indicar algo que es objetivo de cierta acción.

- **떠나다 (verbo)** : 어떤 일을 하러 나서다.
  viajar
  Irse, partir con un fin determinado.

- **-기 전에** : 뒤에 오는 말이 나타내는 행동이 앞에 오는 말이 나타내는 행동보다 앞서는 것을 나타내는 표현.
  No hay expresión equivalente
  Expresión que se usa para mostrar que un acto o estado precede al hecho que se dice en la parte anterior de la cláusula.

- **무엇 (pronombre)** : 모르는 사실이나 사물을 가리키는 말.
  ¿qué?, ¿cuál?
  Pronombre interrogativo que se usa para inquirir un hecho o una cosa.

• 을 : 동작이 직접적으로 영향을 미치는 대상을 나타내는 조사.
No hay expresión equivalente
Posposición que se usa para indicar el objeto que ha sido influido directamente por una acción.

• **준비하다 (verbo)** : 미리 마련하여 갖추다.
preparar
Tener listo preparándolo anticipadamente.

• **-여야 하다** : 앞에 오는 말이 어떤 일을 하거나 어떤 상황에 이르기 위한 의무적인 행동이거나 필수적인 조건임을 나타내는 표현.
No hay expresión equivalente
Expresión que indica que el comentario anterior es una condición fundamental o una acción requerida para alcanzar a una situación o para realizar un trabajo.

• **-ㄹ까요** : (두루높임으로) 듣는 사람에게 의견을 묻거나 제안함을 나타내는 표현.
No hay expresión equivalente
(TRATAMIENTO HONORÍFICO GENERAL) Expresión para preguntar la opinión del oyente o para hacerle una propuesta.

먼저 여권+을 준비하+고 환전+도 하+[여야 하]+여요.
해야 해요

• **먼저 (adverbio)** : 시간이나 순서에서 앞서.
primero, primeramente, antes
Por adelantado en tiempo u orden.

• **여권 (sustantivo)** : 다른 나라를 여행하는 사람의 신분이나 국적을 증명하고, 여행하는 나라에 그 사람의 보호를 맡기는 문서.
pasaporte
Documento que certifica la identidad o nacionalidad de la persona que viaja a otro país, o que otorga la protección del viajero al país que visita.

• 을 : 동작이 직접적으로 영향을 미치는 대상을 나타내는 조사.
No hay expresión equivalente
Posposición que se usa para indicar el objeto que ha sido influido directamente por una acción.

• **준비하다 (verbo)** : 미리 마련하여 갖추다.
preparar
Tener listo preparándolo anticipadamente.

· -고 : 두 가지 이상의 대등한 사실을 나열할 때 쓰는 연결 어미.

No hay expresión equivalente

Desinencia conectora que se usa cuando se enumeran más de dos hechos similares.

· **환전 (sustantivo)** : 한 나라의 화폐를 다른 나라의 화폐와 맞바꿈.

cambio de divisas, cambio

Acción de cambiar la moneda de un país a la de otro.

· 도 : 이미 있는 어떤 것에 다른 것을 더하거나 포함함을 나타내는 조사.

No hay expresión equivalente

Posposición que añade o incluye algo a cierta cosa ya existente.

· **하다 (verbo)** : 어떤 행동이나 동작, 활동 등을 행하다.

hacer, realizar

Llevar a cabo un acto o una acción.

· -여야 하다 : 앞에 오는 말이 어떤 일을 하거나 어떤 상황에 이르기 위한 의무적인 행동이거나 필수적인 조건임을 나타내는 표현.

No hay expresión equivalente

Expresión que indica que el comentario anterior es una condición fundamental o una acción requerida para alcanzar a una situación o para realizar un trabajo.

· -여요 : (두루높임으로) 어떤 사실을 서술하거나 질문, 명령, 권유함을 나타내는 종결 어미.

No hay expresión equivalente

(TRATAMIENTO HONORÍFICO GENERAL) Desinencia de terminación que se usa cuando se describe cierto hecho; o pregunta, ordena o reclama algo. **<narración>**

< 대화(diálogo) > - 31

저 다음 달에 한국에 갑니다.
저 다음 다레 한구게 감니다.
jeo daeum dare hanguge gamnida.

어머, 그럼 우리 서울에서 볼 수 있겠네요?
어머, 그럼 우리 서우레서 볼 쑤 읻껜네요?
eomeo, geureom uri seoureseo bol su itgenneyo?

< 설명(explicación) / 번역(traducción) >

저 다음 달+에 한국+에 <u>가</u>+ㅂ니다.
갑니다

- **저 (pronombre)** : 말하는 사람이 듣는 사람에게 자신을 낮추어 가리키는 말.
  yo
  Palabra que usa el hablante delante del oyente con tono de humildad.

- **다음 (sustantivo)** : 어떤 차례에서 바로 뒤.
  próximo, siguiente
  Según un orden de sucesión, el que va inmediatamente después.

- **달 (sustantivo)** : 일 년을 열둘로 나누어 놓은 기간.
  mes
  Una de las partes o períodos de los doce en que se divide un año.

- **에** : 앞말이 시간이나 때임을 나타내는 조사.
  No hay expresión equivalente
  Posposición que se usa cuando la palabra anterior indica hora o tiempo.

- **한국 (sustantivo)** : 아시아 대륙의 동쪽에 있는 나라. 한반도와 그 부속 섬들로 이루어져 있으며, 대한민국이라고도 부른다. 1950년에 일어난 육이오 전쟁 이후 휴전선을 사이에 두고 국토가 둘로 나뉘었다. 언어는 한국어이고, 수도는 서울이다.
  Corea, Corea del Sur
  País situado al este del continente asiático. Está compuesto por la península coreana y las islas colindantes, y también es conocido por el nombre de Daehanminguk. Permanece dividido en dos por la línea de armisticio desde la Guerra de Corea, que estalló en 1950. Su idioma oficial es el coreano y su capital es Seúl.

• 에 : 앞말이 목적지이거나 어떤 행위의 진행 방향임을 나타내는 조사.
No hay expresión equivalente
Posposición que se usa cuando la palabra anterior indica el destino o la dirección de avance de cierta acción.

• 가다 (verbo) : 한 곳에서 다른 곳으로 장소를 이동하다.
Ir
Trasladarse de un lugar a otro.

• -ㅂ니다 : (아주높임으로) 현재의 동작이나 상태, 사실을 정중하게 설명함을 나타내는 종결 어미.
No hay expresión equivalente
(TRATAMIENTO HONORÍFICO MÁXIMO) Desinencia de terminación que se usa cuando se explica cortésmente una acción, un estado, o un hecho del presente.

어머, 그럼 우리 서울+에서 보+[ㄹ 수 있]+겠+네요?
볼 수 있겠네요

• 어머 (interjección) : 주로 여자들이 예상하지 못한 일로 갑자기 놀라거나 감탄할 때 내는 소리.
¡Dios mío!, ¡Jesús!, ¡madre mía!
Interjección que se usa, generalmente, cuando las mujeres se asustan o se maravillan de repente por algo imprevisto.

• 그럼 (adverbio) : 앞의 내용을 받아들이거나 그 내용을 바탕으로 하여 새로운 주장을 할 때 쓰는 말.
entonces, pues, en ese caso, en tal caso, de ser así
Se usa para manifestar que se admite lo antedicho, o plantear un nuevo argumento fundamentado en eso.

• 우리 (pronombre) : 말하는 사람이 자기와 듣는 사람 또는 이를 포함한 여러 사람들을 가리키는 말.
nosotros
Palabra que el hablante usa para referirse a sí mismo y al oyente u otras personas.

• 서울 (sustantivo) : 한반도 중앙에 있는 특별시. 한국의 수도이자 정치, 경제, 산업, 사회, 문화, 교통의 중심지이다. 북한산, 관악산 등의 산에 둘러싸여 있고 가운데로는 한강이 흐른다.
Seúl
La ciudad metropolitana que está en el centro de la península coreana. Es la capital de la República de Corea y el eje de la política, la economía, la industria, la sociedad, la cultura y el transporte. Está rodeada de montañas como Bukhan y Gwanak, y en su centro fluye el río Han.

• 에서 : 앞말이 행동이 이루어지고 있는 장소임을 나타내는 조사.
No hay expresión equivalente
Posposición que se usa para indicar el lugar en el que se realiza la acción de la palabra anterior.

- **보다 (verbo)** : 사람을 만나다.

  ver, encontrarse

  Encontrarse con una persona.

- **-ㄹ 수 있다** : 어떤 행동이나 상태가 가능함을 나타내는 표현.

  No hay expresión equivalente

  Expresión que indica que es posible realizar cierta acción, o permanecer en cierto estado.

- **-겠-** : 미래의 일이나 추측을 나타내는 어미.

  No hay expresión equivalente

  Desinencia que se usa para indicar algo del futuro o una conjetura.

- **-네요** : (두루높임으로) 말하는 사람이 추측하거나 짐작한 내용에 대해 듣는 사람에게 동의를 구하며 물을 때 쓰는 표현.

  No hay expresión equivalente

  (TRATAMIENTO HONORÍFICO GENERAL) Expresión que se usa cuando el hablante pregunta urgiendo el consentimiento del oyente sobre el contenido que ha supuesto o conjeturado.

< 대화(diálogo) > - 32

매일 만드는 대로 요리했는데 오늘은 평소보다 맛이 없는 것 같아요.
매일 만드는 대로 요리핸는데 오느른 평소보다 마시 엄는 걷 가타요.
maeil mandeuneun daero yorihaenneunde oneureun pyeongsoboda masi eomneun geot gatayo.

아니에요. 맛있어요. 잘 먹을게요.
아니에요. 마시써요. 잘 머글께요.
anieyo. masisseoyo. jal meogeulgeyo.

< 설명(explicación) / 번역(traducción) >

매일 만들(만드)+[는 대로] 요리하+였+는데
　　　 만드는 대로　　　　　 요리했는데

오늘+은 평소+보다 맛+이 없+[는 것 같]+아요.

- 매일 (adverbio) : 하루하루마다 빠짐없이.
  todos los días, diariamente, día a día
  Cada día, sin excepción.

- 만들다 (verbo) : 힘과 기술을 써서 없던 것을 생기게 하다.
  crear
  Producir algo de la nada, aplicando la fuerza y la técnica.

- -는 대로 : 앞에 오는 말이 뜻하는 현재의 행동이나 상황과 같음을 나타내는 표현.
  No hay expresión equivalente
  Expresión que se usa para mostrar que es lo mismo con un acto o estado actual que representa el comentario anterior.

- 요리하다 (verbo) : 음식을 만들다.
  cocinar
  Preparar comida.

- -였- : 어떤 사건이 과거에 완료되었거나 그 사건의 결과가 현재까지 지속되는 상황을 나타내는 어미.
  No hay expresión equivalente
  Desinencia que se usa cuando cierto suceso fue acabado en el pasado o cuando el resultado de ese suceso continúa hasta el presente.

- -는데 : 뒤의 말을 하기 위하여 그 대상과 관련이 있는 상황을 미리 말함을 나타내는 연결 어미.
  No hay expresión equivalente
  Desinencia conectora que se usa cuando se habla con antelación una circunstancia pasada relacionada con la palabra posterior.

- **오늘 (sustantivo)** : 지금 지나가고 있는 이날.
  hoy
  Día actual que está transcurriendo ahora.

- 은 : 어떤 대상이 다른 것과 대조됨을 나타내는 조사.
  No hay expresión equivalente
  Posposición que se usa para indicar que cierto objeto es contrastante con otro.

- **평소 (sustantivo)** : 특별한 일이 없는 보통 때.
  tiempos normales
  Tiempos en que no está sucediendo nada especial.

- 보다 : 서로 차이가 있는 것을 비교할 때, 비교의 대상이 되는 것을 나타내는 조사.
  No hay expresión equivalente
  Posposición que indica el ser objeto de comparación en caso de paragonar la diferencia entre los dos.

- **맛 (sustantivo)** : 음식 등을 혀에 댈 때 느껴지는 감각.
  sabor, gusto
  Sensación que se siente al tocar la comida con la lengua.

- 이 : 어떤 상태나 상황의 대상이나 동작의 주체를 나타내는 조사.
  No hay expresión equivalente
  Posposición que se usa para indicar el objeto de cierto estado o situación o el agente de un movimiento.

- **없다 (adjetivo)** : 어떤 사실이나 현상이 현실로 존재하지 않는 상태이다.
  inexistente, irreal
  Que una verdad o un fenómeno no existe en la realidad.

- -는 것 같다 : 추측을 나타내는 표현.
  No hay expresión equivalente
  Expresión que indica suposición.

- -아요 : (두루높임으로) 어떤 사실을 서술하거나 질문, 명령, 권유함을 나타내는 종결 어미.
  No hay expresión equivalente
  (TRATAMIENTO HONORÍFICO GENERAL) Desinencia de terminación que se usa cuando se describe cierto hecho; o pregunta, ordena o reclama algo. <narración>

아니+에요.

맛있+어요.

잘 먹+을게요.

• **아니다 (adjetivo)** : 어떤 사실이나 내용을 부정하는 뜻을 나타내는 말.
no
Palabra que denota el significado de negación de un hecho o un contenido.

• **-에요** : (두루높임으로) 어떤 사실을 서술하거나 질문함을 나타내는 종결 어미.
No hay expresión equivalente
(TRATAMIENTO HONORÍFICO GENERAL) Desinencia de terminación que se usa cuando se describe o interroga cierto hecho. <narración>

• **맛있다 (adjetivo)** : 맛이 좋다.
sabroso, delicioso, rico, apetitoso
Que sabe bien.

• **-어요** : (두루높임으로) 어떤 사실을 서술하거나 질문, 명령, 권유함을 나타내는 종결 어미.
No hay expresión equivalente
(TRATAMIENTO HONORÍFICO GENERAL) Desinencia de terminación que se usa cuando se describe cierto hecho; o pregunta, ordena o reclama algo. <narración>

• **잘 (adverbio)** : 충분히 만족스럽게.
bien
Suficientemente satisfactorio.

• **먹다 (verbo)** : 음식 등을 입을 통하여 배 속에 들여보내다.
comer
Introducir por boca alimentos, etc. en el estómago.

• **-을게요** : (두루높임으로) 말하는 사람이 어떤 행동을 할 것을 듣는 사람에게 약속하거나 의지를 나타내는 표현.
No hay expresión equivalente
(TRATAMIENTO HONORÍFICO GENERAL) Expresión que se usa para prometer o avisar al oyente una acción que realizará el hablante.

< 대화(diálogo) > - 33

지아야, 여행 잘 다녀와. 전화하고.
지아야, 여행 잘 다녀와. 전화하고.
jiaya, yeohaeng jal danyeowa. jeonhwahago.

네, 호텔에 도착하는 대로 전화 드릴게요.
네, 호테레 도차카는 대로 전화 드릴께요.
ne, hotere dochakaneun daero jeonhwa deurilgeyo.

< 설명(explicación) / 번역(traducción) >

지아+야, 여행 잘 <u>다녀오+아</u>.
　　　　　　　　　다녀와

전화하+<u>고</u>.

- **지아 (sustantivo)** : nombre de una persona

- **야** : 친구나 아랫사람, 동물 등을 부를 때 쓰는 조사.
  No hay expresión equivalente
  Posposición que se usa al llamar a amigos, menores, animales, etc.

- **여행 (sustantivo)** : 집을 떠나 다른 지역이나 외국을 두루 구경하며 다니는 일.
  viaje, visita, paseo, recorrido, excursión, expedición, gira
  Acción de marcharse de la casa para pasear disfrutando de diferentes aspectos de otra región u otro país.

- **잘 (adverbio)** : 아무 탈 없이 편안하게.
  bien
  Cómodamente, sin inconveniencias.

- **다녀오다 (verbo)** : 어떤 일을 하기 위해 갔다가 오다.
  Ir y venir
  Regresar luego de visitar un lugar para realizar un trabajo.

• -아 : (두루낮춤으로) 어떤 사실을 서술하거나 물음, 명령, 권유를 나타내는 종결 어미.
No hay expresión equivalente
(TRATAMIENTO DE MODESTIA GENERAL) Desinencia de terminación que se usa cuando se describe cierto hecho; o pregunta, ordena o reclama algo. <orden>

• 전화하다 (verbo) : 전화기를 통해 사람들끼리 말을 주고받다.
llamar por teléfono, telefonear
Comunicarse las personas por teléfono.

• -고 : (두루낮춤으로) 뒤에 올 또 다른 명령 표현을 생략한 듯한 느낌을 주면서 부드럽게 명령할 때 쓰는 종결 어미.
No hay expresión equivalente
(TRATAMIENTO DE MODESTIA GENERAL) Desinencia de terminación que se usa cuando se manda de forma afable dando la impresión de ser oprimida la otra expresión imperativa que viene después.

네, 호텔+에 도착하+[는 대로] 전화 <u>드리+ㄹ게요</u>.
드릴게요

• 네 (interjección) : 윗사람의 물음이나 명령 등에 긍정하여 대답할 때 쓰는 말.
sí
Exclamación para responder positivamente a una pregunta u orden de un mayor.

• 호텔 (sustantivo) : 시설이 잘 되어 있고 규모가 큰 고급 숙박업소.
hotel
Alojamiento decente que suele ser de gran tamaño y cuenta con buenas instalaciones.

• 에 : 앞말이 목적지이거나 어떤 행위의 진행 방향임을 나타내는 조사.
No hay expresión equivalente
Posposición que se usa cuando la palabra anterior indica el destino o la dirección de avance de cierta acción.

• 도착하다 (verbo) : 목적지에 다다르다.
llegar
Arribar a un determinado lugar.

• -는 대로 : 어떤 행동이나 상황이 나타나는 그때 바로, 또는 직후에 곧의 뜻을 나타내는 표현.
No hay expresión equivalente
Expresión que se usa para mostrar un estado inmediato después de otro.

• **전화 (sustantivo)** : 전화기를 통해 사람들끼리 말을 주고받음. 또는 그렇게 하여 전달되는 내용.
llamada telefónica
Comunicación entre personas por medio del teléfono. O el contenido que se transmite de esa manera.

• **드리다 (verbo)** : 윗사람에게 어떤 말을 하거나 인사를 하다.
saludar al mayor
Expresar un saludo o dirigirse al superior o al mayor.

• **-ㄹ게요** : (두루높임으로) 말하는 사람이 어떤 행동을 할 것을 듣는 사람에게 약속하거나 의지를 나타내는 표현.
No hay expresión equivalente
(TRATAMIENTO HONORÍFICO GENERAL) Expresión que se usa para prometer o anunciar al oyente una acción que realizará el hablante.

< 대화(diálogo) > - 34

우리 이번 주말에 영화 보기로 했지?
우리 이번 주마레 영화 보기로 핻찌?
uri ibeon jumare yeonghwa bogiro haetji?

응. 그런데 날씨가 좋으니까 영화를 보는 대신에 공원에 놀러 갈까?
응. 그런데 날씨가 조으니까 영화를 보는 대시네 공워네 놀러 갈까?
eung. geureonde nalssiga joeunikka yeonghwareul boneun daesine gongwone nolleo galkka?

< 설명(explicación) / 번역(traducción) >

우리 이번 주말+에 영화 <u>보</u>+[기로 하]+<u>였</u>+<u>지</u>?
보기로 했지

• **우리 (pronombre)** : 말하는 사람이 자기와 듣는 사람 또는 이를 포함한 여러 사람들을 가리키는 말.
nosotros
Palabra que el hablante usa para referirse a sí mismo y al oyente u otras personas.

• **이번 (sustantivo)** : 곧 돌아올 차례. 또는 막 지나간 차례.
este, esta vez, este turno
Turno que sigue inmediatamente después, o que acaba de pasar.

• **주말 (sustantivo)** : 한 주일의 끝.
fin de semana
Término de una semana.

• **에** : 앞말이 시간이나 때임을 나타내는 조사.
No hay expresión equivalente
Posposición que se usa cuando la palabra anterior indica hora o tiempo.

• **영화 (sustantivo)** : 일정한 의미를 갖고 움직이는 대상을 촬영하여 영사기로 영사막에 비추어서 보게
하는 종합 예술.
película, cinematografía
Arte compuesto que consiste en la filmación de un objeto que se mueve con cierto
significado para luego reflejar sus imágenes en la pantalla por medio del proyector.

- **보다 (verbo)** : 눈으로 대상을 즐기거나 감상하다.
  ver, contemplar, observar
  Disfrutar o apreciar algo con los ojos.

- **-기로 하다** : 앞의 말이 나타내는 행동을 할 것을 결심하거나 약속함을 나타내는 표현.
  No hay expresión equivalente
  Expresión que se usa para mostrar la decisión o la promesa que va a realizar un acto que representa el comentario anterior.

- **-였-** : 어떤 사건이 과거에 완료되었거나 그 사건의 결과가 현재까지 지속되는 상황을 나타내는 어미.
  No hay expresión equivalente
  Desinencia que se usa cuando cierto suceso fue acabado en el pasado o cuando el resultado de ese suceso continúa hasta el presente.

- **-지** : (두루낮춤으로) 이미 알고 있는 것을 다시 확인하듯이 물을 때 쓰는 종결 어미.
  No hay expresión equivalente
  (TRATAMIENTO DE MODESTIA GENERAL) Desinencia de terminación que se usa cuando se interroga algo como si reconfirmara lo que ya se sabe.

응.

그런데 날씨+가 좋+으니까 영화+를 보+[는 대신에] 공원+에 놀+러 <u>가+ㄹ까</u>?
갈까

- **응 (interjección)** : 상대방의 물음이나 명령 등에 긍정하여 대답할 때 쓰는 말.
  ¡sí!
  Interjección que se usa para contestar afirmativamente la pregunta o la orden de otra persona.

- **그런데 (adverbio)** : 이야기를 앞의 내용과 관련시키면서 다른 방향으로 바꿀 때 쓰는 말.
  a propósito
  Se usa para cambiar de tema y hablar de otra cosa, sin interrumpir el flujo de la conversación.

- **날씨 (sustantivo)** : 그날그날의 기온이나 공기 중에 비, 구름, 바람, 안개 등이 나타나는 상태.
  tiempo
  Término genérico para referirse a las variaciones diarias del estado atmosférico en las cuales se incluyen la temperatura y fenómenos climáticos como la lluvia, la nubosidad, el viento y la neblina.

· **가** : 어떤 상태나 상황에 놓인 대상이나 동작의 주체를 나타내는 조사.
No hay expresión equivalente
Posposición que se usa para indicar el objeto de cierto estado o situación o el agente de un movimiento.

· **좋다 (adjetivo)** : 날씨가 맑고 화창하다.
bueno
Que hace buen tiempo.

· **-으니까** : 뒤에 오는 말에 대하여 앞에 오는 말이 원인이나 근거, 전제가 됨을 강조하여 나타내는 연결
　　　　　어미.
No hay expresión equivalente
Desinencia conectora que se usa cuando la palabra anterior es una causa, fundamento o premisa de la palabra posterior.

· **영화 (sustantivo)** : 일정한 의미를 갖고 움직이는 대상을 촬영하여 영사기로 영사막에 비추어서 보게
　　　　　　　　 하는 종합 예술.
película, cinematografía
Arte compuesto que consiste en la filmación de un objeto que se mueve con cierto significado para luego reflejar sus imágenes en la pantalla por medio del proyector.

· **를** : 동작이 직접적으로 영향을 미치는 대상을 나타내는 조사.
No hay expresión equivalente
Posposición que indica el objeto que influye directamente en la acción.

· **보다 (verbo)** : 눈으로 대상을 즐기거나 감상하다.
ver, contemplar, observar
Disfrutar o apreciar algo con los ojos.

· **-는 대신에** : 앞에 오는 말이 나타내는 행동이나 상태를 비슷하거나 맞먹는 다른 행동이나 상태로 바꾸
　　　　　　 는 것을 나타내는 표현.
No hay expresión equivalente
Expresión que indica el compensar con otra cosa de mismo valor por acciones indicadas en la parte anterior de esta palabra.

· **공원 (sustantivo)** : 사람들이 놀고 쉴 수 있도록 풀밭, 나무, 꽃 등을 가꾸어 놓은 넓은 장소.
parque
Terreno amplio destinado a prados, arborizado y con jardines para recreo de la gente.

· **에** : 앞말이 목적지이거나 어떤 행위의 진행 방향임을 나타내는 조사.
No hay expresión equivalente
Posposición que se usa cuando la palabra anterior indica el destino o la dirección de avance de cierta acción.

• **놀다 (verbo)** : 놀이 등을 하면서 재미있고 즐겁게 지내다.
divertirse
Pasar el tiempo divirtiéndose con juegos.

• **-러** : 가거나 오거나 하는 동작의 목적을 나타내는 연결 어미.
No hay expresión equivalente
Desinencia conectora que se usa cuando se manifiesta el propósito de la acción de ir o venir.

• **가다 (verbo)** : 어떤 목적을 가지고 일정한 곳으로 움직이다.
Ir
Trasladarse a cierto lugar con objetivo determinado.

• **-ㄹ까** : (두루낮춤으로) 듣는 사람의 의사를 물을 때 쓰는 종결 어미.
No hay expresión equivalente
(TRATAMIENTO DE MODESTIA GENERAL) Desinencia de terminación que se usa cuando se indica la idea o la conjetura del hablante o alguien pregunta la opinión de la contraparte.

< 대화(diálogo) > - 35

열 시가 다 돼 가는데도 지우가 집에 안 들어오네요.
열 시가 다 돼 가는데도 지우가 지베 안 드러오네요.
yeol siga da dwae ganeundedo jiuga jibe an deureooneyo.

벌써 시간이 그렇게 됐네요. 제가 전화해 볼게요.
벌써 시가니 그러케 됐네요. 제가 전화해 볼께요.
beolsseo sigani geureoke dwaenneyo. jega jeonhwahae bolgeyo.

< 설명(explicación) / 번역(traducción) >

열 시+가 다 되+[어 가]+는데도 지우+가 집+에 안 들어오+네요.
돼 가는데도

- **열 (determinante)** : 아홉에 하나를 더한 수의.
  diez
  Número que representa uno más nueve.

- **시 (sustantivo)** : 하루를 스물넷으로 나누었을 때 그 하나를 나타내는 시간의 단위.
  No hay expresión equivalente
  Unidad de tiempo que indica cada una de las 24 horas en que se divide un día.

- **가** : 바뀌게 되는 대상이나 부정하는 대상임을 나타내는 조사.
  No hay expresión equivalente
  Posposición que se usa para indicar el objeto de cierto estado o situación o el agente de un movimiento.

- **다 (adverbio)** : 행동이나 상태의 정도가 한정된 정도에 거의 가깝게.
  todo
  Dícese de alguna acción o estado que casi alcanza el límite.

- **되다 (verbo)** : 어떤 때나 시기, 상태에 이르다.
  llegar
  Alcanzar o acercarse cierto tiempo, momento, período, etc.

• -어 가다 : 앞의 말이 나타내는 행동이나 상태가 계속 진행됨을 나타내는 표현.
No hay expresión equivalente
Expresión que indica el continuo seguimiento de una acción o un estado que indica el comentario anterior.

• -는데도 : 앞에 오는 말이 나타내는 상황에 상관없이 뒤에 오는 말이 나타내는 상황이 일어남을 나타내는 표현.
No hay expresión equivalente
Expresión que indica que ha surgido algo posteriormente que no tiene relación con lo anterior.

• 지우 (sustantivo) : nombre de una persona

• 가 : 어떤 상태나 상황에 놓인 대상이나 동작의 주체를 나타내는 조사.
No hay expresión equivalente
Posposición que se usa para indicar el objeto de cierto estado o situación o el agente de un movimiento.

• 집 (sustantivo) : 사람이나 동물이 추위나 더위 등을 막고 그 속에 들어 살기 위해 지은 건물.
casa, vivienda, hogar
Edificio que construye una persona o un animal para bloquear el frío o el calor y vivir dentro del mismo.

• 에 : 앞말이 목적지이거나 어떤 행위의 진행 방향임을 나타내는 조사.
No hay expresión equivalente
Posposición que se usa cuando la palabra anterior indica el destino o la dirección de avance de cierta acción.

• 안 (adverbio) : 부정이나 반대의 뜻을 나타내는 말.
no
Palabra que expresa negación u oposición.

• 들어오다 (verbo) : 어떤 범위의 밖에서 안으로 이동하다.
entrar
Pasar de fuera adentro

• -네요 : (두루높임으로) 말하는 사람이 직접 경험하여 새롭게 알게 된 사실에 대해 감탄함을 나타낼 때 쓰는 표현.
No hay expresión equivalente
(TRATAMIENTO HONORÍFICO GENERAL) Expresión que se usa para mostrar que el hablante presenta una emoción sobre algo nuevo que se acaba de conocer por haberlo experimentado directamente.

벌써 시간+이 그렇+[게 되]+었+네요.
그렇게 됐네요

제+가 전화하+[여 보]+ㄹ게요.
전화해 볼게요

- **벌써 (adverbio)** : 생각보다 빠르게.
  ya
  Más rápido de lo pensado.

- **시간 (sustantivo)** : 어떤 일을 하도록 정해진 때. 또는 하루 중의 어느 한 때.
  tiempo
  Momento determinado para realizar una tarea. O un momento del día.

- **이** : 어떤 상태나 상황의 대상이나 동작의 주체를 나타내는 조사.
  No hay expresión equivalente
  Posposición que se usa para indicar el objeto de cierto estado o situación o el agente de un movimiento.

- **그렇다 (adjetivo)** : 상태, 모양, 성질 등이 그와 같다.
  tal, semejante
  Que es de tal estado, forma o naturaleza.

- **-게 되다** : 앞의 말이 나타내는 상태나 상황이 됨을 나타내는 표현.
  No hay expresión equivalente
  Expresión que se usa para mostrar se ha llegado a un estado o una situación descrita previamente.

- **-었-** : 어떤 사건이 과거에 완료되었거나 그 사건의 결과가 현재까지 지속되는 상황을 나타내는 어미.
  No hay expresión equivalente
  Desinencia que se usa cuando cierto suceso fue acabado en el pasado o cuando el resultado de ese suceso continúa hasta el presente.

- **-네요** : (두루높임으로) 말하는 사람이 직접 경험하여 새롭게 알게 된 사실에 대해 감탄함을 나타낼 때 쓰는 표현.
  No hay expresión equivalente
  (TRATAMIENTO HONORÍFICO GENERAL) Expresión que se usa para mostrar que el hablante presenta una emoción sobre algo nuevo que se acaba de conocer por haberlo experimentado directamente.

• 제 (pronombre) : 말하는 사람이 자신을 낮추어 가리키는 말인 '저'에 조사 '가'가 붙을 때의 형태.
  yo
  Forma que toma '저' -palabra que usa el hablante para referirse a sí mismo en tono de humildad- cuando va antecedida de la posposición '가'.

• 가 : 어떤 상태나 상황에 놓인 대상이나 동작의 주체를 나타내는 조사.
  No hay expresión equivalente
  Posposición que se usa para indicar el objeto de cierto estado o situación o el agente de un movimiento.

• 전화하다 (verbo) : 전화기를 통해 사람들끼리 말을 주고받다.
  llamar por teléfono, telefonear
  Comunicarse las personas por teléfono.

• -여 보다 : 앞의 말이 나타내는 행동을 시험 삼아 함을 나타내는 표현.
  No hay expresión equivalente
  Expresión que indica la realización de la acción que indica el comentario anterior a modo de prueba.

• -ㄹ게요 : (두루높임으로) 말하는 사람이 어떤 행동을 할 것을 듣는 사람에게 약속하거나 의지를 나타내는 표현.
  No hay expresión equivalente
  (TRATAMIENTO HONORÍFICO GENERAL) Expresión que se usa para prometer o anunciar al oyente una acción que realizará el hablante.

< 대화(diálogo) > - 36

친구들이랑 여행 갈 건데 너도 갈래?
친구드리랑 여행 갈 건데 너도 갈래?
chingudeurirang yeohaeng gal geonde neodo gallae?

저도 가도 돼요? 어디로 가는데요? 혹시 제주도로 가요?
저도 가도 돼요? 어디로 가는데요? 혹씨 제주도로 가요?
jeodo gado dwaeyo? eodiro ganeundeyo? hoksi jejudoro gayo?

< 설명(explicación) / 번역(traducción) >

친구+들+이랑 여행 <u>가+[ㄹ 것(거)]+(이)+ㄴ데</u> 너+도 <u>가+ㄹ래</u>?
　　　　　　　　갈 건데　　　　　　　　　**갈래**

• **친구 (sustantivo)** : 사이가 가까워 서로 친하게 지내는 사람.
amigo
Persona cercana con quien alguien se lleva bien al mantener una buena relación.

• 들 : '복수'의 뜻을 더하는 접미사.
No hay expresión equivalente
Sufijo que añade el significado de 'plural'.

• 이랑 : 어떤 일을 함께 하는 대상임을 나타내는 조사.
No hay expresión equivalente
Posposición que se usa para indicar que es objeto con que se lleva a cabo algo juntos.

• **여행 (sustantivo)** : 집을 떠나 다른 지역이나 외국을 두루 구경하며 다니는 일.
viaje, visita, paseo, recorrido, excursión, expedición, gira
Acción de marcharse de la casa para pasear disfrutando de diferentes aspectos de otra región u otro país.

• **가다 (verbo)** : 어떤 일을 하기 위해서 다른 곳으로 이동하다.
Transmitirse
Trasladarse a otro lugar para realizar un trabajo.

- -ㄹ 것 : 명사가 아닌 것을 문장에서 명사처럼 쓰이게 하거나 '이다' 앞에 쓰일 수 있게 할 때 쓰는 표현.

No hay expresión equivalente

Expresión que se usa para hacer que una palabra que no es sustantivo sea utilizada como tal en una oración, o para hacer que se use delante de '이다'.

- 이다 : 주어가 지시하는 대상의 속성이나 부류를 지정하는 뜻을 나타내는 서술격 조사.

No hay expresión equivalente

Posposición de caso atributivo, que se usa para designar el atributo o la clase del objeto al que se refiere el sujeto.

- -ㄴ데 : 뒤의 말을 하기 위하여 그 대상과 관련이 있는 상황을 미리 말함을 나타내는 연결 어미.

No hay expresión equivalente

Desinencia conectora que se usa cuando se habla de antemano una circunstancia relacionada con ese objeto para hablar de la palabra posterior.

- 너 (pronombre) : 듣는 사람이 친구나 아랫사람일 때, 그 사람을 가리키는 말.

tú, vos

Pronombre que designa al oyente cuando éste es de la misma edad o menor que el hablante.

- 도 : 이미 있는 어떤 것에 다른 것을 더하거나 포함함을 나타내는 조사.

No hay expresión equivalente

Posposición que añade o incluye algo a cierta cosa ya existente.

- 가다 (verbo) : 어떤 일을 하기 위해서 다른 곳으로 이동하다.

Transmitirse

Trasladarse a otro lugar para realizar un trabajo.

- -ㄹ래 : (두루낮춤으로) 앞으로 어떤 일을 하려고 하는 자신의 의사를 나타내거나 그 일에 대하여 듣는 사람의 의사를 물어봄을 나타내는 종결 어미.

No hay expresión equivalente

(TRATAMIENTO DE MODESTIA GENERAL) Desinencia de terminación que se usa cuando se presenta la intención de llevar a cabo cierta cosa en adelante o pregunta la opinión del oyente sobre ella.

저+도 <u>가+[(아)도 되]</u>+어요?
가도 돼요

어디+로 가+는데요?

혹시 제주도+로 <u>가</u>+(아)요?
가요

- **저 (pronombre)** : 말하는 사람이 듣는 사람에게 자신을 낮추어 가리키는 말.
  yo
  Palabra que usa el hablante delante del oyente con tono de humildad.

- **도** : 이미 있는 어떤 것에 다른 것을 더하거나 포함함을 나타내는 조사.
  No hay expresión equivalente
  Posposición que añade o incluye algo a cierta cosa ya existente.

- **가다 (verbo)** : 어떤 일을 하기 위해서 다른 곳으로 이동하다.
  Transmitirse
  Trasladarse a otro lugar para realizar un trabajo.

- **-아도 되다** : 어떤 행동에 대한 허락이나 허용을 나타낼 때 쓰는 표현.
  No hay expresión equivalente
  Expresión que indica permiso o autorización sobre una acción.

- **-어요** : (두루높임으로) 어떤 사실을 서술하거나 질문, 명령, 권유함을 나타내는 종결 어미.
  No hay expresión equivalente
  (TRATAMIENTO HONORÍFICO GENERAL) Desinencia de terminación que se usa cuando se describe cierto hecho; o pregunta, ordena o reclama algo. **<pregunta>**

- **어디 (pronombre)** : 모르는 곳을 가리키는 말.
  dónde
  Palabra que señala un lugar desconocido.

- **로** : 움직임의 방향을 나타내는 조사.
  No hay expresión equivalente
  Posposición que indica la dirección del movimiento.

- **가다 (verbo)** : 어떤 일을 하기 위해서 다른 곳으로 이동하다.
  Transmitirse
  Trasladarse a otro lugar para realizar un trabajo.

• -는데요 : (두루높임으로) 듣는 사람에게 어떤 대답을 요구할 때 쓰는 표현.
No hay expresión equivalente
(TRATAMIENTO HONORÍFICO GENERAL) Expresión que se usa para pedir al oyente alguna respuesta.

• **혹시 (adverbio)** : 그러리라 생각하지만 분명하지 않아 말하기를 망설일 때 쓰는 말.
a lo mejor, puede ser, por las dudas
Palabra que se usa para dudar de cosas de las que no se está seguro, pese a que se piense que podrían ser así.

• **제주도 (sustantivo)** : 한국 서남해에 있는 화산섬. 한국에서 가장 큰 섬으로 화산 활동 지형의 특색이 잘 드러나 있어 관광 산업이 발달하였다. 해녀, 말, 귤이 유명하다.
Jeju-do
Isla volcánica situada en el mar del suroeste de Corea. La isla más grande en Corea que se desarrolla la industria del turismo por su carácter típico de volcanismo. Buceadora, caballo y mandarina son famosos.

• 로 : 움직임의 방향을 나타내는 조사.
No hay expresión equivalente
Posposición que indica la dirección del movimiento.

• **가다 (verbo)** : 어떤 일을 하기 위해서 다른 곳으로 이동하다.
Transmitirse
Trasladarse a otro lugar para realizar un trabajo.

• -아요 : (두루높임으로) 어떤 사실을 서술하거나 질문, 명령, 권유함을 나타내는 종결 어미.
No hay expresión equivalente
(TRATAMIENTO HONORÍFICO GENERAL) Desinencia de terminación que se usa cuando se describe cierto hecho; o pregunta, ordena o reclama algo. **<pregunta>**

< 대화(diálogo) > - 37

요새 아르바이트하느라 힘들지 않니?
요새 아르바이트하느라 힘들지 안니?
yosae areubaiteuhaneura himdeulji anni?

네. 아르바이트를 하면 경험을 쌓는 동시에 돈도 벌 수 있어서 좋아요.
네. 아르바이트를 하면 경허믈 싼는 동시에 돈도 벌 쑤 이써서 조아요.
ne. areubaiteureul hamyeon gyeongheomeul ssanneun dongsie dondo beol su isseoseo joayo.

< 설명(explicación) / 번역(traducción) >

요새 아르바이트하+느라 힘들+[지 않]+니?

- **요새 (sustantivo)** : 얼마 전부터 이제까지의 매우 짧은 동안.
  recientemente
  Corto tiempo desde hace poco hasta ahora.

- **아르바이트하다 (verbo)** : 짧은 기간 동안 돈을 벌기 위해 자신의 본업 외에 임시로 하는 일을 하다.
  trabajar a tiempo parcial, tener un segundo trabajo
  Dedicarse a un trabajo temporal aparte de su ocupación original a fin de ganar ingresos adicionales en poco tiempo.

- **-느라** : 앞에 오는 말이 나타내는 행동이 뒤에 오는 말의 목적이나 원인이 됨을 나타내는 연결 어미.
  No hay expresión equivalente
  Desinencia conectora que se usa cuando la acción de la palabra anterior es el objetivo o la causa de la palabra posterior.

- **힘들다 (adjetivo)** : 힘이 많이 쓰이는 면이 있다.
  difícil, duro
  Que requiere mucha energía o esfuerzo.

- **-지 않다** : 앞의 말이 나타내는 행위나 상태를 부정하는 뜻을 나타내는 표현.
  No hay expresión equivalente
  Expresión para negar la acción o la situación de lo que se mencionó anteriormente.

• -니 : (아주낮춤으로) 물음을 나타내는 종결 어미.
No hay expresión equivalente
(TRATAMIENTO DE MODESTIA MÁXIMA) Desinencia de terminación que se usa cuando se interroga algo.

네.

아르바이트+를 하+면 경험+을 쌓+[는 동시에]

돈+도 벌(버)+[ㄹ 수 있]+어서 좋+아요.
벌 수 있어서

• **네 (interjección)** : 윗사람의 물음이나 명령 등에 긍정하여 대답할 때 쓰는 말.
sí
Exclamación para responder positivamente a una pregunta u orden de un mayor.

• **아르바이트 (sustantivo)** : 돈을 벌기 위해 자신의 본업 외에 임시로 하는 일.
trabajo provisional, trabajo a tiempo parcial
Trabajo temporal además de la propia ocupación que se hace para ganar dinero.

• **를** : 동작이 직접적으로 영향을 미치는 대상을 나타내는 조사.
No hay expresión equivalente
Posposición que indica el objeto que influye directamente en la acción.

• **하다 (verbo)** : 어떤 행동이나 동작, 활동 등을 행하다.
hacer, realizar
Llevar a cabo un acto o una acción.

• **-면** : 뒤에 오는 말에 대한 근거나 조건이 됨을 나타내는 연결 어미.
No hay expresión equivalente
Desinencia conectora que se usa cuando es un fundamento o condición del contenido posterior.

• **경험 (sustantivo)** : 자신이 실제로 해 보거나 겪어 봄. 또는 거기서 얻은 지식이나 기능.
experiencia
Lo que una persona ha hecho o vivido por sí misma, o los conocimientos o habilidades adquiridos de la vivencia propia.

• 을 : 동작이 직접적으로 영향을 미치는 대상을 나타내는 조사.
No hay expresión equivalente
Posposición que se usa para indicar el objeto que ha sido influido directamente por una acción.

• 쌓다 (verbo) : 오랫동안 기술이나 경험, 지식 등을 많이 익히다.
acumular, practicar, ejercitar, adquirir
Aprender mucha técnica, experiencia, conocimiento, etc. durante mucho tiempo.

• -는 동시에 : 앞에 오는 말과 뒤에 오는 말이 나타내는 행동이나 상태가 함께 일어남을 나타내는 표현.
No hay expresión equivalente
Expresión que indica que los actos que representan el comentario anterior y el posterior se realizan al mismo tiempo.

• 돈 (sustantivo) : 물건을 사고팔 때나 일한 값으로 주고받는 동전이나 지폐.
dinero, plata
Moneda o billete que se intercambia al comprar o vender objetos o se entrega como forma de pago en el trabajo.

• 도 : 이미 있는 어떤 것에 다른 것을 더하거나 포함함을 나타내는 조사.
No hay expresión equivalente
Posposición que añade o incluye algo a cierta cosa ya existente.

• 벌다 (verbo) : 일을 하여 돈을 얻거나 모으다.
ganar, ahorrar, obtener
Obtener o ahorrar dinero tras trabajar.

• -ㄹ 수 있다 : 어떤 행동이나 상태가 가능함을 나타내는 표현.
No hay expresión equivalente
Expresión que indica que es posible realizar cierta acción, o permanecer en cierto estado.

• -어서 : 이유나 근거를 나타내는 연결 어미.
No hay expresión equivalente
Desinencia conectora que se usa para indicar causa o fundamento.

• 좋다 (adjetivo) : 어떤 일이나 대상이 마음에 들고 만족스럽다.
conforme
Que un hecho o una persona es agradable y satisface.

• -아요 : (두루높임으로) 어떤 사실을 서술하거나 질문, 명령, 권유함을 나타내는 종결 어미.
No hay expresión equivalente
(TRATAMIENTO HONORÍFICO GENERAL) Desinencia de terminación que se usa cuando se describe cierto hecho; o pregunta, ordena o reclama algo. **<narración>**

< 대화(diálogo) > - 38

저는 지금부터 청소를 할게요.
저는 지금부터 청소를 할께요.
jeoneun jigeumbuteo cheongsoreul halgeyo.

그럼, 시우 씨가 청소하는 동안 저는 장을 보러 다녀올게요.
그럼, 시우 씨가 청소하는 동안 저는 장을 보러 다녀올께요.
geureom, siu ssiga cheongsohaneun dongan jeoneun jangeul boreo danyeoolgeyo.

< 설명(explicación) / 번역(traducción) >

저+는 지금+부터 청소+를 하+ㄹ게요.
할게요

- **저 (pronombre)** : 말하는 사람이 듣는 사람에게 자신을 낮추어 가리키는 말.
  yo
  Palabra que usa el hablante delante del oyente con tono de humildad.

- **는** : 문장 속에서 어떤 대상이 화제임을 나타내는 조사.
  No hay expresión equivalente
  Posposición que muestra que el referente es el tópico de una oración.

- **지금 (sustantivo)** : 말을 하고 있는 바로 이때.
  ahora
  En este preciso momento en que se está hablando.

- **부터** : 어떤 일의 시작이나 처음을 나타내는 조사.
  No hay expresión equivalente
  Posposición que indica el inicio o la partida de cierta cosa.

- **청소 (sustantivo)** : 더럽고 지저분한 것을 깨끗하게 치움.
  limpieza
  Acción de quitar lo sucio y desordenado dejándolo limpio.

- **를** : 동작이 직접적으로 영향을 미치는 대상을 나타내는 조사.
  No hay expresión equivalente
  Posposición que indica el objeto que influye directamente en la acción.

• **하다 (verbo)** : 어떤 행동이나 동작, 활동 등을 행하다.
hacer, realizar
Llevar a cabo un acto o una acción.

• **-ㄹ게요** : (두루높임으로) 말하는 사람이 어떤 행동을 할 것을 듣는 사람에게 약속하거나 의지를 나타내는 표현.
No hay expresión equivalente
(TRATAMIENTO HONORÍFICO GENERAL) Expresión que se usa para prometer o anunciar al oyente una acción que realizará el hablante.

그럼, 시우 씨+가 청소하+[는 동안] 저+는 장+을 보+러 <u>다녀오</u>+르게요.
다녀올게요

• **그럼 (adverbio)** : 앞의 내용을 받아들이거나 그 내용을 바탕으로 하여 새로운 주장을 할 때 쓰는 말.
entonces, pues, en ese caso, en tal caso, de ser así
Se usa para manifestar que se admite lo antedicho, o plantear un nuevo argumento fundamentado en eso.

• **시우 (sustantivo)** : nombre de una persona

• **씨 (sustantivo)** : 그 사람을 높여 부르거나 이르는 말.
No hay expresión equivalente
Palabra que se añade al final del nombre de alguien para llamarle o hacer alusión a él de manera respetuosa.

• **가** : 어떤 상태나 상황에 놓인 대상이나 동작의 주체를 나타내는 조사.
No hay expresión equivalente
Posposición que se usa para indicar el objeto de cierto estado o situación o el agente de un movimiento.

• **청소하다 (verbo)** : 더럽고 지저분한 것을 깨끗하게 치우다.
Limpiar
Quitar la suciedad y todo lo desordenado dejándolo limpio.

• **-는 동안** : 앞에 오는 말이 나타내는 행동이나 상태가 계속되는 시간 만큼을 나타내는 표현.
No hay expresión equivalente
Expresión que indica el tiempo que dura un acto o estado que representa el comentario anterior.

• **저 (pronombre)** : 말하는 사람이 듣는 사람에게 자신을 낮추어 가리키는 말.
yo
Palabra que usa el hablante delante del oyente con tono de humildad.

• 는 : 문장 속에서 어떤 대상이 화제임을 나타내는 조사.

No hay expresión equivalente

Posposición que muestra que el referente es el tópico de una oración.

• 장 (sustantivo) : 여러 가지 상품을 사고파는 곳.

mercado

Lugar donde se compran y se venden varias productos.

• 을 : 동작이 직접적으로 영향을 미치는 대상을 나타내는 조사.

No hay expresión equivalente

Posposición que se usa para indicar el objeto que ha sido influido directamente por una acción.

• 보다 (verbo) : 시장에 가서 물건을 사다.

ir de compras

Ir al mercado para comprar cosas.

• -러 : 가거나 오거나 하는 동작의 목적을 나타내는 연결 어미.

No hay expresión equivalente

Desinencia conectora que se usa cuando se manifiesta el propósito de la acción de ir o venir.

• 다녀오다 (verbo) : 어떤 일을 하기 위해 갔다가 오다.

Ir y venir

Regresar luego de visitar un lugar para realizar un trabajo.

• -ㄹ게요 : (두루높임으로) 말하는 사람이 어떤 행동을 할 것을 듣는 사람에게 약속하거나 의지를 나타내는 표현.

No hay expresión equivalente

(TRATAMIENTO HONORÍFICO GENERAL) Expresión que se usa para prometer o anunciar al oyente una acción que realizará el hablante.

< 대화(diálogo) > - 39

지우는 어디 갔어? 아까부터 안 보이네.
지우는 어디 가써? 아까부터 안 보이네.
jiuneun eodi gasseo? akkabuteo an boine.

글쎄, 급한 일이 있는 듯 뛰어가더라.
글쎄, 그판 이리 인는 듣 뛰어가더라.
geulsse, geupan iri inneun deut ttwieogadeora.

< 설명(explicación) / 번역(traducción) >

지우+는 어디 가+았+어?
                갔어

아까+부터 안 보이+네.

• 지우 (sustantivo) : nombre de una persona

• 는 : 문장 속에서 어떤 대상이 화제임을 나타내는 조사.
  No hay expresión equivalente
  Posposición que muestra que el referente es el tópico de una oración.

• 어디 (pronombre) : 모르는 곳을 가리키는 말.
  dónde
  Palabra que señala un lugar desconocido.

• 가다 (verbo) : 한 곳에서 다른 곳으로 장소를 이동하다.
  Ir
  Trasladarse de un lugar a otro.

• -았- : 어떤 사건이 과거에 완료되었거나 그 사건의 결과가 현재까지 지속되는 상황을 나타내는 어미.
  No hay expresión equivalente
  Desinencia que se usa cuando cierto suceso fue acabado en el pasado o cuando el resultado de ese suceso continúa hasta el presente.

- -어 : (두루낮춤으로) 어떤 사실을 서술하거나 물음, 명령, 권유를 나타내는 종결 어미.
  No hay expresión equivalente
  (TRATAMIENTO DE MODESTIA GENERAL) Desinencia de terminación que se usa cuando se describe cierto hecho; o pregunta, ordena o reclama algo. **<interrogación>**

- **아까 (sustantivo)** : 조금 전.
  hace un rato
  Hace poco tiempo.

- 부터 : 어떤 일의 시작이나 처음을 나타내는 조사.
  No hay expresión equivalente
  Posposición que indica el inicio o la partida de cierta cosa.

- **안 (adverbio)** : 부정이나 반대의 뜻을 나타내는 말.
  no
  Palabra que expresa negación u oposición.

- **보이다 (verbo)** : 눈으로 대상의 존재나 겉모습을 알게 되다.
  verse, mirarse
  Percibir por los ojos la existencia o la apariencia de un objeto.

- -네 : (아주낮춤으로) 지금 깨달은 일에 대하여 말함을 나타내는 종결 어미.
  No hay expresión equivalente
  (TRATAMIENTO DE MODESTIA MÁXIMA) Desinencia de terminación que se usa cuando se habla de lo que se ha enterado ahora.

글쎄, 급하+ㄴ 일+이 있+[는 듯] 뛰어가+더라.
급한

- **글쎄 (interjección)** : 상대방의 물음이나 요구에 대하여 분명하지 않은 태도를 나타낼 때 쓰는 말.
  pues
  Exclamación para expresar una actitud no precisa sobre una pregunta o petición de la contraparte.

- **급하다 (adjetivo)** : 사정이나 형편이 빨리 처리해야 할 상태에 있다.
  urgente, apremiante
  Que está en una situación o circunstancia apremiante, que requiere de una pronta solución.

- -ㄴ : 앞의 말이 관형어의 기능을 하게 만들고 현재의 상태를 나타내는 어미.
  No hay expresión equivalente
  Desinencia que hace que la palabra antecedente ejerza la función de una palabra determinante, e indica el estado del presente.

- **일 (sustantivo)** : 어떤 내용을 가진 상황이나 사실.
  cosa, hecho
  Circunstancia o verdad con cierto contexto.

- **이** : 어떤 상태나 상황의 대상이나 동작의 주체를 나타내는 조사.
  No hay expresión equivalente
  Posposición que se usa para indicar el objeto de cierto estado o situación o el agente de un movimiento.

- **있다 (adjetivo)** : 어떤 일이 이루어지거나 벌어질 계획이다.
  existente
  Que algo se ha realizado o está por realizarse.

- **-는 듯** : 뒤에 오는 말의 내용과 관련하여 짐작할 수 있거나 비슷하다고 여겨지는 상태나 상황을 나타낼 때 쓰는 표현.
  No hay expresión equivalente
  Expresión que indica suposición de una situación similar entre el comentario anterior y el posterior.

- **뛰어가다 (verbo)** : 어떤 곳으로 빨리 뛰어서 가다.
  dirigirse deprisa
  Ir con celeridad hacia un lugar.

- **-더라** : (아주낮춤으로) 말하는 이가 직접 경험하여 새롭게 알게 된 사실을 지금 전달함을 나타내는 종결 어미.
  No hay expresión equivalente
  (TRATAMIENTO DE MODESTIA MÁXIMA) Desinencia de terminación que se usa cuando el hablante transmite el nuevo hecho de lo que acaba de enterarse a través de una experiencia personal.

< 대화(diálogo) > - 40

지아 씨, 어디서 타는 듯한 냄새가 나요.
지아 씨, 어디서 타는 드탄 냄새가 나요.
jia ssi, eodiseo taneun deutan naemsaega nayo.

어머, 냄비를 불에 올려놓고 깜빡 잊어버렸네요.
어머, 냄비를 부레 올려노코 깜빡 이저버련네요.
eomeo, naembireul bure ollyeonoko kkamppak ijeobeoryeonneyo.

< 설명(explicación) / 번역(traducción) >

지아 씨, 어디+서 <u>타+[는 듯하]+ㄴ</u> 냄새+가 <u>나+(아)요</u>.
　　　　　　　　타는 듯한　　　　　　**나요**

- **지아 (sustantivo)** : nombre de una persona

- **씨 (sustantivo)** : 그 사람을 높여 부르거나 이르는 말.
  No hay expresión equivalente
  Palabra que se añade al final del nombre de alguien para llamarle o hacer alusión a él de manera respetuosa.

- **어디 (pronombre)** : 정해져 있지 않거나 정확하게 말할 수 없는 어느 곳을 가리키는 말.
  algún lugar
  Palabra que señala un lugar que no puede decir exactamente o no se encuentra definido.

- **서** : 앞말이 출발점의 뜻을 나타내는 조사.
  No hay expresión equivalente
  Posposición que se usa para indicar que la palabra anterior implica el punto de partida.

- **타다 (verbo)** : 뜨거운 열을 받아 검은색으로 변할 정도로 지나치게 익다.
  quemar, abrasar
  Cocinarse demasiado hasta quedar negro por el excesivo calor.

- **-는 듯하다** : 앞에 오는 말의 내용을 추측함을 나타내는 표현.
  No hay expresión equivalente
  Expresión que indica suposición del comentario anterior.

• -ㄴ : 앞의 말이 관형어의 기능을 하게 만들고 현재의 상태를 나타내는 어미.
No hay expresión equivalente
Desinencia que hace que la palabra antecedente ejerza la función de una palabra determinante, e indica el estado del presente.

• **냄새 (sustantivo)** : 코로 맡을 수 있는 기운.
olor
Lo que es detectable al olfato.

• 가 : 어떤 상태나 상황에 놓인 대상이나 동작의 주체를 나타내는 조사.
No hay expresión equivalente
Posposición que se usa para indicar el objeto de cierto estado o situación o el agente de un movimiento.

• **나다 (verbo)** : 알아차릴 정도로 소리나 냄새 등이 드러나다.
aparecer, originar, brotar, emanar, emitir, expandir
Emitirse ruido, olor, etc. que se pueden sentir.

• -아요 : (두루높임으로) 어떤 사실을 서술하거나 질문, 명령, 권유함을 나타내는 종결 어미.
No hay expresión equivalente
(TRATAMIENTO HONORÍFICO GENERAL) Desinencia de terminación que se usa cuando se describe cierto hecho; o pregunta, ordena o reclama algo. <narración>

어머, 냄비+를 불+에 올려놓+고 깜빡 잊어버리+었+네요.
잊어버렸네요

• **어머 (interjección)** : 주로 여자들이 예상하지 못한 일로 갑자기 놀라거나 감탄할 때 내는 소리.
¡Dios mío!, ¡Jesús!, ¡madre mía!
Interjección que se usa, generalmente, cuando las mujeres se asustan o se maravillan de repente por algo imprevisto.

• **냄비 (sustantivo)** : 음식을 끓이는 데 쓰는, 솥보다 작고 뚜껑과 손잡이가 있는 그릇.
olla, cazuela
Recipiente, más pequeño que una caldera, con tapa y asas que sirve para calentar alimentos.

• 를 : 동작이 직접적으로 영향을 미치는 대상을 나타내는 조사.
No hay expresión equivalente
Posposición que indica el objeto que influye directamente en la acción.

• **불 (sustantivo)** : 물질이 빛과 열을 내며 타는 것.
fuego
Lo que se quema formando luz y calor.

• 에 : 앞말이 어떤 행위나 작용이 미치는 대상임을 나타내는 조사.
No hay expresión equivalente
Posposición que se usa cuando la palabra anterior es objeto que influye en cierta acción o función.

• **올려놓다 (verbo)** : 어떤 물건을 무엇의 위쪽에 옮겨다 두다.
poner
Dejar cierto objeto sobre algo.

• -고 : 앞의 말이 나타내는 행동이나 그 결과가 뒤에 오는 행동이 일어나는 동안에 그대로 지속됨을 나타내는 연결 어미.
No hay expresión equivalente
Desinencia conectora que se usa cuando la acción y su resultado que indica la palabra anterior siguen igual que durante el desarrollo de la acción que viene después.

• **깜빡 (adverbio)** : 기억이나 의식 등이 잠깐 흐려지는 모양.
desvaneciendo, desfalleciendo, palideciendo
Modo en que la conciencia o la memoria se desvanecen momentáneamente.

• **잊어버리다 (verbo)** : 기억해야 할 것을 한순간 전혀 생각해 내지 못하다.
olvidarse completamente
No poder recordar nada por un momento lo que se debía recordar.

• -었- : 어떤 사건이 과거에 완료되었거나 그 사건의 결과가 현재까지 지속되는 상황을 나타내는 어미.
No hay expresión equivalente
Desinencia que se usa cuando cierto suceso fue acabado en el pasado o cuando el resultado de ese suceso continúa hasta el presente.

• -네요 : (두루높임으로) 말하는 사람이 직접 경험하여 새롭게 알게 된 사실에 대해 감탄함을 나타낼 때 쓰는 표현.
No hay expresión equivalente
(TRATAMIENTO HONORÍFICO GENERAL) Expresión que se usa para mostrar que el hablante presenta una emoción sobre algo nuevo que se acaba de conocer por haberlo experimentado directamente.

< 대화(diálogo) > - 41

너 왜 저녁을 다 안 먹고 남겼니?
너 왜 저녀글 다 안 먹꼬 남견니?
neo wae jeonyeogeul da an meokgo namgyeonni?

저는 먹는 만큼 살이 쪄서 식사량을 줄여야겠어요.
저는 멍는 만큼 사리 쪄서 식싸량을 주려야게써요.
jeoneun meongneun mankeum sari jjeoseo siksaryangeul juryeoyagesseoyo.

< 설명(explicación) / 번역(traducción) >

너 왜 저녁+을 다 안 먹+고 남기+었+니?
남겼니

- 너 (pronombre) : 듣는 사람이 친구나 아랫사람일 때, 그 사람을 가리키는 말.
  tú, vos
  Pronombre que designa al oyente cuando éste es de la misma edad o menor que el hablante.

- 왜 (adverbio) : 무슨 이유로. 또는 어째서.
  por qué, porque
  Por qué causa. O el porqué.

- 저녁 (sustantivo) : 저녁에 먹는 밥.
  cena
  Comida que se come a la noche.

- 을 : 동작이 직접적으로 영향을 미치는 대상을 나타내는 조사.
  No hay expresión equivalente
  Posposición que se usa para indicar el objeto que ha sido influido directamente por una acción.

- 다 (adverbio) : 남거나 빠진 것이 없이 모두.
  todo
  Enteramente, sin falta alguna.

- **안 (adverbio)** : 부정이나 반대의 뜻을 나타내는 말.
  no
  Palabra que expresa negación u oposición.

- **먹다 (verbo)** : 음식 등을 입을 통하여 배 속에 들여보내다.
  comer
  Introducir por boca alimentos, etc. en el estómago.

- **-고** : 앞의 말과 뒤의 말이 차례대로 일어남을 나타내는 연결 어미.
  No hay expresión equivalente
  Desinencia conectora que se usa cuando la palabra anterior y la posterior se producen sucesivamente.

- **남기다 (verbo)** : 다 쓰지 않고 나머지가 있게 하다.
  quedarse, sobrarse
  Dejar sobras de algo sin utilizarlo enteramente.

- **-었-** : 어떤 사건이 과거에 완료되었거나 그 사건의 결과가 현재까지 지속되는 상황을 나타내는 어미.
  No hay expresión equivalente
  Desinencia que se usa cuando cierto suceso fue acabado en el pasado o cuando el resultado de ese suceso continúa hasta el presente.

- **-니** : (아주낮춤으로) 물음을 나타내는 종결 어미.
  No hay expresión equivalente
  (TRATAMIENTO DE MODESTIA MÁXIMA) Desinencia de terminación que se usa cuando se interroga algo.

저+는 먹+[는 만큼] 살+이 찌+어서 식사량+을 줄이+어야겠+어요.
쪄서   줄여야겠어요

- **저 (pronombre)** : 말하는 사람이 듣는 사람에게 자신을 낮추어 가리키는 말.
  yo
  Palabra que usa el hablante delante del oyente con tono de humildad.

- **는** : 문장 속에서 어떤 대상이 화제임을 나타내는 조사.
  No hay expresión equivalente
  Posposición que muestra que el referente es el tópico de una oración.

- **먹다 (verbo)** : 음식 등을 입을 통하여 배 속에 들여보내다.
  comer
  Introducir por boca alimentos, etc. en el estómago.

- **-는 만큼** : 뒤에 오는 말이 앞에 오는 말과 비례하거나 비슷한 정도 혹은 수량임을 나타내는 표현.
  No hay expresión equivalente
  Expresión que se usa para equilibrar el comentario anterior con el posterior, o para indicar que tiene un contenido o una cantidad similar al comentario anterior.

- **살 (sustantivo)** : 사람이나 동물의 몸에서 뼈를 둘러싸고 있는 부드러운 부분.
  piel, carne, cutis
  Parte suave que cubre los huesos del cuerpo de una persona o un animal.

- **이** : 어떤 상태나 상황의 대상이나 동작의 주체를 나타내는 조사.
  No hay expresión equivalente
  Posposición que se usa para indicar el objeto de cierto estado o situación o el agente de un movimiento.

- **찌다 (verbo)** : 몸에 살이 붙어 뚱뚱해지다.
  engordar, subir de peso
  Tener el cuerpo gordo al subir de peso.

- **-어서** : 이유나 근거를 나타내는 연결 어미.
  No hay expresión equivalente
  Desinencia conectora que se usa para indicar causa o fundamento.

- **식사량 (sustantivo)** : 음식을 먹는 양.
  porción de comida
  Cantidad de comida que se consume en cada ración.

- **을** : 동작이 직접적으로 영향을 미치는 대상을 나타내는 조사.
  No hay expresión equivalente
  Posposición que se usa para indicar el objeto que ha sido influido directamente por una acción.

- **줄이다 (verbo)** : 수나 양을 원래보다 적게 하다.
  reducir, acortar
  Hacer que sea menor que la cantidad o el número original.

- **-어야겠-** : 앞의 말이 나타내는 행동에 대한 강한 의지를 나타내거나 그 행동을 할 필요가 있음을 완곡하게 말할 때 쓰는 표현.
  No hay expresión equivalente
  Expresión que se usa para representar una fuerte voluntad sobre alguna acción que indica el comentario anterior o para suponer la necesidad de realizar tal acción.

- **-어요** : (두루높임으로) 어떤 사실을 서술하거나 질문, 명령, 권유함을 나타내는 종결 어미.
  No hay expresión equivalente
  (TRATAMIENTO HONORÍFICO GENERAL) Desinencia de terminación que se usa cuando se describe cierto hecho; o pregunta, ordena o reclama algo. **<narración>**

< 대화(diálogo) > - 42

이 늦은 시간에 라면을 먹어?
이 느즌 시가네 라며늘 머거?
i neujeun sigane ramyeoneul meogeo?

야근하느라 저녁도 못 먹는 바람에 배고파 죽겠어.
야근하느라 저녁또 몯 멍는 바라메 배고파 죽께써.
yageunhaneura jeonyeokdo mot meongneun barame baegopa jukgesseo.

< 설명(explicación) / 번역(traducción) >

이 늦+은 시간+에 라면+을 먹+어?

• 이 (determinante) : 말하는 사람에게 가까이 있거나 말하는 사람이 생각하고 있는 대상을 가리킬 때 쓰는 말.
  este
  Palabra que se utiliza para designar al sujeto sobre el que se está pensando o se encuentra cerca de la persona que está hablando.

• 늦다 (adjetivo) : 적당한 때를 지나 있다. 또는 시기가 한창인 때를 지나 있다.
  atrasado, retrasado
  Que se ha pasado el momento oportuno. O que ha pasado su apogeo.

• -은 : 앞의 말이 관형어의 기능을 하게 만들고 현재의 상태를 나타내는 어미.
  No hay expresión equivalente
  Desinencia que hace que la palabra antecedente ejerza la función de un componente determinante, e indica que el estado del presente.

• 시간 (sustantivo) : 어떤 일을 하도록 정해진 때. 또는 하루 중의 어느 한 때.
  tiempo
  Momento determinado para realizar una tarea. O un momento del día.

• 에 : 앞말이 시간이나 때임을 나타내는 조사.
  No hay expresión equivalente
  Posposición que se usa cuando la palabra anterior indica hora o tiempo.

• **라면 (sustantivo)** : 기름에 튀겨 말린 국수와 가루 스프가 들어 있어서 물에 끓이기만 하면 간편하게 먹을 수 있는 음식.
fideo instantáneo, ramen instantáneo
Platillo de fideos secos que se hierven en agua y a los que se añade una sopa en polvo. De rápida y sencilla preparación.

• **을** : 동작이 직접적으로 영향을 미치는 대상을 나타내는 조사.
No hay expresión equivalente
Posposición que se usa para indicar el objeto que ha sido influido directamente por una acción.

• **먹다 (verbo)** : 음식 등을 입을 통하여 배 속에 들여보내다.
comer
Introducir por boca alimentos, etc. en el estómago.

• **-어** : (두루낮춤으로) 어떤 사실을 서술하거나 물음, 명령, 권유를 나타내는 종결 어미.
No hay expresión equivalente
(TRATAMIENTO DE MODESTIA GENERAL) Desinencia de terminación que se usa cuando se describe cierto hecho; o pregunta, ordena o reclama algo. <interrogación>

야근하+느라고 저녁+도 못 먹+[는 바람에] 배고프(배고프)+[아 죽]+겠+어.
배고파 죽겠어

• **야근하다 (verbo)** : 퇴근 시간이 지나 밤늦게까지 일하다.
velar
Continuar trabajando hasta la noche después de la jornada ordinaria.

• **-느라고** : 앞에 오는 말이 나타내는 행동이 뒤에 오는 말의 목적이나 원인이 됨을 나타내는 연결 어미.
No hay expresión equivalente
Desinencia conectora que se usa cuando la acción de la palabra anterior es el objetivo o la causa de la palabra posterior.

• **저녁 (sustantivo)** : 저녁에 먹는 밥.
cena
Comida que se come a la noche.

• **도** : 극단적인 경우를 들어 다른 경우는 말할 것도 없음을 나타내는 조사.
No hay expresión equivalente
Posposición que indica que es algo innecesario de ser comentado alegando un caso extremo.

• **못 (adverbio)** : 동사가 나타내는 동작을 할 수 없게.
no
Para negar la acción indicada por el verbo.

• **먹다 (verbo)** : 음식 등을 입을 통하여 배 속에 들여보내다.
comer
Introducir por boca alimentos, etc. en el estómago.

• **-는 바람에** : 앞의 말이 나타내는 행동이나 상태가 뒤에 오는 말의 원인이나 이유가 됨을 나타내는 표현.
No hay expresión equivalente
Expresión que se usa para mostrar que el acto anterior es el origen o la causa del acto posterior.

• **배고프다 (adjetivo)** : 배 속이 빈 것을 느껴 음식이 먹고 싶다.
hambriento, famélico
Que siente el estómago vacío y ganas de comer.

• **-아 죽다** : 앞의 말이 나타내는 상태의 정도가 매우 심함을 나타내는 표현.
No hay expresión equivalente
Expresión que indica extrema seriedad del comentario anterior.

• **-겠-** : 미래의 일이나 추측을 나타내는 어미.
No hay expresión equivalente
Desinencia que se usa para indicar algo del futuro o una conjetura.

• **-어** : (두루낮춤으로) 어떤 사실을 서술하거나 물음, 명령, 권유를 나타내는 종결 어미.
No hay expresión equivalente
(TRATAMIENTO DE MODESTIA GENERAL) Desinencia de terminación que se usa cuando se describe cierto hecho; o pregunta, ordena o reclama algo. **<narración>**

< 대화(diálogo) > - 43

겨울이 가면 봄이 오는 법이야. 힘들다고 포기하면 안 돼.
겨우리 가면 보미 오는 버비야. 힘들다고 포기하면 안 돼.
gyeouri gamyeon bomi oneun beobiya. himdeuldago pogihamyeon an dwae.

고마워. 네 말에 다시 힘이 나는 것 같아.
고마워. 네 마레 다시 히미 나는 걷 가타.
gomawo. ne mare dasi himi naneun geot gata.

< 설명(explicación) / 번역(traducción) >

겨울+이 가+면 봄+이 오+[는 법이]+야.

힘들+다고 <u>포기하</u>+[면 안 되]+어.
                포기하면 안 돼

- **겨울 (sustantivo)** : 네 계절 중의 하나로 가을과 봄 사이의 추운 계절.
  invierno
  Una de las cuatro estaciones en que hace más frío, y está entre el otoño y la primavera.

- **이** : 어떤 상태나 상황의 대상이나 동작의 주체를 나타내는 조사.
  No hay expresión equivalente
  Posposición que se usa para indicar el objeto de cierto estado o situación o el agente de un movimiento.

- **가다 (verbo)** : 시간이 지나거나 흐르다.
  Pasar
  Pasar o correr el tiempo.

- **-면** : 뒤에 오는 말에 대한 근거나 조건이 됨을 나타내는 연결 어미.
  No hay expresión equivalente
  Desinencia conectora que se usa cuando es un fundamento o condición del contenido posterior.

- **봄 (sustantivo)** : 네 계절 중의 하나로 겨울과 여름 사이의 계절.
  primavera
  Estación que se encuentra entre el verano e invierno siendo una de las cuatro estaciones.

• 이 : 어떤 상태나 상황의 대상이나 동작의 주체를 나타내는 조사.

No hay expresión equivalente

Posposición que se usa para indicar el objeto de cierto estado o situación o el agente de un movimiento.

• **오다 (verbo)** : 어떤 때나 계절 등이 닥치다.

venir, llegar

Comenzar una estación o un período.

• -는 법이다 : 앞의 말이 나타내는 동작이나 상태가 이미 그렇게 정해져 있거나 그런 것이 당연하다는 뜻을 나타내는 표현.

No hay expresión equivalente

Expresión que se usa para mostrar que el acto o un estado que representa el comentario anterior está ya determinado y es obvio.

• -야 : (두루낮춤으로) 어떤 사실에 대하여 서술하거나 물음을 나타내는 종결 어미.

No hay expresión equivalente

(TRATAMIENTO DE MODESTIA GENERAL) Desinencia de terminación que se usa cuando se describe o interroga sobre cierto hecho. **<narración>**

• **힘들다 (adjetivo)** : 마음이 쓰이거나 수고가 되는 면이 있다.

difícil

Que requiere mucha atención y esfuerzo.

• -다고 : 어떤 행위의 목적, 의도를 나타내거나 어떤 상황의 이유, 원인을 나타내는 연결 어미.

No hay expresión equivalente

Desinencia conectora que se usa cuando se muestra el objetivo o la intención sobre cierta acción o indica la causa o la razón de cierta circunstancia.

• **포기하다 (verbo)** : 하려던 일이나 생각을 중간에 그만두다.

rendirse, abandonar

Abandonar la idea de hacer algo que se pensaba o pretendía.

• -면 안 되다 : 어떤 행동이나 상태를 금지하거나 제한함을 나타내는 표현.

No hay expresión equivalente

Expresión que indica prohibición o limitación de una acción o una situación.

• -어 : (두루낮춤으로) 어떤 사실을 서술하거나 물음, 명령, 권유를 나타내는 종결 어미.

No hay expresión equivalente

(TRATAMIENTO DE MODESTIA GENERAL) Desinencia de terminación que se usa cuando se describe cierto hecho; o pregunta, ordena o reclama algo. **<orden>**

<u>고맙(고마우)+어</u>.
고마워

<u>너+의</u> 말+에 다시 힘+이 나+[는 것 같]+아.
네

• **고맙다 (adjetivo)** : 남이 자신을 위해 무엇을 해주어서 마음이 흐뭇하고 보답하고 싶다.
agradecido
Que está satisfecho uno porque otra persona hizo algo para él y desea devolverle el favor.

• **-어** : (두루낮춤으로) 어떤 사실을 서술하거나 물음, 명령, 권유를 나타내는 종결 어미.
No hay expresión equivalente
(TRATAMIENTO DE MODESTIA GENERAL) Desinencia de terminación que se usa cuando se describe cierto hecho; o pregunta, ordena o reclama algo.

• **너 (pronombre)** : 듣는 사람이 친구나 아랫사람일 때, 그 사람을 가리키는 말.
tú, vos
Pronombre que designa al oyente cuando éste es de la misma edad o menor que el hablante.

• **의** : 앞의 말이 뒤의 말에 대하여 소유, 소속, 소재, 관계, 기원, 주체의 관계를 가짐을 나타내는 조사.
No hay expresión equivalente
Posposición que se usa para indicar que la palabra anterior tiene una relación de posesión, pertenencia, integración, conexión, procedencia, sujeto con la posterior.

• **말 (sustantivo)** : 생각이나 느낌을 표현하고 전달하는 사람의 소리.
habla, palabra
Voz de una persona que expresa y transmite un pensamiento o un sentimiento.

• **에** : 앞말이 어떤 일의 원인임을 나타내는 조사.
No hay expresión equivalente
Posposición que se usa cuando la palabra anterior indica la causa de algo.

• **다시 (adverbio)** : 방법이나 목표 등을 바꿔서 새로이.
otra vez, nuevamente
De nuevo, con métodos u objetivos nuevamente establecidos.

• **힘 (sustantivo)** : 용기나 자신감.
coraje, valentía
Valor o confianza.

• 이 : 어떤 상태나 상황의 대상이나 동작의 주체를 나타내는 조사.

No hay expresión equivalente

Posposición que se usa para indicar el objeto de cierto estado o situación o el agente de un movimiento.

• 나다 (verbo) : 어떤 감정이나 느낌이 생기다.

surgirse, producirse, generarse, ocasionarse, suscitarse

Producirse algún sentimiento o alguna sensación.

• -는 것 같다 : 추측을 나타내는 표현.

No hay expresión equivalente

Expresión que indica suposición.

• -아 : (두루낮춤으로) 어떤 사실을 서술하거나 물음, 명령, 권유를 나타내는 종결 어미.

No hay expresión equivalente

(TRATAMIENTO DE MODESTIA GENERAL) Desinencia de terminación que se usa cuando se describe cierto hecho; o pregunta, ordena o reclama algo.

< 대화(diálogo) > - 44

재는 도대체 여기 언제 온 거야?
재는 도대체 여기 언제 온 거야?
jyaeneun dodaeche yeogi eonje on geoya?

아까 네가 잠깐 조는 사이에 왔을걸.
아까 네가 잠깐 조는 사이에 와쓸껄.
akka nega jamkkan joneun saie wasseulgeol.

< 설명(explicación) / 번역(traducción) >

재+는 도대체 여기 언제 <u>오+[ㄴ 것(거)]+(이)+야</u>?
온 거야

- **재 (abreviación)** : '저 아이'가 줄어든 말.
  No hay expresión equivalente
  Forma abreviada de '저(aquel) 아이(tercero)'.

- **는** : 문장 속에서 어떤 대상이 화제임을 나타내는 조사.
  No hay expresión equivalente
  Posposición que muestra que el referente es el tópico de una oración.

- **도대체 (adverbio)** : 아주 궁금해서 묻는 말인데.
  demonios, diablos
  Expresión que se usa con un pronombre interrogativo para preguntar algo sobre lo que se tiene duda o curiosidad.

- **여기 (pronombre)** : 말하는 사람에게 가까운 곳을 가리키는 말.
  aquí, acá
  Palabra que señala el lugar cercano al hablante.

- **언제 (adverbio)** : 알지 못하는 어느 때에.
  cuando
  En un tiempo en que no se sabe.

- **오다 (verbo)** : 무엇이 다른 곳에서 이곳으로 움직이다.
  venir, llegar
  Trasladarse de otro lugar a donde está la persona que habla.

- -ㄴ 것 : 명사가 아닌 것을 문장에서 명사처럼 쓰이게 하거나 '이다' 앞에 쓰일 수 있게 할 때 쓰는 표현.
  No hay expresión equivalente
  Expresión que posibilita que, en una oración, sea usado como sustantivo algo que no es, o se anteponga a '이다'.

- 이다 : 주어가 지시하는 대상의 속성이나 부류를 지정하는 뜻을 나타내는 서술격 조사.
  No hay expresión equivalente
  Posposición de caso atributivo, que se usa para designar el atributo o la clase del objeto al que se refiere el sujeto.

- -야 : (두루낮춤으로) 어떤 사실에 대하여 서술하거나 물음을 나타내는 종결 어미.
  No hay expresión equivalente
  (TRATAMIENTO DE MODESTIA GENERAL) Desinencia de terminación que se usa cuando se describe o interroga sobre cierto hecho. <interrogación>

아까 네+가 잠깐 졸(조)+[는 사이]+에 오+았+을걸.
조는 사이에   왔을걸

- 아까 (adverbio) : 조금 전에.
  hace un rato, hace poco
  Hace poco tiempo.

- 네 (pronombre) : '너'에 조사 '가'가 붙을 때의 형태.
  tú
  Forma que toma la palabra '너' cuando va antecedida de la posposición '가'.

- 가 : 어떤 상태나 상황에 놓인 대상이나 동작의 주체를 나타내는 조사.
  No hay expresión equivalente
  Posposición que se usa para indicar el objeto de cierto estado o situación o el agente de un movimiento.

- 잠깐 (adverbio) : 아주 짧은 시간 동안에.
  por un tiempo, por un instante, por un rato
  Durante muy corto tiempo.

- 졸다 (verbo) : 완전히 잠이 들지는 않으면서 자꾸 잠이 들려는 상태가 되다.
  dormirse
  No estar dormido completamente pero estar a punto de quedar dormido.

- -는 사이 : 어떤 행동이나 상황이 일어나는 중간의 어느 짧은 시간을 나타내는 표현.
  No hay expresión equivalente
  Expresión que se usa para mostrar un tiempo corto que transcurre en medio de un acto o una circunstancia.

- 에 : 앞말이 시간이나 때임을 나타내는 조사.
  No hay expresión equivalente
  Posposición que se usa cuando la palabra anterior indica hora o tiempo.

- **오다 (verbo)** : 무엇이 다른 곳에서 이곳으로 움직이다.
  venir, llegar
  Trasladarse de otro lugar a donde está la persona que habla.

- -았- : 어떤 사건이 과거에 완료되었거나 그 사건의 결과가 현재까지 지속되는 상황을 나타내는 어미.
  No hay expresión equivalente
  Desinencia que se usa cuando cierto suceso fue acabado en el pasado o cuando el resultado de ese suceso continúa hasta el presente.

- -을걸 : (두루낮춤으로) 미루어 짐작하거나 추측함을 나타내는 종결 어미.
  No hay expresión equivalente
  (TRATAMIENTO DE MODESTIA GENERAL) Desinencia de terminación que se usa cuando se juzga o se conjetura.

< 대화(diálogo) > - 45

오빠, 저 내일 친구들이랑 스키 타러 갈 거예요.
오빠, 저 내일 친구드리랑 스키 타러 갈 꺼예요.
oppa, jeo naeil chingudeurirang seuki tareo gal geoyeyo.

그래? 자칫하면 다칠 수 있으니까 조심해라.
그래? 자치타면 다칠 쑤 이쓰니까 조심해라.
geurae? jachitamyeon dachil su isseunikka josimhaera.

< 설명(explicación) / 번역(traducción) >

오빠, 저 내일 친구+들+이랑 스키 타+러 <u>가+[ㄹ 것(거)]+이+에요</u>.
갈 거예요

- **오빠 (sustantivo)** : 여자가 자기보다 나이 많은 남자를 다정하게 이르거나 부르는 말.
  oppa, hermano mayor
  Palabra usada por una mujer para referirse o llamar cariñosamente a un varón mayor que sí misma.

- **저 (pronombre)** : 말하는 사람이 듣는 사람에게 자신을 낮추어 가리키는 말.
  yo
  Palabra que usa el hablante delante del oyente con tono de humildad.

- **내일 (adverbio)** : 오늘의 다음 날에.
  mañana
  En el día que seguirá al de hoy.

- **친구 (sustantivo)** : 사이가 가까워 서로 친하게 지내는 사람.
  amigo
  Persona cercana con quien alguien se lleva bien al mantener una buena relación.

- **들** : '복수'의 뜻을 더하는 접미사.
  No hay expresión equivalente
  Sufijo que añade el significado de 'plural'.

- **이랑** : 어떤 일을 함께 하는 대상임을 나타내는 조사.
  No hay expresión equivalente
  Posposición que se usa para indicar que es objeto con que se lleva a cabo algo juntos.

• 스키 (sustantivo) : 눈 위로 미끄러져 가도록 나무나 플라스틱으로 만든 좁고 긴 기구.
esquí
Instrumento largo y estrecho hecho de madera o plástico con el que se puede deslizar sobre la nieve.

• 타다 (verbo) : 바닥이 미끄러운 곳에서 기구를 이용해 미끄러지다.
resbalar
Deslizarse en un lugar resbaloso utilizando instrumentos.

• -러 : 가거나 오거나 하는 동작의 목적을 나타내는 연결 어미.
No hay expresión equivalente
Desinencia conectora que se usa cuando se manifiesta el propósito de la acción de ir o venir.

• 가다 (verbo) : 어떤 목적을 가지고 일정한 곳으로 움직이다.
Ir
Trasladarse a cierto lugar con objetivo determinado.

• -ㄹ 것 : 명사가 아닌 것을 문장에서 명사처럼 쓰이게 하거나 '이다' 앞에 쓰일 수 있게 할 때 쓰는 표현.
No hay expresión equivalente
Expresión que se usa para hacer que una palabra que no es sustantivo sea utilizada como tal en una oración, o para hacer que se use delante de '이다'.

• 이다 : 주어가 지시하는 대상의 속성이나 부류를 지정하는 뜻을 나타내는 서술격 조사.
No hay expresión equivalente
Posposición de caso atributivo, que se usa para designar el atributo o la clase del objeto al que se refiere el sujeto.

• -에요 : (두루높임으로) 어떤 사실을 서술하거나 질문함을 나타내는 종결 어미.
No hay expresión equivalente
(TRATAMIENTO HONORÍFICO GENERAL) Desinencia de terminación que se usa cuando se describe o interroga cierto hecho. <narración>

그래?

자칫하+면 다치+[ㄹ 수 있]+으니까 조심하+여라.
              다칠 수 있으니까   조심해라

• **그래 (interjección)** : 상대편의 말에 대한 감탄이나 가벼운 놀라움을 나타낼 때 쓰는 말.

¿sí?

Exclamación para expresar un poco de sorpresa o emoción sobre el comentario de la otra persona.

• **자칫하다 (verbo)** : 어쩌다가 조금 어긋나거나 잘못되다.

fracasar casualmente

Fallar o salir mal por casualidad.

• **-면** : 뒤에 오는 말에 대한 근거나 조건이 됨을 나타내는 연결 어미.

No hay expresión equivalente

Desinencia conectora que se usa cuando es un fundamento o condición del contenido posterior.

• **다치다 (verbo)** : 부딪치거나 맞거나 하여 몸이나 몸의 일부에 상처가 생기다. 또는 상처가 생기게 하다.

lesionarse, lastimarse

Dañarse o herirse alguna parte del cuerpo a causa un golpe o contusión.

• **-ㄹ 수 있다** : 어떤 행동이나 상태가 가능함을 나타내는 표현.

No hay expresión equivalente

Expresión que indica que es posible realizar cierta acción, o permanecer en cierto estado.

• **-으니까** : 뒤에 오는 말에 대하여 앞에 오는 말이 원인이나 근거, 전제가 됨을 강조하여 나타내는 연결 어미.

No hay expresión equivalente

Desinencia conectora que se usa cuando la palabra anterior es una causa, fundamento o premisa de la palabra posterior.

• **조심하다 (verbo)** : 좋지 않은 일을 겪지 않도록 말이나 행동 등에 주의를 하다.

cuidarse, tener precaución, tener cautela

Tener una actitud cuidadosa en la manera de hablar o actuar para no cometer errores o equivocaciones.

• **-여라** : (아주낮춤으로) 명령을 나타내는 종결 어미.

No hay expresión equivalente

(TRATAMIENTO DE MODESTIA MÁXIMA) Desinencia de terminación que se usa para dar órdenes.

< 대화(diálogo) > - 46

우산이 없는데 어떻게 하지?
우사니 엄는데 어떠케 하지?
usani eomneunde eotteoke haji?

그냥 비를 맞는 수밖에 없지, 뭐. 뛰어.
그냥 비를 만는 수바께 업찌, 뭐. 뛰어.
geunyang bireul manneun subakke eopji, mwo. ttwieo.

< 설명(explicación) / 번역(traducción) >

우산+이 없+는데 어떻게 하+지?

• **우산 (sustantivo)** : 긴 막대 위에 지붕 같은 막을 펼쳐서 비가 올 때 손에 들고 머리 위를 가리는 도구.
  paraguas
  Cosa para resguardarse de la lluvia que se lleva con la mano, compuesta de un bastón y un varillaje cubierto de tela que puede extenderse.

• **이** : 어떤 상태나 상황의 대상이나 동작의 주체를 나타내는 조사.
  No hay expresión equivalente
  Posposición que se usa para indicar el objeto de cierto estado o situación o el agente de un movimiento.

• **없다 (adjetivo)** : 어떤 물건을 가지고 있지 않거나 자격이나 능력 등을 갖추지 않은 상태이다.
  incapacitado
  Estado en que alguien no posee un objeto ni tiene algún tipo de capacidad o derecho.

• **-는데** : 뒤의 말을 하기 위하여 그 대상과 관련이 있는 상황을 미리 말함을 나타내는 연결 어미.
  No hay expresión equivalente
  Desinencia conectora que se usa cuando se habla con antelación una circunstancia pasada relacionada con la palabra posterior.

• **어떻게 (adverbio)** : 어떤 방법으로. 또는 어떤 방식으로.
  cómo
  Por cierta manera o método.

• **하다 (verbo)** : 어떤 방식으로 행위를 이루다.
realizar, hacer, ejecutar
Cumplir una acción mediante alguna manera.

• **-지** : (두루낮춤으로) 말하는 사람이 듣는 사람에게 친근함을 나타내며 물을 때 쓰는 종결 어미.
No hay expresión equivalente
(TRATAMIENTO DE MODESTIA GENERAL) Desinencia de terminación que se usa cuando el hablante interroga íntimamente al oyente.

그냥 비+를 맞+[는 수밖에 없]+지, 뭐.

뛰+어.

• **그냥 (adverbio)** : 그런 모양으로 그대로 계속하여.
de largo, continuamente
Continuando de la misma forma.

• **비 (sustantivo)** : 높은 곳에서 구름을 이루고 있던 수증기가 식어서 뭉쳐 떨어지는 물방울.
lluvia, precipitación
Gota de agua que cae por enfriarse el vapor que formaba una nube en un lugar alto.

• **를** : 동작이 직접적으로 영향을 미치는 대상을 나타내는 조사.
No hay expresión equivalente
Posposición que indica el objeto que influye directamente en la acción.

• **맞다 (verbo)** : 내리는 눈이나 비 등이 닿는 것을 그대로 받다.
pillarse
Ser atrapado, agarrado o cogido por la lluvia o la nieve.

• **-는 수밖에 없다** : 그것 말고는 다른 방법이나 가능성이 없음을 나타내는 표현.
No hay expresión equivalente
Expresión que indica que no hay otra posibilidad o método además de lo mencionado.

• **-지** : (두루낮춤으로) 말하는 사람이 자신에 대한 이야기나 자신의 생각을 친근하게 말할 때 쓰는 종결 어미.
No hay expresión equivalente
(TRATAMIENTO DE MODESTIA GENERAL) Desinencia de terminación que se usa cuando el hablante habla íntimamente sobre su historia o idea.

- 뭐 (interjección) : 더 이상 여러 말 할 것 없다는 뜻으로 어떤 사실을 체념하여 받아들이며 하는 말.

  No hay expresión equivalente

  Palabra que se usa para aceptar con resignación una verdad, dando a entender que no hay más comentarios que hacer.

- 뛰다 (verbo) : 발을 재빠르게 움직여 빨리 나아가다.

  correr

  Andar rápidamente en avanzada.

- -어 : (두루낮춤으로) 어떤 사실을 서술하거나 물음, 명령, 권유를 나타내는 종결 어미.

  No hay expresión equivalente

  (TRATAMIENTO DE MODESTIA GENERAL) Desinencia de terminación que se usa cuando se describe cierto hecho; o pregunta, ordena o reclama algo. **<orden>**

< 대화(diálogo) > - 47

지우는 성격이 참 좋은 것 같아요.
지우는 성껴기 참 조은 걸 가타요.
jiuneun seonggyeogi cham joeun geot gatayo.

맞아요. 걔는 아무리 일이 바빠도 인상 한 번 찌푸리는 적이 없어요.
마자요. 걔는 아무리 이리 바빠도 인상 한 번 찌푸리는 저기 업써요.
majayo. gyaeneun amuri iri bappado insang han beon jjipurineun jeogi eopseoyo.

< 설명(explicación) / 번역(traducción) >

지우+는 성격+이 참 좋+[은 것 같]+아요.

- **지우 (sustantivo)** : nombre de una persona

- **는** : 문장 속에서 어떤 대상이 화제임을 나타내는 조사.
  No hay expresión equivalente
  Posposición que muestra que el referente es el tópico de una oración.

- **성격 (sustantivo)** : 개인이 가지고 있는 고유한 성질이나 품성.
  carácter
  Conjunto de cualidades psíquicas y afectivas propias que tiene cada individuo.

- **이** : 어떤 상태나 상황의 대상이나 동작의 주체를 나타내는 조사.
  No hay expresión equivalente
  Posposición que se usa para indicar el objeto de cierto estado o situación o el agente de un movimiento.

- **참 (adverbio)** : 사실이나 이치에 조금도 어긋남이 없이 정말로.
  verdaderamente, realmente, muy, mucho
  Sinceramente, sin siquiera la más mínima perturbación sobre una verdad o un valor.

- **좋다 (adjetivo)** : 성격 등이 원만하고 착하다.
  bueno
  Que tiene carácter bueno y amigable.

• -은 것 같다 : 추측을 나타내는 표현.
No hay expresión equivalente
Expresión que indica suposición.

• -아요 : (두루높임으로) 어떤 사실을 서술하거나 질문, 명령, 권유함을 나타내는 종결 어미.
No hay expresión equivalente
(TRATAMIENTO HONORÍFICO GENERAL) Desinencia de terminación que se usa cuando se describe cierto hecho; o pregunta, ordena o reclama algo. **<narración>**

맞+아요.

걔+는 아무리 일+이 <u>바쁘(바빠)+아도</u> 인상 한 번 찌푸리+[는 적이 없]+어요.
바빠도

• **맞다 (verbo)** : 그렇거나 옳다.
acertarse
Hacerse una cosa conforme a la razón.

• -아요 : (두루높임으로) 어떤 사실을 서술하거나 질문, 명령, 권유함을 나타내는 종결 어미.
No hay expresión equivalente
(TRATAMIENTO HONORÍFICO GENERAL) Desinencia de terminación que se usa cuando se describe cierto hecho; o pregunta, ordena o reclama algo. **<narración>**

• **걔 (abreviación)** : '그 아이'가 줄어든 말.
No hay expresión equivalente
Forma abreviada de '그(ese) 아이(tercero)'.

• 는 : 문장 속에서 어떤 대상이 화제임을 나타내는 조사.
No hay expresión equivalente
Posposición que muestra que el referente es el tópico de una oración.

• **아무리 (adverbio)** : 정도가 매우 심하게.
por más que, por mucho que
De modo muy excesivo.

• **일 (sustantivo)** : 무엇을 이루려고 몸이나 정신을 사용하는 활동. 또는 그 활동의 대상.
tarea, trabajo
Actividad psíquica y física que se hace para realizar algo. U objeto de esa actvidad.

• 이 : 어떤 상태나 상황의 대상이나 동작의 주체를 나타내는 조사.
No hay expresión equivalente
Posposición que se usa para indicar el objeto de cierto estado o situación o el agente de un movimiento.

• **바쁘다 (adjetivo)** : 할 일이 많거나 시간이 없어서 다른 것을 할 여유가 없다.
ocupado, atareado, ajetreado
Que no tiene margen para hacer otra cosa porque tiene mucho trabajo o no dispone de tiempo extra.

• -아도 : 앞에 오는 말을 가정하거나 인정하지만 뒤에 오는 말에는 관계가 없거나 영향을 끼치지 않음을 나타내는 연결 어미.
No hay expresión equivalente
Desinencia conectora que se usa cuando se conjetura o se acepta el contenido anterior pero no se relaciona con el contenido posterior ni influye en él.

• **인상 (sustantivo)** : 사람 얼굴의 생김새.
fisonomía
Aspecto o facciones del rostro de una persona.

• **한 (determinante)** : 하나의.
No hay expresión equivalente
uno

• **번 (sustantivo)** : 일의 횟수를 세는 단위.
vez
Unidad de conteo de número de veces de una cosa.

• **찌푸리다 (verbo)** : 얼굴의 근육이나 눈살 등을 몹시 찡그리다.
fruncir, arrugar
Fruncir el ceño o los músculos de la cara.

• -는 적이 없다 : 앞의 말이 나타내는 동작이 진행되거나 그 상태가 나타나는 때가 없음을 나타내는 표현.
No hay expresión equivalente
Expresión que se usa para mostrar que no había un momento en que el acto que representa el comentario anterior continuaba o sucedía.

• -어요 : (두루높임으로) 어떤 사실을 서술하거나 질문, 명령, 권유함을 나타내는 종결 어미.
No hay expresión equivalente
(TRATAMIENTO HONORÍFICO GENERAL) Desinencia de terminación que se usa cuando se describe cierto hecho; o pregunta, ordena o reclama algo. **<narración>**

< 대화(diálogo) > - 48

명절에 한복 입어 본 적 있어요?
명저레 한복 이버 본 적 이써요?
myeongjeore hanbok ibeo bon jeok isseoyo?

그럼요. 어렸을 때 부모님하고 고향에 내려가면서 입었었죠.
그러묘. 어려쓸 때 부모님하고 고향에 내려가면서 이버썰쬬.
geureomyo. eoryeosseul ttae bumonimhago gohyange naeryeogamyeonseo ibeosseotjyo.

< 설명(explicación) / 번역(traducción) >

명절+에 한복 입+[어 보]+[ㄴ 적 있]+어요?
입어 본 적 있어요

- **명절 (sustantivo)** : 설이나 추석 등 해마다 일정하게 돌아와 전통적으로 즐기거나 기념하는 날.
  día festivo, día feriado
  Día en que por tradición se festeja o conmemora una ocasión o una fiesta anual, como el Año Nuevo Lunar o el Chuseok.

- **에** : 앞말이 시간이나 때임을 나타내는 조사.
  No hay expresión equivalente
  Posposición que se usa cuando la palabra anterior indica hora o tiempo.

- **한복 (sustantivo)** : 한국의 전통 의복.
  hanbok, traje coreano
  Traje tradicional de Corea.

- **입다 (verbo)** : 옷을 몸에 걸치거나 두르다.
  vestirse
  Llevarse o ponerse ropa en el cuerpo.

- **-어 보다** : 앞의 말이 나타내는 행동을 이전에 경험했음을 나타내는 표현.
  No hay expresión equivalente
  Expresión que indica que en el pasado ya experimentó la acción que representa el comentario anterior.

• -ㄴ 적 있다 : 앞의 말이 나타내는 동작이 일어나거나 그 상태가 나타난 때가 있음을 나타내는 표현.
No hay expresión equivalente
Expresión que se usa para mostrar que había un momento en que el acto que representa el comentario anterior continuaba o sucedía.

• -어요 : (두루높임으로) 어떤 사실을 서술하거나 질문, 명령, 권유함을 나타내는 종결 어미.
No hay expresión equivalente
(TRATAMIENTO HONORÍFICO GENERAL) Desinencia de terminación que se usa cuando se describe cierto hecho; o pregunta, ordena o reclama algo. **\<pregunta\>**

그럼+요.

어리+었+[을 때] 부모님+하고 고향+에 내려가+면서 입+었었+죠.
　　어렸을 때

• **그럼 (interjección)** : 말할 것도 없이 당연하다는 뜻으로 대답할 때 쓰는 말.
No hay expresión equivalente
Exclamación para responder que algo es obvio sin duda alguna.

• **요** : 높임의 대상인 상대방에게 존대의 뜻을 나타내는 조사.
No hay expresión equivalente
Posposición con la que se expresa respeto a alguien que merece tratamiento honorífico.

• **어리다 (adjetivo)** : 나이가 적다.
joven
De poca edad.

• **-었-** : 사건이 과거에 일어났음을 나타내는 어미.
No hay expresión equivalente
Desinencia que se usa cuando indica que el suceso ocurrió en el pasado.

• **-을 때** : 어떤 행동이나 상황이 일어나는 동안이나 그 시기 또는 그러한 일이 일어난 경우를 나타내는
　　　표현.
No hay expresión equivalente
Expresión que indica el surgimiento de un mismo hecho o de algo en un mismo tiempo, mientras surge alguna situación o se realiza alguna acción.

• **부모님 (sustantivo)** : (높이는 말로) 부모.
No hay expresión equivalente
(EXPRESIÓN DE RESPETO) Padres.

• 하고 : 어떤 일을 함께 하는 대상임을 나타내는 조사.
No hay expresión equivalente
Posposición que indica a la persona con quien uno ejecuta alguna acción.

• 고향 (sustantivo) : 태어나서 자란 곳.
pueblo natal
Lugar donde se nace y crece.

• 에 : 앞말이 목적지이거나 어떤 행위의 진행 방향임을 나타내는 조사.
No hay expresión equivalente
Posposición que se usa cuando la palabra anterior indica el destino o la dirección de avance de cierta acción.

• 내려가다 (verbo) : 도심이나 중심지에서 지방으로 가다.
bajar, ir al campo
Ir del centro de la ciudad a la provincia.

• -면서 : 두 가지 이상의 동작이나 상태가 함께 일어남을 나타내는 연결 어미.
No hay expresión equivalente
Desinencia conectora que se usa cuando se contraponen más de dos acciones o estados.

• 입다 (verbo) : 옷을 몸에 걸치거나 두르다.
vestirse
Llevarse o ponerse ropa en el cuerpo.

• -었었- : 현재와 비교하여 다르거나 현재로 이어지지 않는 과거의 사건을 나타내는 어미.
No hay expresión equivalente
Desinencia que se usa para indicar un asunto pasado que se difiere comparando con el presente o que no continúa hasta el presente.

• -죠 : (두루높임으로) 말하는 사람이 자신에 대한 이야기나 자신의 생각을 친근하게 말할 때 쓰는 종결
   어미.
No hay expresión equivalente
(TRATAMIENTO HONORÍFICO GENERAL) Desinencia de terminación que se usa cuando el hablante habla íntimamente sobre sí mismo o sus opiniones.

< 대화(diálogo) > - 49

왜 이렇게 늦었어? 한참 기다렸잖아.
왜 이러케 느저써? 한참 기다렫짜나.
wae ireoke neujeosseo? hancham gidaryeotjana.

미안해, 오후에도 이렇게 차가 막히는 줄 몰랐어.
미안해, 오후에도 이러케 차가 마키는 줄 몰라써.
mianhae, ohuedo ireoke chaga makineun jul mollasseo.

< 설명(explicación) / 번역(traducción) >

왜 이렇+게 늦+었+어?

한참 기다리+었+잖아.
   기다렸잖아

• **왜 (adverbio)** : 무슨 이유로. 또는 어째서.
por qué, porque
Por qué causa. O el porqué.

• **이렇다 (adjetivo)** : 상태, 모양, 성질 등이 이와 같다.
tal
Dicho del estado, la forma o el carácter de algo: que es como este.

• **-게** : 앞의 말이 뒤에서 가리키는 일의 목적이나 결과, 방식, 정도 등이 됨을 나타내는 연결 어미.
No hay expresión equivalente
Desinencia conectora que se usa cuando la palabra anterior es el objetivo, resultado, método, grado, etc. que indica al posterior.

• **늦다 (verbo)** : 정해진 때보다 지나다.
tardar, retrasar, atrasar
Pasar el tiempo definido.

• **-었-** : 어떤 사건이 과거에 완료되었거나 그 사건의 결과가 현재까지 지속되는 상황을 나타내는 어미.
No hay expresión equivalente
Desinencia que se usa cuando cierto suceso fue acabado en el pasado o cuando el resultado de ese suceso continúa hasta el presente.

- • -어 : (두루낮춤으로) 어떤 사실을 서술하거나 물음, 명령, 권유를 나타내는 종결 어미.

  No hay expresión equivalente

  (TRATAMIENTO DE MODESTIA GENERAL) Desinencia de terminación que se usa cuando se describe cierto hecho; o pregunta, ordena o reclama algo. **<interrogación>**

- • 한참 (sustantivo) : 시간이 꽤 지나는 동안.

  mucho tiempo

  Lapso de un tiempo bastante largo.

- • 기다리다 (verbo) : 사람, 때가 오거나 어떤 일이 이루어질 때까지 시간을 보내다.

  esperar, aguardar, permanecer, quedarse

  Dejar pasar el tiempo hasta que llegue una persona o una oportunidad, o se realice cierto hecho.

- • -었- : 어떤 사건이 과거에 완료되었거나 그 사건의 결과가 현재까지 지속되는 상황을 나타내는 어미.

  No hay expresión equivalente

  Desinencia que se usa cuando cierto suceso fue acabado en el pasado o cuando el resultado de ese suceso continúa hasta el presente.

- • -잖아 : (두루낮춤으로) 어떤 상황에 대해 말하는 사람이 상대방에게 확인하거나 정정해 주듯이 말함을 나타내는 표현.

  No hay expresión equivalente

  (TRATAMIENTO DE MODESTIA GENERAL) Expresión que se usa para hablar como si se estuviera corrigiendo o verificando al adversario alguna situación.

<u>미안하+여</u>.
미안해

<u>오후+에+도 이렇+게 차+가 막히+[는 줄] 모르(몰ㄹ)+았+어</u>.
몰랐어

- • 미안하다 (adjetivo) : 남에게 잘못을 하여 마음이 편치 못하고 부끄럽다.

  arrepentido, apenado, triste

  Que se siente incómodo o avergonzado por sentimiento de culpabilidad hacia alguien.

- • -여 : (두루낮춤으로) 어떤 사실을 서술하거나 물음, 명령, 권유를 나타내는 종결 어미.

  No hay expresión equivalente

  (TRATAMIENTO DE MODESTIA GENERAL) Desinencia de terminación que se usa cuando se describe cierto hecho; o pregunta, ordena o reclama algo. **<narración>**

- **오후 (sustantivo)** : 정오부터 해가 질 때까지의 동안.
  tarde
  Desde el mediodía hasta que se pone el sol.

- **에** : 앞말이 시간이나 때임을 나타내는 조사.
  No hay expresión equivalente
  Posposición que se usa cuando la palabra anterior indica hora o tiempo.

- **도** : 일반적이지 않은 경우나 의외의 경우를 강조함을 나타내는 조사.
  No hay expresión equivalente
  Posposición que enfatiza un caso inusual o inesperado.

- **이렇다 (adjetivo)** : 상태, 모양, 성질 등이 이와 같다.
  tal
  Dicho del estado, la forma o el carácter de algo: que es como este.

- **-게** : 앞의 말이 뒤에서 가리키는 일의 목적이나 결과, 방식, 정도 등이 됨을 나타내는 연결 어미.
  No hay expresión equivalente
  Desinencia conectora que se usa cuando la palabra anterior es el objetivo, resultado, método, grado, etc. que indica al posterior.

- **차 (sustantivo)** : 바퀴가 달려 있어 사람이나 짐을 실어 나르는 기관.
  coche, auto, carro
  Vehículo con ruedas que traslada a una persona o carga.

- **가** : 어떤 상태나 상황에 놓인 대상이나 동작의 주체를 나타내는 조사.
  No hay expresión equivalente
  Posposición que se usa para indicar el objeto de cierto estado o situación o el agente de un movimiento.

- **막히다 (verbo)** : 길에 차가 많아 차가 제대로 가지 못하게 되다.
  congestionarse, embotellarse
  Obstruirse o detenerse el paso por una aglomeración excesiva de vehículos.

- **-는 줄** : 어떤 사실이나 상태에 대해 알고 있거나 모르고 있음을 나타내는 표현.
  No hay expresión equivalente
  Expresión que indica que sabe o no sabe la verdad de lo ocurrido o el método para realizar una tarea.

- **모르다 (verbo)** : 사람이나 사물, 사실 등을 알지 못하거나 이해하지 못하다.
  desconocer
  No conocer algo o a alguien, o no comprenderlos.

• -았- : 어떤 사건이 과거에 완료되었거나 그 사건의 결과가 현재까지 지속되는 상황을 나타내는 어미.

No hay expresión equivalente

Desinencia que se usa cuando cierto suceso fue acabado en el pasado o cuando el resultado de ese suceso continúa hasta el presente.

• -어 : (두루낮춤으로) 어떤 사실을 서술하거나 물음, 명령, 권유를 나타내는 종결 어미.

No hay expresión equivalente

(TRATAMIENTO DE MODESTIA GENERAL) Desinencia de terminación que se usa cuando se describe cierto hecho; o pregunta, ordena o reclama algo. **<narración>**

< 대화(diálogo) > - 50

지아 씨, 하던 일은 다 됐어요?
지아 씨, 하던 이른 다 돼써요?
jia ssi, hadeon ireun da dwaesseoyo?

네, 잠깐만요. 지금 마무리하는 중이에요.
네, 잠깐마뇨. 지금 마무리하는 중이에요.
ne, jamkkanmanyo. jigeum mamurihaneun jungieyo.

< 설명(explicación) / 번역(traducción) >

지아 씨, 하+던 일+은 다 되+었+어요?
됐어요

- **지아** (sustantivo) : nombre de una persona

- **씨** (sustantivo) : 그 사람을 높여 부르거나 이르는 말.
  No hay expresión equivalente
  Palabra que se añade al final del nombre de alguien para llamarle o hacer alusión a él de manera respetuosa.

- **하다** (verbo) : 어떤 행동이나 동작, 활동 등을 행하다.
  hacer, realizar
  Llevar a cabo un acto o una acción.

- **-던** : 앞의 말이 관형어의 기능을 하게 만들고 사건이나 동작이 과거에 완료되지 않고 중단되었음을 나타내는 어미.
  No hay expresión equivalente
  Desinencia que hace que la palabra antecedente ejerza la función de un componente determinante, e indica que un suceso o una acción fue suspendida en un momento del pasado sin concluir.

- **일** (sustantivo) : 무엇을 이루려고 몸이나 정신을 사용하는 활동. 또는 그 활동의 대상.
  tarea, trabajo
  Actividad psíquica y física que se hace para realizar algo. U objeto de esa actvidad.

•은 : 문장 속에서 어떤 대상이 화제임을 나타내는 조사.
No hay expresión equivalente
Posposición que se usa para indicar que cierto objeto es tópico en la oración.

•다 (adverbio) : 남거나 빠진 것이 없이 모두.
todo
Enteramente, sin falta alguna.

•되다 (verbo) : 어떤 사물이나 현상이 생겨나거나 만들어지다.
finalizarse
Concluirse un proceso o producirse un resultado esperado.

•-었- : 어떤 사건이 과거에 완료되었거나 그 사건의 결과가 현재까지 지속되는 상황을 나타내는 어미.
No hay expresión equivalente
Desinencia que se usa cuando cierto suceso fue acabado en el pasado o cuando el resultado de ese suceso continúa hasta el presente.

•-어요 : (두루높임으로) 어떤 사실을 서술하거나 질문, 명령, 권유함을 나타내는 종결 어미.
No hay expresión equivalente
(TRATAMIENTO HONORÍFICO GENERAL) Desinencia de terminación que se usa cuando se describe cierto hecho; o pregunta, ordena o reclama algo. **<pregunta>**

네, 잠깐+만+요.

지금 마무리하+[는 중이]+에요.

•네 (interjección) : 윗사람의 물음이나 명령 등에 긍정하여 대답할 때 쓰는 말.
sí
Exclamación para responder positivamente a una pregunta u orden de un mayor.

•잠깐 (sustantivo) : 아주 짧은 시간 동안.
un momento, un rato, un instante
Durante muy corto tiempo.

•만 : 무엇을 강조하는 뜻을 나타내는 조사.
No hay expresión equivalente
Posposición que indica énfasis en algo.

•요 : 높임의 대상인 상대방에게 존대의 뜻을 나타내는 조사.
No hay expresión equivalente
Posposición con la que se expresa respeto a alguien que merece tratamiento honorífico.

- **지금 (adverbio)** : 말을 하고 있는 바로 이때에. 또는 그 즉시에.
  ahora
  En este preciso momento en que se está hablando. O de inmediato.

- **마무리하다 (verbo)** : 일을 끝내다.
  finalizar
  Dar fin a algo.

- **-는 중이다** : 어떤 일이 진행되고 있음을 나타내는 표현.
  No hay expresión equivalente
  Expresión que indica el continuo seguimiento de una acción.

- **-에요** : (두루높임으로) 어떤 사실을 서술하거나 질문함을 나타내는 종결 어미.
  No hay expresión equivalente
  (TRATAMIENTO HONORÍFICO GENERAL) Desinencia de terminación que se usa cuando se describe o interroga cierto hecho. **<narración>**

< 대화(diálogo) > - 51

추워? 내 옷 벗어 줄까?
추워? 내 온 버서 줄까?
chuwo? nae ot beoseo julkka?

괜찮아. 너도 추위를 많이 타는데 괜히 멋있는 척하지 않아도 돼.
괜차나. 너도 추위를 마니 타는데 괜히 머신는 처카지 아나도 돼.
gwaenchana. neodo chuwireul mani taneunde gwaenhi meosinneun cheokaji anado dwae.

< 설명(explicación) / 번역(traducción) >

춥(추우)+어?
　　추워

나+의 옷 벗+[어 주]+ㄹ까?
내　　　　벗어 줄까

• 춥다 (adjetivo) : 몸으로 느끼기에 기온이 낮다.
frío
Con baja temperatura que se siente por el cuerpo.

• -어 : (두루낮춤으로) 어떤 사실을 서술하거나 물음, 명령, 권유를 나타내는 종결 어미.
No hay expresión equivalente
(TRATAMIENTO DE MODESTIA GENERAL) Desinencia de terminación que se usa cuando se describe cierto hecho; o pregunta, ordena o reclama algo. **<interrogación>**

• 나 (pronombre) : 말하는 사람이 친구나 아랫사람에게 자기를 가리키는 말.
yo
Pronombre que usa el hablante para referirse a sí mismo ante alguien de edad igual o menor.

• 의 : 앞의 말이 뒤의 말에 대하여 소유, 소속, 소재, 관계, 기원, 주체의 관계를 가짐을 나타내는 조사.
No hay expresión equivalente
Posposición que se usa para indicar que la palabra anterior tiene una relación de posesión, pertenencia, integración, conexión, procedencia, sujeto con la posterior.

- 옷 (sustantivo) : 사람의 몸을 가리고 더위나 추위 등으로부터 보호하며 멋을 내기 위하여 입는 것.
  ropa, prenda, indumentaria
  Lo que se viste para cubrir el cuerpo de una persona protegiéndola del frio o calor y para estar a la moda.

- 벗다 (verbo) : 사람이 몸에 지닌 물건이나 옷 등을 몸에서 떼어 내다.
  quitarse, sacarse, despojarse
  Apartar del cuerpo cosas, ropa, etc. que se llevan en el cuerpo.

- -어 주다 : 남을 위해 앞의 말이 나타내는 행동을 함을 나타내는 표현.
  No hay expresión equivalente
  Expresión que indica la realización de una acción que indica el comentario anterior para el bien del otro.

- -ㄹ까 : (두루낮춤으로) 듣는 사람의 의사를 물을 때 쓰는 종결 어미.
  No hay expresión equivalente
  (TRATAMIENTO DE MODESTIA GENERAL) Desinencia de terminación que se usa cuando se indica la idea o la conjetura del hablante o alguien pregunta la opinión de la contraparte.

괜찮+아.

너+도 추위+를 많이 타+는데 괜히 멋있+[는 척하]+[지 않]+[아도 되]+어.
멋있는 척하지 않아도 돼

- 괜찮다 (adjetivo) : 별 문제가 없다.
  estar bien, no importar, no haber problema
  Que no hay problema.

- -아 : (두루낮춤으로) 어떤 사실을 서술하거나 물음, 명령, 권유를 나타내는 종결 어미.
  No hay expresión equivalente
  (TRATAMIENTO DE MODESTIA GENERAL) Desinencia de terminación que se usa cuando se describe cierto hecho; o pregunta, ordena o reclama algo. <narración>

- 너 (pronombre) : 듣는 사람이 친구나 아랫사람일 때, 그 사람을 가리키는 말.
  tú, vos
  Pronombre que designa al oyente cuando éste es de la misma edad o menor que el hablante.

- 도 : 이미 있는 어떤 것에 다른 것을 더하거나 포함함을 나타내는 조사.
  No hay expresión equivalente
  Posposición que añade o incluye algo a cierta cosa ya existente.

• **추위 (sustantivo)** : 주로 겨울철의 추운 기운이나 추운 날씨.
  frío
  Tiempo de baja temperatura que se siente comúnmente en invierno.

• **를** : 동작이 직접적으로 영향을 미치는 대상을 나타내는 조사.
  No hay expresión equivalente
  Posposición que indica el objeto que influye directamente en la acción.

• **많이 (adverbio)** : 수나 양, 정도 등이 일정한 기준보다 넘게.
  mucho, abundantemente, copiosamente
  Más de un determinado número, cantidad o nivel de referencia.

• **타다 (verbo)** : 날씨나 계절의 영향을 쉽게 받다.
  influir, afectar, repercutir
  Dejarse influenciar fácilmente por el tiempo o la estación.

• **-는데** : 뒤의 말을 하기 위하여 그 대상과 관련이 있는 상황을 미리 말함을 나타내는 연결 어미.
  No hay expresión equivalente
  Desinencia conectora que se usa cuando se habla con antelación una circunstancia pasada relacionada con la palabra posterior.

• **괜히 (adverbio)** : 특별한 이유나 실속이 없게.
  sin motivo, sin ganancia
  De manera que no haya algún motivo especial o ganancia.

• **멋있다 (adjetivo)** : 매우 좋거나 훌륭하다.
  elegante, fino, de buen gusto
  Muy bueno o excelente.

• **-는 척하다** : 실제로 그렇지 않은데도 어떤 행동이나 상태를 거짓으로 꾸밈을 나타내는 표현.
  No hay expresión equivalente
  Expresión que se usa para mostrar un acto de presentar como real algo que no lo es.

• **-지 않다** : 앞의 말이 나타내는 행위나 상태를 부정하는 뜻을 나타내는 표현.
  No hay expresión equivalente
  Expresión para negar la acción o la situación de lo que se mencionó anteriormente.

• **-아도 되다** : 어떤 행동에 대한 허락이나 허용을 나타낼 때 쓰는 표현.
  No hay expresión equivalente
  Expresión que indica permiso o autorización sobre una acción.

• **-어** : (두루낮춤으로) 어떤 사실을 서술하거나 물음, 명령, 권유를 나타내는 종결 어미.
  No hay expresión equivalente
  (TRATAMIENTO DE MODESTIA GENERAL) Desinencia de terminación que se usa cuando se describe cierto hecho; o pregunta, ordena o reclama algo. <narración>

< 대화(diálogo) > - 52

어제 친구들이 너 몰래 생일 파티를 준비해서 깜짝 놀랐다면서?
어제 친구드리 너 몰래 생일 파티를 준비해서 깜짝 놀랃따면서?
eoje chingudeuri neo mollae saengil patireul junbihaeseo kkamjjak nollatdamyeonseo?

사실은 미리 눈치를 챘었는데 그래도 놀라는 체했지.
사시른 미리 눈치를 채썬는데 그래도 놀라는 체핻찌.
sasireun miri nunchireul chaesseonneunde geuraedo nollaneun chehaetji.

< 설명(explicación) / 번역(traducción) >

어제 친구+들+이 너 몰래 생일 파티+를 <u>준비하+여서</u> 깜짝 <u>놀라+았+다면서</u>?
　　　　　　　　　　　　　　　　준비해서　　　　　놀랐다면서

- **어제 (adverbio)** : 오늘의 하루 전날에.
  ayer
  En el día que precede al de hoy.

- **친구 (sustantivo)** : 사이가 가까워 서로 친하게 지내는 사람.
  amigo
  Persona cercana con quien alguien se lleva bien al mantener una buena relación.

- **들** : '복수'의 뜻을 더하는 접미사.
  No hay expresión equivalente
  Sufijo que añade el significado de 'plural'.

- **이** : 어떤 상태나 상황의 대상이나 동작의 주체를 나타내는 조사.
  No hay expresión equivalente
  Posposición que se usa para indicar el objeto de cierto estado o situación o el agente de un movimiento.

- **너 (pronombre)** : 듣는 사람이 친구나 아랫사람일 때, 그 사람을 가리키는 말.
  tú, vos
  Pronombre que designa al oyente cuando éste es de la misma edad o menor que el hablante.

• **몰래 (adverbio)** : 남이 알지 못하게.
secretamente, clandestinamente, furtivamente, ocultamente, a escondidas, a puerta cerrada
Sin que lo sepan otras personas.

• **생일 (sustantivo)** : 사람이 세상에 태어난 날.
cumpleaños
Aniversario o día en que se conmemora el nacimiento de alguien.

• **파티 (sustantivo)** : 친목을 도모하거나 무엇을 기념하기 위한 잔치나 모임.
fiesta
Fiesta o reunión para fomentar la amistad o celebrar una ocasión.

• **를** : 동작이 직접적으로 영향을 미치는 대상을 나타내는 조사.
No hay expresión equivalente
Posposición que indica el objeto que influye directamente en la acción.

• **준비하다 (verbo)** : 미리 마련하여 갖추다.
preparar
Tener listo preparándolo anticipadamente.

• **-여서** : 이유나 근거를 나타내는 연결 어미.
No hay expresión equivalente
Desinencia conectora que se usa para indicar causa o fundamento.

• **깜짝 (adverbio)** : 갑자기 놀라는 모양.
asustándose de repente, quedándose repentinamente atónito
Modo en que alguien se asusta de súbito.

• **놀라다 (verbo)** : 뜻밖의 일을 당하거나 무서워서 순간적으로 긴장하거나 가슴이 뛰다.
asustar, sorprender, atemorizar, aterrar, espantar
Latir el corazón o ponerse tenso repentinamente por temor y un hecho inesperado.

• **-았-** : 사건이 과거에 일어났음을 나타내는 어미.
No hay expresión equivalente
Desinencia que se usa para mostrar que el suceso ocurrió en el pasado.

• **-다면서** : (두루낮춤으로) 말하는 사람이 들어서 아는 사실을 확인하여 물음을 나타내는 종결 어미.
No hay expresión equivalente
(TRATAMIENTO DE MODESTIA GENERAL) Desinencia de terminación que se usa cuando se interroga tras confirmar un hecho ya enterado.

사실+은 미리 눈치+를 채+었었+는데 그러+어도 놀라+[는 체하]+였+지.
　　　　　　　　챘었는데　　　그래도　　　　놀라는 체했지

- **사실** (sustantivo) : 겉으로 드러나지 않은 일을 솔직하게 말할 때 쓰는 말.
  verdad
  Palabra que se usa para hablar honestamente sobre hechos que no se exponen por fuera.

- **은** : 문장 속에서 어떤 대상이 화제임을 나타내는 조사.
  No hay expresión equivalente
  Posposición que se usa para indicar que cierto objeto es tópico en la oración.

- **미리** (adverbio) : 어떤 일이 있기 전에 먼저.
  de antemano, anticipadamente, con antelación
  Antes de que algo suceda.

- **눈치** (sustantivo) : 상대가 말하지 않아도 그 사람의 마음이나 일의 상황을 이해하고 아는 능력.
  agudeza, perspicacia, sagacidad
  Capacidad de entender y captar lo que piensa otra persona o la situación de una cosa a pesar de que no se diga nada.

- **를** : 동작이 직접적으로 영향을 미치는 대상을 나타내는 조사.
  No hay expresión equivalente
  Posposición que indica el objeto que influye directamente en la acción.

- **채다** (verbo) : 사정이나 형편을 재빨리 미루어 헤아리거나 깨닫다.
  notar, sospechar, descubrir, encontrar, detectar
  Darse cuenta o buscar una solución respondiendo rápidamente ante una circunstancia o situación.

- **-었었-** : 현재와 비교하여 다르거나 현재로 이어지지 않는 과거의 사건을 나타내는 어미.
  No hay expresión equivalente
  Desinencia que se usa para indicar un asunto pasado que se difiere comparando con el presente o que no continúa hasta el presente.

- **-는데** : 뒤의 말을 하기 위하여 그 대상과 관련이 있는 상황을 미리 말함을 나타내는 연결 어미.
  No hay expresión equivalente
  Desinencia conectora que se usa cuando se habla con antelación una circunstancia pasada relacionada con la palabra posterior.

- **그러다** (verbo) : 앞에서 일어난 일이나 말한 것과 같이 그렇게 하다.
  hacerlo así
  Ejecutar algo tal y como se ha hecho o se ha dicho anteriormente.

- **-어도** : 앞에 오는 말을 가정하거나 인정하지만 뒤에 오는 말에는 관계가 없거나 영향을 끼치지 않음을 나타내는 연결 어미.
  No hay expresión equivalente
  Desinencia conectora que se usa cuando se conjetura o se acepta el contenido anterior pero no se relaciona con el contenido posterior ni influye en él.

• **놀라다 (verbo)** : 뜻밖의 일을 당하거나 무서워서 순간적으로 긴장하거나 가슴이 뛰다.
asustar, sorprender, atemorizar, aterrar, espantar
Latir el corazón o ponerse tenso repentinamente por temor y un hecho inesperado.

• **-는 체하다** : 실제로 그렇지 않은데도 어떤 행동이나 상태를 거짓으로 꾸밈을 나타내는 표현.
No hay expresión equivalente
Expresión que se usa para mostrar un acto de presentar como real algo que no lo es.

• **-였-** : 사건이 과거에 일어났음을 나타내는 어미.
No hay expresión equivalente
Desinencia que se usa para indicar que el suceso ocurrió en el pasado.

• **-지** : (두루낮춤으로) 말하는 사람이 자신에 대한 이야기나 자신의 생각을 친근하게 말할 때 쓰는 종결 어미.
No hay expresión equivalente
(TRATAMIENTO DE MODESTIA GENERAL) Desinencia de terminación que se usa cuando el hablante habla íntimamente sobre su historia o idea.

< 대화(diálogo) > - 53

영화를 보는 것이 취미라고 하셨는데 영화를 자주 보세요?
영화를 보는 거시 취미라고 하션는데 영화를 자주 보세요?
yeonghwareul boneun geosi chwimirago hasyeonneunde yeonghwareul jaju boseyo?

일주일에 한 편 이상 보니까 자주 보는 편이죠.
일쭈이레 한 편 이상 보니까 자주 보는 펴니죠.
iljuire han pyeon isang bonikka jaju boneun pyeonijyo.

< 설명(explicación) / 번역(traducción) >

영화+를 보+[는 것]+이 <u>취미+(이)+라고</u> <u>하+시+었+는데</u> 영화+를 자주 보+세요?
취미라고   하셨는데

- **영화 (sustantivo)** : 일정한 의미를 갖고 움직이는 대상을 촬영하여 영사기로 영사막에 비추어서 보게 하는 종합 예술.
  película, cinematografía
  Arte compuesto que consiste en la filmación de un objeto que se mueve con cierto significado para luego reflejar sus imágenes en la pantalla por medio del proyector.

- **를** : 동작이 직접적으로 영향을 미치는 대상을 나타내는 조사.
  No hay expresión equivalente
  Posposición que indica el objeto que influye directamente en la acción.

- **보다 (verbo)** : 눈으로 대상을 즐기거나 감상하다.
  ver, contemplar, observar
  Disfrutar o apreciar algo con los ojos.

- **-는 것** : 명사가 아닌 것을 문장에서 명사처럼 쓰이게 하거나 '이다' 앞에 쓰일 수 있게 할 때 쓰는 표현.
  No hay expresión equivalente
  Expresión que se usa para hacer que una palabra que no es sustantivo sea utilizada como tal en una oración, o para hacer que se use delante de '이다'.

- **이** : 어떤 상태나 상황의 대상이나 동작의 주체를 나타내는 조사.
  No hay expresión equivalente
  Posposición que se usa para indicar el objeto de cierto estado o situación o el agente de un movimiento.

• **취미 (sustantivo)** : 좋아하여 재미로 즐겨서 하는 일.
  aficíon, pasatiempo, hobby
  Cosas que uno realiza por diversión, gusto y placer.

• 이다 : 주어가 지시하는 대상의 속성이나 부류를 지정하는 뜻을 나타내는 서술격 조사.
  No hay expresión equivalente
  Posposición de caso atributivo, que se usa para designar el atributo o la clase del objeto al
  que se refiere el sujeto.

• -라고 : 다른 사람에게서 들은 내용을 간접적으로 전달하거나 주어의 생각, 의견 등을 나타내는 표현.
  No hay expresión equivalente
  Expresión que se usa para transmitir de manera indirecta algo que se ha escuchado o
  mostrar la opinión o postura del sujeto.

• **하다 (verbo)** : 무엇에 대해 말하다.
  abordar, tratar
  Hablar sobre un tema.

• -시- : 어떤 동작이나 상태의 주체를 높이는 뜻을 나타내는 어미.
  No hay expresión equivalente
  Desinencia que se usa para dar un tratamiento honorífico al agente de una acción verbal o
  de un determinado estado.

• -었- : 사건이 과거에 일어났음을 나타내는 어미.
  No hay expresión equivalente
  Desinencia que se usa cuando indica que el suceso ocurrió en el pasado.

• -는데 : 뒤의 말을 하기 위하여 그 대상과 관련이 있는 상황을 미리 말함을 나타내는 연결 어미.
  No hay expresión equivalente
  Desinencia conectora que se usa cuando se habla con antelación una circunstancia pasada
  relacionada con la palabra posterior.

• **영화 (sustantivo)** : 일정한 의미를 갖고 움직이는 대상을 촬영하여 영사기로 영사막에 비추어서 보게
  하는 종합 예술.
  película, cinematografía
  Arte compuesto que consiste en la filmación de un objeto que se mueve con cierto
  significado para luego reflejar sus imágenes en la pantalla por medio del proyector.

• 를 : 동작이 직접적으로 영향을 미치는 대상을 나타내는 조사.
  No hay expresión equivalente
  Posposición que indica el objeto que influye directamente en la acción.

• **자주 (adverbio)** : 같은 일이 되풀이되는 간격이 짧게.
  frecuentemente, asiduamente, repetidamente
  Con corto intervalo entre la repetición del mismo hecho.

· **보다 (verbo)** : 눈으로 대상을 즐기거나 감상하다.
ver, contemplar, observar
Disfrutar o apreciar algo con los ojos.

· **-세요** : (두루높임으로) 설명, 의문, 명령, 요청의 뜻을 나타내는 종결 어미.
No hay expresión equivalente
(TRATAMIENTO HONORÍFICO GENERAL) Desinencia de terminación que se usa cuando se manifiesta el sentido de explicación, duda, orden, reclamación, etc. **<pregunta>**

일주일+에 한 편 이상 보+니까 자주 보+[는 편이]+죠.

· **일주일 (sustantivo)** : 월요일부터 일요일까지 칠 일. 또는 한 주일.
una semana
Siete días desde el lunes al domingo. O una semana.

· **에** : 앞말이 기준이 되는 대상이나 단위임을 나타내는 조사.
No hay expresión equivalente
Posposición que se usa cuando la palabra anterior es objeto o unidad de criterio.

· **한 (determinante)** : 하나의.
No hay expresión equivalente
uno

· **편 (sustantivo)** : 책이나 문학 작품, 또는 영화나 연극 등을 세는 단위.
No hay expresión equivalente
Palabra que se usa como unidad para contar libros, obras literarias, película, obras teatrales, etc.

· **이상 (sustantivo)** : 수량이나 정도가 일정한 기준을 포함하여 그보다 많거나 나은 것.
lo superior
Lo que es mejor o mucho cierta cantidad o grado a base de cierto criterio.

· **보다 (verbo)** : 눈으로 대상을 즐기거나 감상하다.
ver, contemplar, observar
Disfrutar o apreciar algo con los ojos.

· **-니까** : 뒤에 오는 말에 대하여 앞에 오는 말이 원인이나 근거, 전제가 됨을 강조하여 나타내는 연결 어미.
No hay expresión equivalente
Desinencia conectora que se usa cuando la palabra anterior es una causa, fundamento o premisa de la palabra posterior.

• **자주 (adverbio)** : 같은 일이 되풀이되는 간격이 짧게.
frecuentemente, asiduamente, repetidamente
Con corto intervalo entre la repetición del mismo hecho.

• **보다 (verbo)** : 눈으로 대상을 즐기거나 감상하다.
ver, contemplar, observar
Disfrutar o apreciar algo con los ojos.

• -는 편이다 : 어떤 사실을 단정적으로 말하기보다는 대체로 어떤 쪽에 가깝다거나 속한다고 말할 때 쓰
　　　　　　는 표현.
No hay expresión equivalente
Expresión que se usa para decir que algo se asemeja más bien a otra cosa, en vez de
hablar decisivamente.

• -죠 : (두루높임으로) 말하는 사람이 자신에 대한 이야기나 자신의 생각을 친근하게 말할 때 쓰는 종결
　　　어미.
No hay expresión equivalente
(TRATAMIENTO HONORÍFICO GENERAL) Desinencia de terminación que se usa cuando el
hablante habla íntimamente sobre sí mismo o sus opiniones.

< 대화(diálogo) > - 54

지아 씨, 이번 대회 우승을 축하합니다.
지아 씨, 이번 대회 우승을 추카함니다.
jia ssi, ibeon daehoe useungeul chukahamnida.

고맙습니다. 제가 음악을 계속하는 한 이 우승의 감격은 잊지 못할 것입니다.
고맙씀니다. 제가 으마글 계소카는 한 이 우승의(우승에) 감겨근 잊찌 모탈 꺼심니다.
gomapseumnida. jega eumageul gyesokaneun han i useungui(useunge) gamgyeogeun itji motal geosimnida.

< 설명(explicación) / 번역(traducción) >

지아 씨, 이번 대회 우승+을 <u>축하하+ㅂ니다</u>.
축하합니다

- **지아 (sustantivo)** : nombre de una persona

- **씨 (sustantivo)** : 그 사람을 높여 부르거나 이르는 말.
  No hay expresión equivalente
  Palabra que se añade al final del nombre de alguien para llamarle o hacer alusión a él de manera respetuosa.

- **이번 (sustantivo)** : 곧 돌아올 차례. 또는 막 지나간 차례.
  este, esta vez, este turno
  Turno que sigue inmediatamente después, o que acaba de pasar.

- **대회 (sustantivo)** : 여러 사람이 실력이나 기술을 겨루는 행사.
  competición, torneo
  Evento donde varias personas compiten en habilidades y técnicas.

- **우승 (sustantivo)** : 경기나 시합에서 상대를 모두 이겨 일 위를 차지함.
  victoria
  Superioridad demostrada en una lucha o un juego al vencer a un rival, situándose en el primer lugar.

• 을 : 동작이 직접적으로 영향을 미치는 대상을 나타내는 조사.
No hay expresión equivalente
Posposición que se usa para indicar el objeto que ha sido influido directamente por una acción.

• **축하하다 (verbo)** : 남의 좋은 일에 대하여 기쁜 마음으로 인사하다.
felicitar, festejar
Saludar con alegría un hecho bueno que le ha pasado a otra persona.

• -ㅂ니다 : (아주높임으로) 현재의 동작이나 상태, 사실을 정중하게 설명함을 나타내는 종결 어미.
No hay expresión equivalente
(TRATAMIENTO HONORÍFICO MÁXIMO) Desinencia de terminación que se usa cuando se explica cortésmente una acción, un estado, o un hecho del presente.

고맙+습니다.

제+가 음악+을 계속하+[는 한]

이 우승+의 감격+은 잊+[지 못하]+[ㄹ 것]+이+ㅂ니다.
잊지 못할 것입니다

• **고맙다 (adjetivo)** : 남이 자신을 위해 무엇을 해주어서 마음이 흐뭇하고 보답하고 싶다.
agradecido
Que está satisfecho uno porque otra persona hizo algo para él y desea devolverle el favor.

• -습니다 : (아주높임으로) 현재의 동작이나 상태, 사실을 정중하게 설명함을 나타내는 종결 어미.
No hay expresión equivalente
(TRATAMIENTO HONORÍFICO MÁXIMO) Desinencia de terminación que se usa cuando se explica respetuosamente la acción, estado o hecho del presente.

• **제 (pronombre)** : 말하는 사람이 자신을 낮추어 가리키는 말인 '저'에 조사 '가'가 붙을 때의 형태.
yo
Forma que toma '저' -palabra que usa el hablante para referirse a sí mismo en tono de humildad- cuando va antecedida de la posposición '가'.

• 가 : 어떤 상태나 상황에 놓인 대상이나 동작의 주체를 나타내는 조사.
No hay expresión equivalente
Posposición que se usa para indicar el objeto de cierto estado o situación o el agente de un movimiento.

• **음악 (sustantivo)** : 목소리나 악기로 박자와 가락이 있게 소리 내어 생각이나 감정을 표현하는 예술.
música
Arte consistente en la expresión de ideas o emociones a través de sonidos melódicos y rítmicos creados con la voz o instrumentos musicales.

• **을** : 동작이 직접적으로 영향을 미치는 대상을 나타내는 조사.
No hay expresión equivalente
Posposición que se usa para indicar el objeto que ha sido influido directamente por una acción.

• **계속하다 (verbo)** : 끊지 않고 이어 나가다.
continuar
Seguir haciendo algo sin interrupción.

• **-는 한** : 앞에 오는 말이 뒤의 행위나 상태에 대해 전제나 조건이 됨을 나타내는 표현.
No hay expresión equivalente
Expresión que se usa para mostrar que el comentario anterior es la premisa o condición de un acto o estado del comentario posterior.

• **이 (determinante)** : 말하는 사람에게 가까이 있거나 말하는 사람이 생각하고 있는 대상을 가리킬 때 쓰는 말.
este
Palabra que se utiliza para designar al sujeto sobre el que se está pensando o se encuentra cerca de la persona que está hablando.

• **우승 (sustantivo)** : 경기나 시합에서 상대를 모두 이겨 일 위를 차지함.
victoria
Superioridad demostrada en una lucha o un juego al vencer a un rival, situándose en el primer lugar.

• **의** : 앞의 말이 뒤의 말에 대하여 속성이나 수량을 한정하거나 같은 자격임을 나타내는 조사.
No hay expresión equivalente
Posposición que se usa para indicar que la palabra anterior limita el atributo o la cantidad a la posterior; o que estas son de mismo atributo.

• **감격 (sustantivo)** : 마음에 깊이 느끼어 매우 감동함. 또는 그 감동.
gran emoción
Muestra de una profunda o extrema emoción en el corazón.

• **은** : 강조의 뜻을 나타내는 조사.
No hay expresión equivalente
Posposición que indica énfasis.

· **잊다 (verbo)** : 한번 알았던 것을 기억하지 못하거나 기억해 내지 못하다.

olvidarse

No recordar o no poder recordar lo que uno sabía.

· **-지 못하다** : 앞의 말이 나타내는 행동을 할 능력이 없거나 주어의 의지대로 되지 않음을 나타내는 표현.

No hay expresión equivalente

Expresión que se usa para indicar que el sujeto no tiene la capacidad para cumplir la acción de la frase anterior o va en contra de la voluntad del sujeto.

· **-ㄹ 것** : 명사가 아닌 것을 문장에서 명사처럼 쓰이게 하거나 '이다' 앞에 쓰일 수 있게 할 때 쓰는 표현.

No hay expresión equivalente

Expresión que se usa para hacer que una palabra que no es sustantivo sea utilizada como tal en una oración, o para hacer que se use delante de '이다'.

· **이다** : 주어가 지시하는 대상의 속성이나 부류를 지정하는 뜻을 나타내는 서술격 조사.

No hay expresión equivalente

Posposición de caso atributivo, que se usa para designar el atributo o la clase del objeto al que se refiere el sujeto.

· **-ㅂ니다** : (아주높임으로) 현재의 동작이나 상태, 사실을 정중하게 설명함을 나타내는 종결 어미.

No hay expresión equivalente

(TRATAMIENTO HONORÍFICO MÁXIMO) Desinencia de terminación que se usa cuando se explica cortésmente una acción, un estado, o un hecho del presente.

< 대화(diálogo) > - 55

지아 씨, 영화 홍보는 어떻게 되고 있어요?
지아 씨, 영화 홍보는 어떠케 되고 이써요?
jia ssi, yeonghwa hongboneun eotteoke doego isseoyo?

길거리 홍보 활동을 벌이는 한편 관객을 초대해서 무료 시사회를 하기로 했어요.
길꺼리 홍보 활동을 버리는 한편 관개글 초대해서 무료 시사회를 하기로 해써요.
gilgeori hongbo hwaldongeul beorineun hanpyeon gwangaegeul chodaehaeseo muryo sisahoereul hagiro haesseoyo.

< 설명(explicación) / 번역(traducción) >

지아 씨, 영화 홍보+는 어떻게 되+[고 있]+어요?

• **지아 (sustantivo)** : nombre de una persona

• **씨 (sustantivo)** : 그 사람을 높여 부르거나 이르는 말.
No hay expresión equivalente
Palabra que se añade al final del nombre de alguien para llamarle o hacer alusión a él de manera respetuosa.

• **영화 (sustantivo)** : 일정한 의미를 갖고 움직이는 대상을 촬영하여 영사기로 영사막에 비추어서 보게 하는 종합 예술.
película, cinematografía
Arte compuesto que consiste en la filmación de un objeto que se mueve con cierto significado para luego reflejar sus imágenes en la pantalla por medio del proyector.

• **홍보 (sustantivo)** : 널리 알림. 또는 그 소식.
promoción, publicidad, anuncio
Acción de promocionar a alguien o algo ampliamente. O tal persona o cosa promocionada.

• **는** : 문장 속에서 어떤 대상이 화제임을 나타내는 조사.
No hay expresión equivalente
Posposición que muestra que el referente es el tópico de una oración.

• **어떻게 (adverbio)** : 어떤 방법으로. 또는 어떤 방식으로.
cómo
Por cierta manera o método.

- **되다 (verbo)** : 일이 잘 이루어지다.
  redundar
  Dícese de una cosa, resultar en beneficio de alguien.

- **-고 있다** : 앞의 말이 나타내는 행동이 계속 진행됨을 나타내는 표현.
  No hay expresión equivalente
  Expresión que indica que la acción que representa la parte anterior de la cláusula continúa.

- **-어요** : (두루높임으로) 어떤 사실을 서술하거나 질문, 명령, 권유함을 나타내는 종결 어미.
  No hay expresión equivalente
  (TRATAMIENTO HONORÍFICO GENERAL) Desinencia de terminación que se usa cuando se describe cierto hecho; o pregunta, ordena o reclama algo. <pregunta>

길거리 홍보 활동+을 벌이+[는 한편] 관객+을 <u>초대하+여서</u>
초대해서

무료 시사회+를 <u>하+[기로 하]</u>+였+<u>어요</u>.
하기로 했어요

- **길거리 (sustantivo)** : 사람이나 차가 다니는 길.
  calle, vía
  Camino por donde circulan peatones y vehículos.

- **홍보 (sustantivo)** : 널리 알림. 또는 그 소식.
  promoción, publicidad, anuncio
  Acción de promocionar a alguien o algo ampliamente. O tal persona o cosa promocionada.

- **활동 (sustantivo)** : 어떤 일에서 좋은 결과를 거두기 위해 힘씀.
  actividad
  Acción de esforzarse para lograr un buen resultado en una determinada tarea.

- **을** : 동작이 직접적으로 영향을 미치는 대상을 나타내는 조사.
  No hay expresión equivalente
  Posposición que se usa para indicar el objeto que ha sido influido directamente por una acción.

- **벌이다 (verbo)** : 일을 계획하여 시작하거나 펼치다.
  comenzar, empezar, emprender
  Empezar o llevar a cabo algún plan.

- -는 한편 : 앞의 말이 나타내는 일을 하는 동시에 다른 쪽에서 또 다른 일을 함을 나타내는 표현.
  No hay expresión equivalente
  Expresión que se usa para mostrar que un acto se realiza en un lado mientras otro se realiza al otro lado.

- 관객 (sustantivo) : 운동 경기, 영화, 연극, 음악회, 무용 공연 등을 구경하는 사람.
  espectador
  Persona que presencia un partido deportivo, obra de teatro, concierto, función de baile, película, etc..

- 을 : 동작이 직접적으로 영향을 미치는 대상을 나타내는 조사.
  No hay expresión equivalente
  Posposición que se usa para indicar el objeto que ha sido influido directamente por una acción.

- 초대하다 (verbo) : 다른 사람에게 어떤 자리, 모임, 행사 등에 와 달라고 요청하다.
  invitar
  Comunicar a alguien el deseo de que asista o participe en una celebración, una reunión, o un acontecimiento.

- -여서 : 앞의 말과 뒤의 말이 순차적으로 일어남을 나타내는 연결 어미.
  No hay expresión equivalente
  Desinencia conectora que se usa cuando la palabra anterior y la posterior ocurren consecutivamente.

- 무료 (sustantivo) : 요금이 없음.
  gratis, sin costo, sin precio
  Sin tarifa.

- 시사회 (sustantivo) : 영화나 광고 등을 일반에게 보이기 전에 몇몇 사람들에게 먼저 보이고 평가를 받기 위한 모임.
  preestreno, presentación preliminar
  Pase de una película o publicidad antes de su estreno al público mostrándola a algunas personas para ser evaluada.

- 를 : 동작이 직접적으로 영향을 미치는 대상을 나타내는 조사.
  No hay expresión equivalente
  Posposición que indica el objeto que influye directamente en la acción.

- 하다 (verbo) : 어떤 행동이나 동작, 활동 등을 행하다.
  hacer, realizar
  Llevar a cabo un acto o una acción.

• -기로 하다 : 앞의 말이 나타내는 행동을 할 것을 결심하거나 약속함을 나타내는 표현.
No hay expresión equivalente
Expresión que se usa para mostrar la decisión o la promesa que va a realizar un acto que representa el comentario anterior.

• -였- : 어떤 사건이 과거에 완료되었거나 그 사건의 결과가 현재까지 지속되는 상황을 나타내는 어미.
No hay expresión equivalente
Desinencia que se usa cuando cierto suceso fue acabado en el pasado o cuando el resultado de ese suceso continúa hasta el presente.

• -어요 : (두루높임으로) 어떤 사실을 서술하거나 질문, 명령, 권유함을 나타내는 종결 어미.
No hay expresión equivalente
(TRATAMIENTO HONORÍFICO GENERAL) Desinencia de terminación que se usa cuando se describe cierto hecho; o pregunta, ordena o reclama algo. **<narración>**

< 대화(diálogo) > - 56

왜 절뚝거리면서 걸어요?
왜 절뚝꺼리면서 거러요?
wae jeolttukgeorimyeonseo georeoyo?

예전에 교통사고로 다리를 다쳤는데 평소에 괜찮다가도 비만 오면 다시 아파요.
예저네 교통사고로 다리를 다천는데 평소에 괜찬다가도 비만 오면 다시 아파요.
yejeone gyotongsagoro darireul dacheonneunde pyeongsoe gwaenchantagado biman omyeon dasi apayo.

< 설명(explicación) / 번역(traducción) >

왜 절뚝거리+면서 걷(걸)+어요?
걸어요

- **왜 (adverbio)** : 무슨 이유로. 또는 어째서.
  por qué, porque
  Por qué causa. O el porqué.

- **절뚝거리다 (verbo)** : 한쪽 다리가 짧거나 다쳐서 자꾸 중심을 잃고 절다.
  cojear, renquear
  Andar desigualmente por tener una pierna corta o haberse lastimado una pierna.

- **-면서** : 두 가지 이상의 동작이나 상태가 함께 일어남을 나타내는 연결 어미.
  No hay expresión equivalente
  Desinencia conectora que se usa cuando se contraponen más de dos acciones o estados.

- **걷다 (verbo)** : 바닥에서 발을 번갈아 떼어 옮기면서 움직여 위치를 옮기다.
  andar
  Despegar intercaladamente un pie y luego otro del suelo.

- **-어요** : (두루높임으로) 어떤 사실을 서술하거나 질문, 명령, 권유함을 나타내는 종결 어미.
  No hay expresión equivalente
  (TRATAMIENTO HONORÍFICO GENERAL) Desinencia de terminación que se usa cuando se describe cierto hecho; o pregunta, ordena o reclama algo. **<pregunta>**

예전+에 교통사고+로 다리+를 <u>다치+었+는데</u> 평소+에 괜찮+다가도
다쳤는데

비+만 오+면 다시 <u>아프(아ㅍ)+아요</u>.
아파요

- **예전 (sustantivo)** : 꽤 시간이 흐른 지난날.
  pasado, tiempos antiguos
  Días que han pasado hace mucho tiempo.

- 에 : 앞말이 시간이나 때임을 나타내는 조사.
  No hay expresión equivalente
  Posposición que se usa cuando la palabra anterior indica hora o tiempo.

- **교통사고 (sustantivo)** : 자동차나 기차 등이 다른 교통 기관과 부딪치거나 사람을 치는 사고.
  accidente de tránsito o de tráfico
  Colisión o choque entre un automóvil y otro medio de transporte, o golpe de un vehículo a una persona.

- 로 : 어떤 일의 원인이나 이유를 나타내는 조사.
  No hay expresión equivalente
  Posposición que indica la causa o la razón de cierta cosa.

- **다리 (sustantivo)** : 사람이나 동물의 몸통 아래에 붙어, 서고 걷고 뛰는 일을 하는 신체 부위.
  pierna
  Parte del cuerpo que se encuentra pegado en la parte inferior de las personas o animales y se encarga del trabajo de caminar o correr.

- 를 : 동작이 직접적으로 영향을 미치는 대상을 나타내는 조사.
  No hay expresión equivalente
  Posposición que indica el objeto que influye directamente en la acción.

- **다치다 (verbo)** : 부딪치거나 맞거나 하여 몸이나 몸의 일부에 상처가 생기다. 또는 상처가 생기게 하다.
  lesionarse, lastimarse
  Dañarse o herirse alguna parte del cuerpo a causa un golpe o contusión.

- -었- : 사건이 과거에 일어났음을 나타내는 어미.
  No hay expresión equivalente
  Desinencia que se usa cuando indica que el suceso ocurrió en el pasado.

• -는데 : 뒤의 말을 하기 위하여 그 대상과 관련이 있는 상황을 미리 말함을 나타내는 연결 어미.
No hay expresión equivalente
Desinencia conectora que se usa cuando se habla con antelación una circunstancia pasada relacionada con la palabra posterior.

• 평소 (sustantivo) : 특별한 일이 없는 보통 때.
tiempos normales
Tiempos en que no está sucediendo nada especial.

• 에 : 앞말이 시간이나 때임을 나타내는 조사.
No hay expresión equivalente
Posposición que se usa cuando la palabra anterior indica hora o tiempo.

• 괜찮다 (adjetivo) : 별 문제가 없다.
estar bien, no importar, no haber problema
Que no hay problema.

• -다가도 : 앞의 말이 나타내는 행위나 상태가 다른 행위나 상태로 쉽게 바뀜을 나타내는 표현.
No hay expresión equivalente
Expresión que se usa para mostrar la facilidad de transformación de un acto o estado en otro.

• 비 (sustantivo) : 높은 곳에서 구름을 이루고 있던 수증기가 식어서 뭉쳐 떨어지는 물방울.
lluvia, precipitación
Gota de agua que cae por enfriarse el vapor que formaba una nube en un lugar alto.

• 만 : 앞의 말이 어떤 것에 대한 조건임을 나타내는 조사.
No hay expresión equivalente
Posposición que indica que es la condición de cierta cosa la palabra anterior.

• 오다 (verbo) : 비, 눈 등이 내리거나 추위 등이 닥치다.
azotar, arribar, llegar
Presentarse una ola de frío o lluvia o nieve.

• -면 : 뒤에 오는 말에 대한 근거나 조건이 됨을 나타내는 연결 어미.
No hay expresión equivalente
Desinencia conectora que se usa cuando es un fundamento o condición del contenido posterior.

• 다시 (adverbio) : 같은 말이나 행동을 반복해서 또.
otra vez, nuevamente
Otra vez, volviendo a decir o actuar de la misma manera que antes.

• **아프다 (adjetivo)** : 다치거나 병이 생겨 통증이나 괴로움을 느끼다.
doloroso, dolorido
Que siente dolor y aflicción por lastimarse o padecer una enfermedad.

• **-아요** : (두루높임으로) 어떤 사실을 서술하거나 질문, 명령, 권유함을 나타내는 종결 어미.
No hay expresión equivalente
(TRATAMIENTO HONORÍFICO GENERAL) Desinencia de terminación que se usa cuando se describe cierto hecho; o pregunta, ordena o reclama algo. **<narración>**

< 대화(diálogo) > - 57

한국어를 잘하게 된 방법이 뭐니?
한구거를 잘하게 된 방버비 뭐니?
hangugeoreul jalhage doen bangbeobi mwoni?

한국 음악을 좋아해서 많이 듣다 보니까 한국어를 잘하게 됐어.
한국 으마글 조아해서 마니 듣따 보니까 한구거를 잘하게 돼써.
hanguk eumageul joahaeseo mani deutda bonikka hangugeoreul jalhage dwaesseo.

< 설명(explicación) / 번역(traducción) >

한국어+를 잘하+[게 되]+ㄴ 방법+이 뭐+(이)+니?
　　　　　잘하게 된　　　　　　　뭐니

- **한국어 (sustantivo)** : 한국에서 사용하는 말.
  idioma coreano, lengua coreana
  Idioma que se usa en Corea.

- **를** : 동작이 직접적으로 영향을 미치는 대상을 나타내는 조사.
  No hay expresión equivalente
  Posposición que indica el objeto que influye directamente en la acción.

- **잘하다 (verbo)** : 익숙하고 솜씨가 있게 하다.
  hacer bien
  Hacer hábilmente e ingeniosamente.

- **-게 되다** : 앞의 말이 나타내는 상태나 상황이 됨을 나타내는 표현.
  No hay expresión equivalente
  Expresión que se usa para mostrar se ha llegado a un estado o una situación descrita previamente.

- **-ㄴ** : 앞의 말이 관형어의 기능을 하게 만들고 사건이나 동작이 완료되어 그 상태가 유지되고 있음을 나타내는 어미.
  No hay expresión equivalente
  Desinencia que hace que la palabra antecedente ejerza la función de una palabra determinante, e indica que un suceso o una acción se mantiene en el mismo estado que cuando concluyó en un momento del pasado.

- **방법 (sustantivo)** : 어떤 일을 해 나가기 위한 수단이나 방식.
método, manera
Medio o forma para realizar algo.

- **이** : 어떤 상태나 상황의 대상이나 동작의 주체를 나타내는 조사.
No hay expresión equivalente
Posposición que se usa para indicar el objeto de cierto estado o situación o el agente de un movimiento.

- **뭐 (pronombre)** : 모르는 사실이나 사물을 가리키는 말.
¿qué?, ¿cuál?
Pronombre interrogativo que se usa para inquirir un hecho o una cosa.

- **이다** : 주어가 지시하는 대상의 속성이나 부류를 지정하는 뜻을 나타내는 서술격 조사.
No hay expresión equivalente
Posposición de caso atributivo, que se usa para designar el atributo o la clase del objeto al que se refiere el sujeto.

- **-니** : (아주낮춤으로) 물음을 나타내는 종결 어미.
No hay expresión equivalente
(TRATAMIENTO DE MODESTIA MÁXIMA) Desinencia de terminación que se usa cuando se interroga algo.

한국 음악+을 좋아하+여서 많이 듣+[다(가) 보]+니까
　　　　　좋아해서　　　　　　　듣다 보니까

한국어+를 잘하+[게 되]+었+어.
　　　　　잘하게 됐어

- **한국 (sustantivo)** : 아시아 대륙의 동쪽에 있는 나라. 한반도와 그 부속 섬들로 이루어져 있으며, 대한민국이라고도 부른다. 1950년에 일어난 육이오 전쟁 이후 휴전선을 사이에 두고 국토가 둘로 나뉘었다. 언어는 한국어이고, 수도는 서울이다.
Corea, Corea del Sur
País situado al este del continente asiático. Está compuesto por la península coreana y las islas colindantes, y también es conocido por el nombre de Daehanminguk. Permanece dividido en dos por la línea de armisticio desde la Guerra de Corea, que estalló en 1950. Su idioma oficial es el coreano y su capital es Seúl.

- **음악 (sustantivo)** : 목소리나 악기로 박자와 가락이 있게 소리 내어 생각이나 감정을 표현하는 예술.
  música
  Arte consistente en la expresión de ideas o emociones a través de sonidos melódicos y rítmicos creados con la voz o instrumentos musicales.

- **을** : 동작이 직접적으로 영향을 미치는 대상을 나타내는 조사.
  No hay expresión equivalente
  Posposición que se usa para indicar el objeto que ha sido influido directamente por una acción.

- **좋아하다 (verbo)** : 무엇에 대하여 좋은 느낌을 가지다.
  gustar, preferir, querer
  Tener un buen presentimiento sobre algo.

- **-여서** : 이유나 근거를 나타내는 연결 어미.
  No hay expresión equivalente
  Desinencia conectora que se usa para indicar causa o fundamento.

- **많이 (adverbio)** : 수나 양, 정도 등이 일정한 기준보다 넘게.
  mucho, abundantemente, copiosamente
  Más de un determinado número, cantidad o nivel de referencia.

- **듣다 (verbo)** : 귀로 소리를 알아차리다.
  oír
  Percibir los sonidos a través del oído.

- **-다가 보다** : 앞에 오는 말이 나타내는 행동을 하는 과정에서 뒤에 오는 말이 나타내는 사실을 새로 깨닫게 됨을 나타내는 표현.
  No hay expresión equivalente
  Expresión que se usa para mostrar que el hablante se da cuenta nuevamente de un hecho que representa el comentario posterior mientras está haciendo algo que representa un comentario anterior.

- **-니까** : 뒤에 오는 말에 대하여 앞에 오는 말이 원인이나 근거, 전제가 됨을 강조하여 나타내는 연결 어미.
  No hay expresión equivalente
  Desinencia conectora que se usa cuando la palabra anterior es una causa, fundamento o premisa de la palabra posterior.

- **한국어 (sustantivo)** : 한국에서 사용하는 말.
  idioma coreano, lengua coreana
  Idioma que se usa en Corea.

• 를 : 동작이 직접적으로 영향을 미치는 대상을 나타내는 조사.
No hay expresión equivalente
Posposición que indica el objeto que influye directamente en la acción.

• **잘하다 (verbo)** : 익숙하고 솜씨가 있게 하다.
hacer bien
Hacer hábilmente e ingeniosamente.

• -게 되다 : 앞의 말이 나타내는 상태나 상황이 됨을 나타내는 표현.
No hay expresión equivalente
Expresión que se usa para mostrar se ha llegado a un estado o una situación descrita previamente.

• -었- : 어떤 사건이 과거에 완료되었거나 그 사건의 결과가 현재까지 지속되는 상황을 나타내는 어미.
No hay expresión equivalente
Desinencia que se usa cuando cierto suceso fue acabado en el pasado o cuando el resultado de ese suceso continúa hasta el presente.

• -어 : (두루낮춤으로) 어떤 사실을 서술하거나 물음, 명령, 권유를 나타내는 종결 어미.
No hay expresión equivalente
(TRATAMIENTO DE MODESTIA GENERAL) Desinencia de terminación que se usa cuando se describe cierto hecho; o pregunta, ordena o reclama algo. **<narración>**

< 대화(diálogo) > - 58

너 이 영화 봤어?
너 이 영화 봐써?
neo i yeonghwa bwasseo?

나는 못 보고 우리 형이 봤는데 내용이 엄청 슬프다고 그러더라.
나는 몯 보고 우리 형이 봔는데 내용이 엄청 슬프다고 그러더라.
naneun mot bogo uri hyeongi bwanneunde naeyongi eomcheong seulpeudago geureodeora.

< 설명(explicación) / 번역(traducción) >

너 이 영화 <u>보+았+어</u>?
봤어

- 너 (pronombre) : 듣는 사람이 친구나 아랫사람일 때, 그 사람을 가리키는 말.
  tú, vos
  Pronombre que designa al oyente cuando éste es de la misma edad o menor que el hablante.

- 이 (determinante) : 말하는 사람에게 가까이 있거나 말하는 사람이 생각하고 있는 대상을 가리킬 때 쓰는 말.
  este
  Palabra que se utiliza para designar al sujeto sobre el que se está pensando o se encuentra cerca de la persona que está hablando.

- 영화 (sustantivo) : 일정한 의미를 갖고 움직이는 대상을 촬영하여 영사기로 영사막에 비추어서 보게 하는 종합 예술.
  película, cinematografía
  Arte compuesto que consiste en la filmación de un objeto que se mueve con cierto significado para luego reflejar sus imágenes en la pantalla por medio del proyector.

- 보다 (verbo) : 눈으로 대상을 즐기거나 감상하다.
  ver, contemplar, observar
  Disfrutar o apreciar algo con los ojos.

• -았- : 어떤 사건이 과거에 완료되었거나 그 사건의 결과가 현재까지 지속되는 상황을 나타내는 어미.
No hay expresión equivalente
Desinencia que se usa cuando cierto suceso fue acabado en el pasado o cuando el resultado de ese suceso continúa hasta el presente.

• -어 : (두루낮춤으로) 어떤 사실을 서술하거나 물음, 명령, 권유를 나타내는 종결 어미.
No hay expresión equivalente
(TRATAMIENTO DE MODESTIA GENERAL) Desinencia de terminación que se usa cuando se describe cierto hecho; o pregunta, ordena o reclama algo. <interrogación>

나+는 못 보+고 우리 형+이 보+았+는데 내용+이 엄청 슬프+다고 그러+더라.
봤는데

• **나 (pronombre)** : 말하는 사람이 친구나 아랫사람에게 자기를 가리키는 말.
yo
Pronombre que usa el hablante para referirse a sí mismo ante alguien de edad igual o menor.

• **는** : 어떤 대상이 다른 것과 대조됨을 나타내는 조사.
No hay expresión equivalente
Posposición que indica que el referente contrasta con otro.

• **못 (adverbio)** : 동사가 나타내는 동작을 할 수 없게.
no
Para negar la acción indicada por el verbo.

• **보다 (verbo)** : 눈으로 대상을 즐기거나 감상하다.
ver, contemplar, observar
Disfrutar o apreciar algo con los ojos.

• **-고** : 두 가지 이상의 대등한 사실을 나열할 때 쓰는 연결 어미.
No hay expresión equivalente
Desinencia conectora que se usa cuando se enumeran más de dos hechos similares.

• **우리 (pronombre)** : 말하는 사람이 자기보다 높지 않은 사람에게 자기와 관련된 것을 친근하게 나타낼 때 쓰는 말.
el nuestro, la nuestra
Palabra que el hablante usa para mostrar íntimamente lo que está relacionado consigo delante de una persona que no es superior a él.

- **형 (sustantivo)** : 남자가 형제나 친척 형제들 중에서 자기보다 나이가 많은 남자를 이르거나 부르는 말.

  hyeong, hermano mayor

  Palabra usada por un hombre para referirse o llamar a otro mayor que sí mismo, de entre sus hermanos carnales y cohermanos.

- 이 : 어떤 상태나 상황의 대상이나 동작의 주체를 나타내는 조사.

  No hay expresión equivalente

  Posposición que se usa para indicar el objeto de cierto estado o situación o el agente de un movimiento.

- **보다 (verbo)** : 눈으로 대상을 즐기거나 감상하다.

  ver, contemplar, observar

  Disfrutar o apreciar algo con los ojos.

- -았- : 어떤 사건이 과거에 완료되었거나 그 사건의 결과가 현재까지 지속되는 상황을 나타내는 어미.

  No hay expresión equivalente

  Desinencia que se usa cuando cierto suceso fue acabado en el pasado o cuando el resultado de ese suceso continúa hasta el presente.

- -는데 : 뒤의 말을 하기 위하여 그 대상과 관련이 있는 상황을 미리 말함을 나타내는 연결 어미.

  No hay expresión equivalente

  Desinencia conectora que se usa cuando se habla con antelación una circunstancia pasada relacionada con la palabra posterior.

- **내용 (sustantivo)** : 말, 글, 그림, 영화 등의 줄거리. 또는 그것들로 전하고자 하는 것.

  Contenido

  Argumento de discursos, escritos, pinturas, películas, etc. o el mensaje que se desea transmitir a través de éstos.

- 이 : 어떤 상태나 상황의 대상이나 동작의 주체를 나타내는 조사.

  No hay expresión equivalente

  Posposición que se usa para indicar el objeto de cierto estado o situación o el agente de un movimiento.

- **엄청 (adverbio)** : 양이나 정도가 아주 지나치게.

  excesivamente, demasiado, incalculablemente

  Con exceso en cantidad o grado.

- **슬프다 (adjetivo)** : 눈물이 날 만큼 마음이 아프고 괴롭다.

  triste, afligido, apenado, entristecido

  Que le duele y le aflige como para soltar lágrimas.

• -다고 : 다른 사람에게서 들은 내용을 간접적으로 전달하거나 주어의 생각, 의견 등을 나타내는 표현.

No hay expresión equivalente

Expresión que se usa para transmitir de manera indirecta algo que se ha escuchado o mostrar la opinión o postura del sujeto.

• **그러다 (verbo)** : 그렇게 말하다.

decirlo así

Decirlo de tal manera.

• -더라 : (아주낮춤으로) 말하는 이가 직접 경험하여 새롭게 알게 된 사실을 지금 전달함을 나타내는 종결 어미.

No hay expresión equivalente

(TRATAMIENTO DE MODESTIA MÁXIMA) Desinencia de terminación que se usa cuando el hablante transmite el nuevo hecho de lo que acaba de enterarse a través de una experiencia personal.

< 대화(diálogo) > - 59

뭘 만들기에 이렇게 냄새가 좋아요?
뭘 만들기에 이러케 냄새가 조아요?
mwol mandeulgie ireoke naemsaega joayo?

지우가 입맛이 없다길래 이것저것 만드는 중이에요.
지우가 임마시 업따길래 이걷쩌걷 만드는 중이에요.
jiuga immasi eopdagillae igeotjeogeot mandeuneun jungieyo.

< 설명(explicación) / 번역(traducción) >

뭐+를 만들+기에 이렇+게 냄새+가 좋+아요?
뭘

• 뭐 (pronombre) : 모르는 사실이나 사물을 가리키는 말.
  ¿qué?, ¿cuál?
  Pronombre interrogativo que se usa para inquirir un hecho o una cosa.

• 를 : 동작이 직접적으로 영향을 미치는 대상을 나타내는 조사.
  No hay expresión equivalente
  Posposición que indica el objeto que influye directamente en la acción.

• 만들다 (verbo) : 힘과 기술을 써서 없던 것을 생기게 하다.
  crear
  Producir algo de la nada, aplicando la fuerza y la técnica.

• -기에 : 뒤에 오는 말의 원인이나 근거를 나타내는 연결 어미.
  No hay expresión equivalente
  Desinencia conectora que se usa para indicar la causa o el fundamento de la palabra posterior.

• 이렇다 (adjetivo) : 상태, 모양, 성질 등이 이와 같다.
  tal
  Dicho del estado, la forma o el carácter de algo: que es como este.

• -게 : 앞의 말이 뒤에서 가리키는 일의 목적이나 결과, 방식, 정도 등이 됨을 나타내는 연결 어미.
No hay expresión equivalente
Desinencia conectora que se usa cuando la palabra anterior es el objetivo, resultado, método, grado, etc. que indica al posterior.

• 냄새 (sustantivo) : 코로 맡을 수 있는 기운.
olor
Lo que es detectable al olfato.

• 가 : 어떤 상태나 상황에 놓인 대상이나 동작의 주체를 나타내는 조사.
No hay expresión equivalente
Posposición que se usa para indicar el objeto de cierto estado o situación o el agente de un movimiento.

• 좋다 (adjetivo) : 어떤 일이나 대상이 마음에 들고 만족스럽다.
conforme
Que un hecho o una persona es agradable y satisface.

• -아요 : (두루높임으로) 어떤 사실을 서술하거나 질문, 명령, 권유함을 나타내는 종결 어미.
No hay expresión equivalente
(TRATAMIENTO HONORÍFICO GENERAL) Desinencia de terminación que se usa cuando se describe cierto hecho; o pregunta, ordena o reclama algo. **<pregunta>**

지우+가 입맛+이 없+다길래 이것저것 만들(만드)+[는 중이]+에요.
만드는 중이에요

• 지우 (sustantivo) : nombre de una persona

• 가 : 어떤 상태나 상황에 놓인 대상이나 동작의 주체를 나타내는 조사.
No hay expresión equivalente
Posposición que se usa para indicar el objeto de cierto estado o situación o el agente de un movimiento.

• 입맛 (sustantivo) : 음식을 먹을 때 입에서 느끼는 맛. 또는 음식을 먹고 싶은 욕구.
apetito
Sabor que se siente en la boca al comer alimentos.

• 이 : 어떤 상태나 상황의 대상이나 동작의 주체를 나타내는 조사.
No hay expresión equivalente
Posposición que se usa para indicar el objeto de cierto estado o situación o el agente de un movimiento.

- **없다 (adjetivo)** : 어떤 사실이나 현상이 현실로 존재하지 않는 상태이다.
  inexistente, irreal
  Que una verdad o un fenómeno no existe en la realidad.

- **-다길래** : 뒤 내용의 이유나 근거로 다른 사람에게 들은 사실을 말할 때 쓰는 표현.
  No hay expresión equivalente
  Expresión que se usa para hablar de un hecho que escuchó de otra persona mientras que lo presenta como causa o referencia del comentario posterior.

- **이것저것 (sustantivo)** : 분명하게 정해지지 않은 여러 가지 사물이나 일.
  unas y otras cosas, esto y aquello
  Varias cosas o asuntos que no se han determinado claramente.

- **만들다 (verbo)** : 힘과 기술을 써서 없던 것을 생기게 하다.
  crear
  Producir algo de la nada, aplicando la fuerza y la técnica.

- **-는 중이다** : 어떤 일이 진행되고 있음을 나타내는 표현.
  No hay expresión equivalente
  Expresión que indica el continuo seguimiento de una acción.

- **-에요** : (두루높임으로) 어떤 사실을 서술하거나 질문함을 나타내는 종결 어미.
  No hay expresión equivalente
  (TRATAMIENTO HONORÍFICO GENERAL) Desinencia de terminación que se usa cuando se describe o interroga cierto hecho. **<narración>**

< 대화(diálogo) > - 60

설명서를 아무리 봐도 무슨 말인지 잘 모르겠죠?
설명서를 아무리 봐도 무슨 마린지 잘 모르겓죠?
seolmyeongseoreul amuri bwado museun marinji jal moreugetjyo?

그래도 자꾸 읽다 보니 조금씩 이해가 되던걸요.
그래도 자꾸 익따 보니 조금씩 이해가 되던거료.
geuraedo jakku ikda boni jogeumssik ihaega doedeongeoryo.

< 설명(explicación) / 번역(traducción) >

설명서+를 아무리 <u>보+아도</u> 무슨 <u>말+이+ㄴ지</u> 잘 모르+겠+죠?
　　　　　　　　　봐도　　　　　　말인지

• **설명서 (sustantivo)** : 일이나 사물의 내용, 이유, 사용법 등을 설명한 글.
nota explicativa, manual, direcciones
Escrito explicativo que describe el contenido, razón, direcciones, etc., de un asunto u objeto.

• **를** : 동작이 직접적으로 영향을 미치는 대상을 나타내는 조사.
No hay expresión equivalente
Posposición que indica el objeto que influye directamente en la acción.

• **아무리 (adverbio)** : 비록 그렇다 하더라도.
por más que, por mucho que
A pesar de ello.

• **보다 (verbo)** : 책이나 신문, 지도 등의 글자나 그림, 기호 등을 읽고 내용을 이해하다.
ver, leer, mirar, observar
Entender el contenido tras leer textos en libros, periódicos, mapas, etc. u observar dibujos, signos, etc..

• **-아도** : 앞에 오는 말을 가정하거나 인정하지만 뒤에 오는 말에는 관계가 없거나 영향을 끼치지 않음을 나타내는 연결 어미.
No hay expresión equivalente
Desinencia conectora que se usa cuando se conjetura o se acepta el contenido anterior pero no se relaciona con el contenido posterior ni influye en él.

• **무슨 (determinante)** : 확실하지 않거나 잘 모르는 일, 대상, 물건 등을 물을 때 쓰는 말.
qué
Palabra que se usa para inquirir sobre alguien o algo incierto o desconocido.

• **말 (sustantivo)** : 단어나 구나 문장.
No hay expresión equivalente
Oración, frase o palabra.

• **이다** : 주어가 지시하는 대상의 속성이나 부류를 지정하는 뜻을 나타내는 서술격 조사.
No hay expresión equivalente
Posposición de caso atributivo, que se usa para designar el atributo o la clase del objeto al que se refiere el sujeto.

• **-ㄴ지** : 뒤에 오는 말의 내용에 대한 막연한 이유나 판단을 나타내는 연결 어미.
No hay expresión equivalente
Desinencia conectora que se usa cuando se indica una razón o un juicio vago sobre el contenido de la palabra posterior.

• **잘 (adverbio)** : 분명하고 정확하게.
exacto, preciso
Clara y precisamente.

• **모르다 (verbo)** : 사람이나 사물, 사실 등을 알지 못하거나 이해하지 못하다.
desconocer
No conocer algo o a alguien, o no comprenderlos.

• **-겠-** : 미래의 일이나 추측을 나타내는 어미.
No hay expresión equivalente
Desinencia que se usa para indicar algo del futuro o una conjetura.

• **-죠** : (두루높임으로) 말하는 사람이 듣는 사람에게 친근함을 나타내며 물을 때 쓰는 종결 어미.
No hay expresión equivalente
(TRATAMIENTO HONORÍFICO GENERAL) Desinencia de terminación que se usa cuando el hablante interroga íntimamente al oyente.

그렇+<u>어도</u> 자꾸 <u>읽+[다(가) 보]</u>+니 조금씩 이해+가 되+던걸요.
그래도　　　　　　　**읽다 보니**

• **그렇다 (adjetivo)** : 상태, 모양, 성질 등이 그와 같다.
tal, semejante
Que es de tal estado, forma o naturaleza.

• -어도 : 앞에 오는 말을 가정하거나 인정하지만 뒤에 오는 말에는 관계가 없거나 영향을 끼치지 않음을 나타내는 연결 어미.
No hay expresión equivalente
Desinencia conectora que se usa cuando se conjetura o se acepta el contenido anterior pero no se relaciona con el contenido posterior ni influye en él.

• 자꾸 (adverbio) : 여러 번 계속하여.
frecuentemente, repetidamente, a menudo
Repetidas veces.

• 읽다 (verbo) : 글을 보고 뜻을 알다.
leer
Saber el significado tras pasar la vista por lo escrito.

• -다가 보다 : 앞에 오는 말이 나타내는 행동을 하는 과정에서 뒤에 오는 말이 나타내는 사실을 새로 깨닫게 됨을 나타내는 표현.
No hay expresión equivalente
Expresión que se usa para mostrar que el hablante se da cuenta nuevamente de un hecho que representa el comentario posterior mientras está haciendo algo que representa un comentario anterior.

• -니 : 뒤에 오는 말에 대하여 앞에 오는 말이 원인이나 근거, 전제가 됨을 나타내는 연결 어미.
No hay expresión equivalente
Desinencia conectora que se usa cuando la palabra anterior es una causa, fundamento o premisa de la palabra posterior.

• 조금씩 (adverbio) : 적은 정도로 계속해서.
gradualmente, paulatinamente, progresivamente
Poco a poco, continuamente.

• 이해 (sustantivo) : 무엇이 어떤 것인지를 앎. 또는 무엇이 어떤 것이라고 받아들임.
comprensión, entendimiento
Acción y efecto de saber o admitir lo que algo es.

• 가 : 어떤 상태나 상황에 놓인 대상이나 동작의 주체를 나타내는 조사.
No hay expresión equivalente
Posposición que se usa para indicar el objeto de cierto estado o situación o el agente de un movimiento.

• 되다 (verbo) : 어떠한 심리적인 상태에 있다.
sentirse, ser
Estar alguien de un cierto humor.

- -던걸요 : (두루높임으로) 과거의 사실에 대한 자기 생각이나 주장을 설명하듯 말하거나 그 근거를 댈 때 쓰는 표현.

No hay expresión equivalente

(TRATAMIENTO HONORÍFICO GENERAL) Expresión que se usa cuando el hablante representa su opinión o argumento de manera narrativa o el fundamento de ello sobre un hecho del pasado.

< 대화(diálogo) > - 61

저는 이번에 개봉한 영화가 재미있던데요.
저는 이버네 개봉한 영화가 재미읻떤데요.
jeoneun ibeone gaebonghan yeonghwaga jaemiitdeondeyo.

그래도 원작이 더 재미있지 않나요?
그래도 원자기 더 재미읻찌 안나요?
geuraedo wonjagi deo jaemiitji annayo?

< 설명(explicación) / 번역(traducción) >

저+는 이번+에 <u>개봉하+ㄴ</u> 영화+가 재미있+던데요.
개봉한

- 저 (pronombre) : 말하는 사람이 듣는 사람에게 자신을 낮추어 가리키는 말.
  yo
  Palabra que usa el hablante delante del oyente con tono de humildad.

- 는 : 문장 속에서 어떤 대상이 화제임을 나타내는 조사.
  No hay expresión equivalente
  Posposición que muestra que el referente es el tópico de una oración.

- 이번 (sustantivo) : 곧 돌아올 차례. 또는 막 지나간 차례.
  este, esta vez, este turno
  Turno que sigue inmediatamente después, o que acaba de pasar.

- 에 : 앞말이 시간이나 때임을 나타내는 조사.
  No hay expresión equivalente
  Posposición que se usa cuando la palabra anterior indica hora o tiempo.

- 개봉하다 (verbo) : 새 영화를 처음으로 상영하다.
  estrenar
  Representar una película por primera vez.

- -ㄴ : 앞의 말이 관형어의 기능을 하게 만들고 사건이나 동작이 완료되어 그 상태가 유지되고 있음을 나타내는 어미.

  No hay expresión equivalente

  Desinencia que hace que la palabra antecedente ejerza la función de una palabra determinante, e indica que un suceso o una acción se mantiene en el mismo estado que cuando concluyó en un momento del pasado.

- **영화 (sustantivo)** : 일정한 의미를 갖고 움직이는 대상을 촬영하여 영사기로 영사막에 비추어서 보게 하는 종합 예술.

  película, cinematografía

  Arte compuesto que consiste en la filmación de un objeto que se mueve con cierto significado para luego reflejar sus imágenes en la pantalla por medio del proyector.

- 가 : 어떤 상태나 상황에 놓인 대상이나 동작의 주체를 나타내는 조사.

  No hay expresión equivalente

  Posposición que se usa para indicar el objeto de cierto estado o situación o el agente de un movimiento.

- **재미있다 (adjetivo)** : 즐겁고 유쾌한 느낌이 있다.

  divertido, interesante, entretenido, encantador

  Que ofrece una sensación alegre y jovial.

- -던데요 : (두루높임으로) 과거에 직접 경험한 사실을 전달하여 듣는 사람의 반응을 기대함을 나타내는 표현.

  No hay expresión equivalente

  (TRATAMIENTO HONORÍFICO GENERAL) Expresión que se usa cuando se espera una reacción del oyente mientras muestra una emoción sobre un asunto del pasado.

그렇+어도 원작+이 더 재미있+[지 않]+나요?
그래도

- **그렇다 (adjetivo)** : 상태, 모양, 성질 등이 그와 같다.

  tal, semejante

  Que es de tal estado, forma o naturaleza.

- -어도 : 앞에 오는 말을 가정하거나 인정하지만 뒤에 오는 말에는 관계가 없거나 영향을 끼치지 않음을 나타내는 연결 어미.

  No hay expresión equivalente

  Desinencia conectora que se usa cuando se conjetura o se acepta el contenido anterior pero no se relaciona con el contenido posterior ni influye en él.

• **원작 (sustantivo)** : 연극이나 영화의 대본으로 만들거나 다른 나라 말로 고치기 전의 원래 작품.
original
Obra teatral o película producida directamente por su autor sin traducción en otro idioma o guión.

• 이 : 어떤 상태나 상황의 대상이나 동작의 주체를 나타내는 조사.
No hay expresión equivalente
Posposición que se usa para indicar el objeto de cierto estado o situación o el agente de un movimiento.

• **더 (adverbio)** : 비교의 대상이나 어떤 기준보다 정도가 크게, 그 이상으로.
más
En mayor grado o número que un determinado referente de comparación o estándar.

• **재미있다 (adjetivo)** : 즐겁고 유쾌한 느낌이 있다.
divertido, interesante, entretenido, encantador
Que ofrece una sensación alegre y jovial.

• -지 않다 : 앞의 말이 나타내는 행위나 상태를 부정하는 뜻을 나타내는 표현.
No hay expresión equivalente
Expresión para negar la acción o la situación de lo que se mencionó anteriormente.

• -나요 : (두루높임으로) 앞의 내용에 대해 상대방에게 물어볼 때 쓰는 표현.
No hay expresión equivalente
(TRATAMIENTO HONORÍFICO GENERAL) Expresión que se usa para hacer preguntas al adversario sobre el comentario anterior.

< 대화(diálogo) > - 62

이 집 강아지가 밤마다 너무 짖어서 저희가 잠을 잘 못 자요.
이 집 강아지가 밤마다 너무 지저서 저히가 자믈 잘 몯 자요.
i jip gangajiga bammada neomu jijeoseo jeohiga jameul jal mot jayo.

정말 죄송합니다. 못 짖도록 하는데도 그게 쉽지가 않네요.
정말 죄송함니다. 몯 짇또록 하는데도 그게 쉽찌가 안네요.
jeongmal joesonghamnida. mot jitdorok haneundedo geuge swipjiga anneyo.

< 설명(explicación) / 번역(traducción) >

이 집 강아지+가 밤+마다 너무 짖+어서 저희+가 잠+을 잘 못 자+(아)요.
자요

• 이 (determinante) : 말하는 사람에게 가까이 있거나 말하는 사람이 생각하고 있는 대상을 가리킬 때 쓰는 말.
este
Palabra que se utiliza para designar al sujeto sobre el que se está pensando o se encuentra cerca de la persona que está hablando.

• 집 (sustantivo) : 사람이나 동물이 추위나 더위 등을 막고 그 속에 들어 살기 위해 지은 건물.
casa, vivienda, hogar
Edificio que construye una persona o un animal para bloquear el frío o el calor y vivir dentro del mismo.

• 강아지 (sustantivo) : 개의 새끼.
perrito, cachorro
Hijo de un perro.

• 가 : 어떤 상태나 상황에 놓인 대상이나 동작의 주체를 나타내는 조사.
No hay expresión equivalente
Posposición que se usa para indicar el objeto de cierto estado o situación o el agente de un movimiento.

• 밤 (sustantivo) : 해가 진 후부터 다음 날 해가 뜨기 전까지의 어두운 동안.
noche
Periodo de tiempo en que permanece la oscuridad, entre la puesta del sol y su salida al día siguiente.

• 마다 : 하나하나 빠짐없이 모두의 뜻을 나타내는 조사.
Posposición que significa 'Todos y cada uno' de algo.
Posposición que indica la voluntad de todos sin que falte ninguno o la repetición de cada situación.

• 너무 (adverbio) : 일정한 정도나 한계를 훨씬 넘어선 상태로.
demasiado, excesivamente
Habiendo excedido en gran medida determinado nivel o límite.

• 짖다 (verbo) : 개가 크게 소리를 내다.
ladrar
Dar ladridos un perro.

• -어서 : 이유나 근거를 나타내는 연결 어미.
No hay expresión equivalente
Desinencia conectora que se usa para indicar causa o fundamento.

• 저희 (pronombre) : 말하는 사람이 자기보다 높은 사람에게 자기를 포함한 여러 사람들을 가리키는 말.
nosotros
Palabra que usa el hablante para señalar a varias personas incluyendo a sí mismo a un persona superior que él.

• 가 : 어떤 상태나 상황에 놓인 대상이나 동작의 주체를 나타내는 조사.
No hay expresión equivalente
Posposición que se usa para indicar el objeto de cierto estado o situación o el agente de un movimiento.

• 잠 (sustantivo) : 눈을 감고 몸과 정신의 활동을 멈추고 한동안 쉬는 상태.
sueño
Estado de descanso temporal cerrando los ojos y cesando una actividad física y mental.

• 을 : 서술어의 명사형 목적어임을 나타내는 조사.
No hay expresión equivalente
Posposición que se usa para indicar que es el complemento del nombre del predicado.

• 잘 (adverbio) : 충분히 만족스럽게.
bien
Suficientemente satisfactorio.

• 못 (adverbio) : 동사가 나타내는 동작을 할 수 없게.
no
Para negar la acción indicada por el verbo.

• 자다 (verbo) : 눈을 감고 몸과 정신의 활동을 멈추고 한동안 쉬는 상태가 되다.
dormir
Quedar en estado de descanso por un tiempo cerrando los ojos y cesando una actividad física y mental.

• -아요 : (두루높임으로) 어떤 사실을 서술하거나 질문, 명령, 권유함을 나타내는 종결 어미.
No hay expresión equivalente
(TRATAMIENTO HONORÍFICO GENERAL) Desinencia de terminación que se usa cuando se describe cierto hecho; o pregunta, ordena o reclama algo. **<narración>**

정말 <u>죄송하+ㅂ니다</u>.
죄송합니다

못 짖+[도록 하]+는데도 <u>그것(그거)+이</u> 쉽+[지+가 않]+네요.
그게

• 정말 (adverbio) : 거짓이 없이 진짜로.
verdaderamente, realmente
De verdad, sin falsedad.

• 죄송하다 (adjetivo) : 죄를 지은 것처럼 몹시 미안하다.
sentir pena, sentir lamento
Que lamenta mucho como si hubiera cometido un crimen.

• -ㅂ니다 : (아주높임으로) 현재의 동작이나 상태, 사실을 정중하게 설명함을 나타내는 종결 어미.
No hay expresión equivalente
(TRATAMIENTO HONORÍFICO MÁXIMO) Desinencia de terminación que se usa cuando se explica cortésmente una acción, un estado, o un hecho del presente.

• 못 (adverbio) : 동사가 나타내는 동작을 할 수 없게.
no
Para negar la acción indicada por el verbo.

• 짖다 (verbo) : 개가 크게 소리를 내다.
ladrar
Dar ladridos un perro.

• -도록 하다 : 남에게 어떤 행동을 하도록 시키거나 물건이 어떤 작동을 하게 만듦을 나타내는 표현.
No hay expresión equivalente
Expresión que se usa para mostrar una acción de hacer que alguien haga algo o un objeto funcione de una manera determinada.

• -는데도 : 앞에 오는 말이 나타내는 상황에 상관없이 뒤에 오는 말이 나타내는 상황이 일어남을 나타내
　　는 표현.

No hay expresión equivalente

Expresión que indica que ha surgido algo posteriormente que no tiene relación con lo anterior.

• **그것 (pronombre)** : 앞에서 이미 이야기한 대상을 가리키는 말.

eso, esa persona

Pronombre que designa a un referente ya mencionado.

• 이 : 어떤 상태나 상황의 대상이나 동작의 주체를 나타내는 조사.

No hay expresión equivalente

Posposición que se usa para indicar el objeto de cierto estado o situación o el agente de un movimiento.

• **쉽다 (adjetivo)** : 하기에 힘들거나 어렵지 않다.

fácil

Que no es difícil ni arduo de realizar.

• -지 않다 : 앞의 말이 나타내는 행위나 상태를 부정하는 뜻을 나타내는 표현.

No hay expresión equivalente

Expresión para negar la acción o la situación de lo que se mencionó anteriormente.

• 가 : 앞의 말을 강조하는 뜻을 나타내는 조사.

No hay expresión equivalente

Posposición que pone énfasis en la palabra antecedente.

• -네요 : (두루높임으로) 말하는 사람이 직접 경험하여 새롭게 알게 된 사실에 대해 감탄함을 나타낼 때
　　쓰는 표현.

No hay expresión equivalente

(TRATAMIENTO HONORÍFICO GENERAL) Expresión que se usa para mostrar que el hablante presenta una emoción sobre algo nuevo que se acaba de conocer por haberlo experimentado directamente.

< 대화(diálogo) > - 63

메일 보냈습니다. 확인 좀 부탁 드립니다.
메일 보낻씀니다. 화긴 좀 부탁 드림니다.
meil bonaetseumnida. hwagin jom butak deurimnida.

네. 보내 주신 자료를 검토하고 다시 연락 드리도록 하겠습니다.
네. 보내 주신 자료를 검토하고 다시 열락 드리도록 하겓씀니다.
ne. bonae jusin jaryoreul geomtohago dasi yeollak deuridorok hagetseumnida.

< 설명(explicación) / 번역(traducción) >

메일 보내+었+습니다.
　　　보냈습니다

확인 좀 부탁 드리+ㅂ니다.
　　　드립니다

- 메일 (sustantivo) : 인터넷이나 통신망으로 주고받는 편지.
correo, email
Carta que se intercambia a través de Internet o red de comunicación.

- 보내다 (verbo) : 내용이 전달되게 하다.
enviar, mandar, transmitir
Hacer que llegue algún mensaje.

- -었- : 어떤 사건이 과거에 완료되었거나 그 사건의 결과가 현재까지 지속되는 상황을 나타내는 어미.
No hay expresión equivalente
Desinencia que se usa cuando cierto suceso fue acabado en el pasado o cuando el resultado de ese suceso continúa hasta el presente.

- -습니다 : (아주높임으로) 현재의 동작이나 상태, 사실을 정중하게 설명함을 나타내는 종결 어미.
No hay expresión equivalente
(TRATAMIENTO HONORÍFICO MÁXIMO) Desinencia de terminación que se usa cuando se explica respetuosamente la acción, estado o hecho del presente.

• **확인 (sustantivo)** : 틀림없이 그러한지를 알아보거나 인정함.
comprobación, confirmación, verificación
Acción de averiguar si algo es verdadero o admitir que algo es cierto.

• **좀 (adverbio)** : 주로 부탁이나 동의를 구할 때 부드러운 느낌을 주기 위해 넣는 말.
por favor
Palabra que generalmente se añade para dar sensación de suavidad al pedir un favor o apoyo.

• **부탁 (sustantivo)** : 어떤 일을 해 달라고 하거나 맡김.
favor, petición, solicitud
Pedir a la otra persona que le haga un trabajo o dejar el trabajo en sus manos.

• **드리다 (verbo)** : 윗사람에게 어떤 말을 하거나 인사를 하다.
saludar al mayor
Expresar un saludo o dirigirse al superior o al mayor.

• -ㅂ니다 : (아주높임으로) 현재의 동작이나 상태, 사실을 정중하게 설명함을 나타내는 종결 어미.
No hay expresión equivalente
(TRATAMIENTO HONORÍFICO MÁXIMO) Desinencia de terminación que se usa cuando se explica cortésmente una acción, un estado, o un hecho del presente.

네.

보내+[(어) 주]+시+ㄴ 자료+를 검토하+고 다시 연락 드리+[도록 하]+겠+습니다.
보내 주신

• **네 (interjección)** : 윗사람의 물음이나 명령 등에 긍정하여 대답할 때 쓰는 말.
sí
Exclamación para responder positivamente a una pregunta u orden de un mayor.

• **보내다 (verbo)** : 내용이 전달되게 하다.
enviar, mandar, transmitir
Hacer que llegue algún mensaje.

• -어 주다 : 남을 위해 앞의 말이 나타내는 행동을 함을 나타내는 표현.
No hay expresión equivalente
Expresión que indica la realización de una acción que indica el comentario anterior para el bien del otro.

- -시- : 어떤 동작이나 상태의 주체를 높이는 뜻을 나타내는 어미.
No hay expresión equivalente
Desinencia que se usa para dar un tratamiento honorífico al agente de una acción verbal o de un determinado estado.

- -ㄴ : 앞의 말이 관형어의 기능을 하게 만들고 사건이나 동작이 완료되어 그 상태가 유지되고 있음을 나타내는 어미.
No hay expresión equivalente
Desinencia que hace que la palabra antecedente ejerza la función de una palabra determinante, e indica que un suceso o una acción se mantiene en el mismo estado que cuando concluyó en un momento del pasado.

- **자료 (sustantivo)** : 연구나 조사를 하는 데 기본이 되는 재료.
documento, documentación
Material básico para un estudio o investigación.

- 를 : 동작이 직접적으로 영향을 미치는 대상을 나타내는 조사.
No hay expresión equivalente
Posposición que indica el objeto que influye directamente en la acción.

- **검토하다 (verbo)** : 어떤 사실이나 내용을 자세히 따져서 조사하고 분석하다.
revisar
Examinar con detenimiento una realidad o un contenido.

- -고 : 앞의 말과 뒤의 말이 차례대로 일어남을 나타내는 연결 어미.
No hay expresión equivalente
Desinencia conectora que se usa cuando la palabra anterior y la posterior se producen sucesivamente.

- **다시 (adverbio)** : 다음에 또.
otra vez, nuevamente
Nuevamente en la próxima ocasión.

- **연락 (sustantivo)** : 어떤 사실을 전하여 알림.
aviso, noticia, contacto, comunicación
Dar a conocer cierto hecho.

- **드리다 (verbo)** : 윗사람에게 어떤 말을 하거나 인사를 하다.
saludar al mayor
Expresar un saludo o dirigirse al superior o al mayor.

- -도록 하다 : 말하는 사람이 어떤 행위를 할 것이라는 의지나 다짐을 나타내는 표현.
No hay expresión equivalente
Expresión que se usa cuando el hablante muestra su voluntad o intención de hacer algo.

- -겠- : 완곡하게 말하는 태도를 나타내는 어미.
No hay expresión equivalente
Desinencia que se usa para mostrar una actitud de hablar de manera indirecta.

- -습니다 : (아주높임으로) 현재의 동작이나 상태, 사실을 정중하게 설명함을 나타내는 종결 어미.
No hay expresión equivalente
(TRATAMIENTO HONORÍFICO MÁXIMO) Desinencia de terminación que se usa cuando se explica respetuosamente la acción, estado o hecho del presente.

< 대화(diálogo) > - 64

이제 아홉 신데 벌써 자려고?
이제 아홉 신데 벌써 자려고?
ije ahop sinde beolsseo jaryeogo?

시험 기간에 도서관 자리 잡기가 어려워서 내일 일찍 일어나려고요.
시험 기가네 도서관 자리 잡끼가 어려워서 내일 일찍 이러나려고요.
siheom gigane doseogwan jari japgiga eoryeowoseo naeil iljjik ireonaryeogoyo.

< 설명(explicación) / 번역(traducción) >

이제 아홉 <u>시+(이)+ㄴ데</u> 벌써 자+려고?
신데

- **이제 (adverbio)** : 말하고 있는 바로 이때에.
  ahora
  En este momento en que está hablando.

- **아홉 (determinante)** : 여덟에 하나를 더한 수의.
  nueve
  Ocho más uno.

- **시 (sustantivo)** : 하루를 스물넷으로 나누었을 때 그 하나를 나타내는 시간의 단위.
  No hay expresión equivalente
  Unidad de tiempo que indica cada una de las 24 horas en que se divide un día.

- **이다** : 주어가 지시하는 대상의 속성이나 부류를 지정하는 뜻을 나타내는 서술격 조사.
  No hay expresión equivalente
  Posposición de caso atributivo, que se usa para designar el atributo o la clase del objeto al que se refiere el sujeto.

- **-ㄴ데** : 뒤의 말을 하기 위하여 그 대상과 관련이 있는 상황을 미리 말함을 나타내는 연결 어미.
  No hay expresión equivalente
  Desinencia conectora que se usa cuando se habla de antemano una circunstancia relacionada con ese objeto para hablar de la palabra posterior.

• **벌써 (adverbio)** : 생각보다 빠르게.
ya
Más rápido de lo pensado.

• **자다 (verbo)** : 눈을 감고 몸과 정신의 활동을 멈추고 한동안 쉬는 상태가 되다.
dormir
Quedar en estado de descanso por un tiempo cerrando los ojos y cesando una actividad física y mental.

• **-려고** : (두루낮춤으로) 어떤 주어진 상황에 대하여 의심이나 반문을 나타내는 종결 어미.
No hay expresión equivalente
(TRATAMIENTO DE MODESTIA GENERAL) Desinencia de terminación que se usa cuando se duda o se replica sobre cierta circunstancia.

시험 기간+에 도서관 자리 잡+기+가 <u>어렵(어려우)+어서</u>
어려워서

내일 일찍 일어나+려고요.

• **시험 (sustantivo)** : 문제, 질문, 실제의 행동 등의 일정한 절차에 따라 지식이나 능력을 검사하고 평가하는 일.
examen, prueba
Prueba que se hace para evaluar y calificar una capacidad o un conocimiento respecto a procesos determinados mediante problemas, preguntas o acciones.

• **기간 (sustantivo)** : 어느 일정한 때부터 다른 일정한 때까지의 동안.
período
Lapso de tiempo determinado.

• **에** : 앞말이 시간이나 때임을 나타내는 조사.
No hay expresión equivalente
Posposición que se usa cuando la palabra anterior indica hora o tiempo.

• **도서관 (sustantivo)** : 책과 자료 등을 많이 모아 두고 사람들이 빌려 읽거나 공부를 할 수 있게 마련한 시설.
biblioteca
Instalación donde se tiene un considerable número de libros y materiales que el público puede tomar prestado para leer o estudiar.

• **자리 (sustantivo)** : 사람이 앉을 수 있도록 만들어 놓은 곳.
asiento, huella
Lugar hecho para que una persona se pueda sentar.

- **잡다 (verbo)** : 자리, 방향, 시기 등을 정하다.
  fijar
  Decidir un lugar, dirección, fecha, etc.

- **-기** : 앞의 말이 명사의 기능을 하게 하는 어미.
  No hay expresión equivalente
  Desinencia que se usa cuando la palabra anterior ejerce la función del sustantivo.

- **가** : 어떤 상태나 상황에 놓인 대상이나 동작의 주체를 나타내는 조사.
  No hay expresión equivalente
  Posposición que se usa para indicar el objeto de cierto estado o situación o el agente de un movimiento.

- **어렵다 (adjetivo)** : 하기가 복잡하거나 힘이 들다.
  difícil, complejo
  Que es arduo o complicado de realizar.

- **-어서** : 이유나 근거를 나타내는 연결 어미.
  No hay expresión equivalente
  Desinencia conectora que se usa para indicar causa o fundamento.

- **내일 (adverbio)** : 오늘의 다음 날에.
  mañana
  En el día que seguirá al de hoy.

- **일찍 (adverbio)** : 정해진 시간보다 빠르게.
  tempranamente, anticipadamente
  Más rápido que el tiempo fijado.

- **일어나다 (verbo)** : 잠에서 깨어나다.
  levantarse
  Despertarse del sueño.

- **-려고요** : (두루높임으로) 어떤 행동을 할 의도나 욕망을 가지고 있음을 나타내는 표현.
  No hay expresión equivalente
  (TRATAMIENTO HONORÍFICO GENERAL) Expresión que indica que tiene la voluntad o el deseo de realizar algo.

< 대화(diálogo) > - 65

나 지금 마트에 가려고 하는데 혹시 필요한 거 있니?
나 지금 마트에 가려고 하는데 혹씨 피료한 거 인니?
na jigeum mateue garyeogo haneunde hoksi piryohan geo inni?

그럼 오는 길에 휴지 좀 사다 줄래?
그럼 오는 기레 휴지 좀 사다 줄래?
geureom oneun gire hyuji jom sada jullae?

< 설명(explicación) / 번역(traducción) >

나 지금 마트+에 가+[려고 하]+는데 혹시 <u>필요하+[ㄴ 것(거)]</u> 있+니?
필요한 거

- **나 (pronombre)** : 말하는 사람이 친구나 아랫사람에게 자기를 가리키는 말.
  yo
  Pronombre que usa el hablante para referirse a sí mismo ante alguien de edad igual o menor.

- **지금 (adverbio)** : 말을 하고 있는 바로 이때에. 또는 그 즉시에.
  ahora
  En este preciso momento en que se está hablando. O de inmediato.

- **마트 (sustantivo)** : 각종 생활용품을 판매하는 대형 매장.
  supermercado, hipermercado
  Establecimiento comercial de gran extensión, dedicado a la venta de artículos de consumo general.

- **에** : 앞말이 목적지이거나 어떤 행위의 진행 방향임을 나타내는 조사.
  No hay expresión equivalente
  Posposición que se usa cuando la palabra anterior indica el destino o la dirección de avance de cierta acción.

- **가다 (verbo)** : 한 곳에서 다른 곳으로 장소를 이동하다.
  Ir
  Trasladarse de un lugar a otro.

• -려고 하다 : 앞의 말이 나타내는 행동을 할 의도나 의향이 있음을 나타내는 표현.
No hay expresión equivalente
Expresión que indica que tiene la voluntad o está dispuesto a mostrar en acciones lo dicho anteriormente.

• -는데 : 뒤의 말을 하기 위하여 그 대상과 관련이 있는 상황을 미리 말함을 나타내는 연결 어미.
No hay expresión equivalente
Desinencia conectora que se usa cuando se habla con antelación una circunstancia pasada relacionada con la palabra posterior.

• 혹시 (adverbio) : 그러리라 생각하지만 분명하지 않아 말하기를 망설일 때 쓰는 말.
a lo mejor, puede ser, por las dudas
Palabra que se usa para dudar de cosas de las que no se está seguro, pese a que se piense que podrían ser así.

• 필요하다 (adjetivo) : 꼭 있어야 하다.
necesario
Que tiene que haber sin falta.

• -ㄴ 것 : 명사가 아닌 것을 문장에서 명사처럼 쓰이게 하거나 '이다' 앞에 쓰일 수 있게 할 때 쓰는 표현.
No hay expresión equivalente
Expresión que posibilita que, en una oración, sea usado como sustantivo algo que no es, o se anteponga a '이다'.

• 있다 (adjetivo) : 사람, 동물, 물체 등이 존재하는 상태이다.
existente
Que existe una persona, un animal, una cosa, etc.

• -니 : (아주낮춤으로) 물음을 나타내는 종결 어미.
No hay expresión equivalente
(TRATAMIENTO DE MODESTIA MÁXIMA) Desinencia de terminación que se usa cuando se interroga algo.

그럼 오+[는 길에] 휴지 좀 사+(아)다 주+ㄹ래?
사다   줄래

• 그럼 (adverbio) : 앞의 내용을 받아들이거나 그 내용을 바탕으로 하여 새로운 주장을 할 때 쓰는 말.
entonces, pues, en ese caso, en tal caso, de ser así
Se usa para manifestar que se admite lo antedicho, o plantear un nuevo argumento fundamentado en eso.

• 오다 (verbo) : 무엇이 다른 곳에서 이곳으로 움직이다.
  venir, llegar
  Trasladarse de otro lugar a donde está la persona que habla.

• -는 길에 : 어떤 일을 하는 도중이나 기회임을 나타내는 표현.
  No hay expresión equivalente
  Expresión que se usa para mostrar que el hablante está haciendo algo o está teniendo una ocasión para hacer algo.

• 휴지 (sustantivo) : 더러운 것을 닦는 데 쓰는 얇은 종이.
  papel higiénico
  Papel fino que se usa para limpiar suciedad.

• 좀 (adverbio) : 주로 부탁이나 동의를 구할 때 부드러운 느낌을 주기 위해 넣는 말.
  por favor
  Palabra que generalmente se añade para dar sensación de suavidad al pedir un favor o apoyo.

• 사다 (verbo) : 돈을 주고 어떤 물건이나 권리 등을 자기 것으로 만들다.
  comprar, adquirir, obtener
  Apoderarse de cierta cosa o derecho tras pagar el dinero.

• -아다 : 어떤 행동을 한 뒤 그 행동의 결과를 가지고 뒤의 말이 나타내는 행동을 이어 함을 나타내는 연결 어미.
  No hay expresión equivalente
  Desinencia conectora que se usa cuando sigue la acción bajo el resultado de cierta acción realizada.

• 주다 (verbo) : 물건 등을 남에게 건네어 가지거나 쓰게 하다.
  entregar, dar, ofrecer
  Hacer que el otro utilice o posea un objeto.

• -ㄹ래 : (두루낮춤으로) 앞으로 어떤 일을 하려고 하는 자신의 의사를 나타내거나 그 일에 대하여 듣는 사람의 의사를 물어봄을 나타내는 종결 어미.
  No hay expresión equivalente
  (TRATAMIENTO DE MODESTIA GENERAL) Desinencia de terminación que se usa cuando se presenta la intención de llevar a cabo cierta cosa en adelante o pregunta la opinión del oyente sobre ella.

< 대화(diálogo) > - 66

오늘 회의 몇 시부터 시작하지?
오늘 회이 몃 시부터 시자카지?
oneul hoei myeot sibuteo sijakaji?

지금 시작하려고 하니까 빨리 준비하고 와.
지금 시자카려고 하니까 빨리 준비하고 와.
jigeum sijakaryeogo hanikka ppalli junbihago wa.

< 설명(explicación) / 번역(traducción) >

오늘 회의 몇 시+부터 시작하+지?

- **오늘 (sustantivo)** : 지금 지나가고 있는 이날.
  hoy
  Día actual que está transcurriendo ahora.

- **회의 (sustantivo)** : 여럿이 모여 의논함. 또는 그런 모임.
  reuniones, conferencia
  Acción de reunirse varias personas para consultar sobre algo. O tal reunión misma.

- **몇 (determinante)** : 잘 모르는 수를 물을 때 쓰는 말.
  cuánto
  Palabra que se usa para inquirir el número o la cantidad de algo.

- **시 (sustantivo)** : 하루를 스물넷으로 나누었을 때 그 하나를 나타내는 시간의 단위.
  No hay expresión equivalente
  Unidad de tiempo que indica cada una de las 24 horas en que se divide un día.

- **부터** : 어떤 일의 시작이나 처음을 나타내는 조사.
  No hay expresión equivalente
  Posposición que indica el inicio o la partida de cierta cosa.

- **시작하다 (verbo)** : 어떤 일이나 행동의 처음 단계를 이루거나 이루게 하다.
  comenzar
  Iniciar una cosa o una acción, o lograr empezar algo.

• -지 : (두루낮춤으로) 말하는 사람이 듣는 사람에게 친근함을 나타내며 물을 때 쓰는 종결 어미.
No hay expresión equivalente
(TRATAMIENTO DE MODESTIA GENERAL) Desinencia de terminación que se usa cuando el hablante interroga íntimamente al oyente.

지금 시작하+[려고 하]+니까 빨리 준비하+고 오+아.
와

• **지금 (adverbio)** : 말을 하고 있는 바로 이때에. 또는 그 즉시에.
ahora
En este preciso momento en que se está hablando. O de inmediato.

• **시작하다 (verbo)** : 어떤 일이나 행동의 처음 단계를 이루거나 이루게 하다.
comenzar
Iniciar una cosa o una acción, o lograr empezar algo.

• -려고 하다 : 앞의 말이 나타내는 일이 곧 일어날 것 같거나 시작될 것임을 나타내는 표현.
No hay expresión equivalente
Expresión que indica que lo dicho anteriormente está a punto de suceder o comenzar.

• -니까 : 뒤에 오는 말에 대하여 앞에 오는 말이 원인이나 근거, 전제가 됨을 강조하여 나타내는 연결 어미.
No hay expresión equivalente
Desinencia conectora que se usa cuando la palabra anterior es una causa, fundamento o premisa de la palabra posterior.

• **빨리 (adverbio)** : 걸리는 시간이 짧게.
rápidamente, ágilmente
Demorando poco tiempo.

• **준비하다 (verbo)** : 미리 마련하여 갖추다.
preparar
Tener listo preparándolo anticipadamente.

• -고 : 앞의 말과 뒤의 말이 차례대로 일어남을 나타내는 연결 어미.
No hay expresión equivalente
Desinencia conectora que se usa cuando la palabra anterior y la posterior se producen sucesivamente.

• **오다 (verbo)** : 무엇이 다른 곳에서 이곳으로 움직이다.
venir, llegar
Trasladarse de otro lugar a donde está la persona que habla.

• -아 : (두루낮춤으로) 어떤 사실을 서술하거나 물음, 명령, 권유를 나타내는 종결 어미.

No hay expresión equivalente

(TRATAMIENTO DE MODESTIA GENERAL) Desinencia de terminación que se usa cuando se describe cierto hecho; o pregunta, ordena o reclama algo. **<orden>**

< 대화(diálogo) > - 67

장마도 끝났으니 이제 정말 더워지려나 봐.
장마도 끈나쓰니 이제 정말 더워지려나 봐.
jangmado kkeunnasseuni ije jeongmal deowojiryeona bwa.

맞아. 오늘 아침에 걸어오는데 땀이 줄줄 나더라.
마자. 오늘 아치메 거러오는데 따미 줄줄 나더라.
maja. oneul achime georeooneunde ttami juljul nadeora.

< 설명(explicación) / 번역(traducción) >

장마+도 끝나+았+으니 이제 정말 더워지+[려나 보]+아.
　　　　 끝났으니　　　　　　　　　 더워지려나 봐

• **장마 (sustantivo)** : 여름철에 여러 날 계속해서 비가 오는 현상이나 날씨. 또는 그 비.
lluvia continua
Fenómeno o tiempo en el que llueve persistentemente varios días en el verano. O tal lluvia.

• **도** : 이미 있는 어떤 것에 다른 것을 더하거나 포함함을 나타내는 조사.
No hay expresión equivalente
Posposición que añade o incluye algo a cierta cosa ya existente.

• **끝나다 (verbo)** : 정해진 기간이 모두 지나가다.
acabar, terminar, ultimar, finalizar, consumar, expirar, vencer
Pasar el plazo establecido.

• **-았-** : 어떤 사건이 과거에 완료되었거나 그 사건의 결과가 현재까지 지속되는 상황을 나타내는 어미.
No hay expresión equivalente
Desinencia que se usa cuando cierto suceso fue acabado en el pasado o cuando el resultado de ese suceso continúa hasta el presente.

• **-으니** : 뒤에 오는 말에 대하여 앞에 오는 말이 원인이나 근거, 전제가 됨을 나타내는 연결 어미.
No hay expresión equivalente
Desinencia conectora que se usa cuando la palabra anterior es una causa, fundamento o premisa de la palabra posterior.

- **이제** (adverbio) : 지금부터 앞으로.
  ya, desde ahora
  Desde ahora en adelante.

- **정말** (adverbio) : 거짓이 없이 진짜로.
  verdaderamente, realmente
  De verdad, sin falsedad.

- **더워지다** (verbo) : 온도가 올라가다. 또는 그로 인해 더위나 뜨거움을 느끼다.
  calentarse
  Aumentar la temperatura o sentirse calor o caliente algo o alguien por el incremento de la temperatura.

- **-려나 보다** : 앞의 말이 나타내는 일이 일어날 것이라고 추측함을 나타내는 표현.
  No hay expresión equivalente
  Expresión que indica estimación de que lo dicho anteriormente va a suceder.

- **-아** : (두루낮춤으로) 어떤 사실을 서술하거나 물음, 명령, 권유를 나타내는 종결 어미.
  No hay expresión equivalente
  (TRATAMIENTO DE MODESTIA GENERAL) Desinencia de terminación que se usa cuando se describe cierto hecho; o pregunta, ordena o reclama algo. **<narración>**

맞+아.

오늘 아침+에 걸어오+는데 땀+이 줄줄 나+더라.

- **맞다** (verbo) : 그렇거나 옳다.
  acertarse
  Hacerse una cosa conforme a la razón.

- **-아** : (두루낮춤으로) 어떤 사실을 서술하거나 물음, 명령, 권유를 나타내는 종결 어미.
  No hay expresión equivalente
  (TRATAMIENTO DE MODESTIA GENERAL) Desinencia de terminación que se usa cuando se describe cierto hecho; o pregunta, ordena o reclama algo. **<narración>**

- **오늘** (sustantivo) : 지금 지나가고 있는 이날.
  hoy
  Día actual que está transcurriendo ahora.

• **아침** (sustantivo) : 날이 밝아올 때부터 해가 떠올라 하루의 일이 시작될 때쯤까지의 시간.
mañana
Tiempo que transcurre desde que amanece hasta que sale el sol y comienza la jornada del día.

• 에 : 앞말이 시간이나 때임을 나타내는 조사.
No hay expresión equivalente
Posposición que se usa cuando la palabra anterior indica hora o tiempo.

• **걸어오다** (verbo) : 목적지를 향하여 다리를 움직여서 이동하여 오다.
regresar caminando
Regresar andando desde algún lugar.

• -는데 : 뒤의 말을 하기 위하여 그 대상과 관련이 있는 상황을 미리 말함을 나타내는 연결 어미.
No hay expresión equivalente
Desinencia conectora que se usa cuando se habla con antelación una circunstancia pasada relacionada con la palabra posterior.

• **땀** (sustantivo) : 덥거나 몸이 아프거나 긴장을 했을 때 피부를 통해 나오는 짭짤한 맑은 액체.
sudor, traspiración
Líquido transparente y salado que segrega la piel cuando hace calor o como síntoma de enfermedad o nerviosismo.

• 이 : 어떤 상태나 상황의 대상이나 동작의 주체를 나타내는 조사.
No hay expresión equivalente
Posposición que se usa para indicar el objeto de cierto estado o situación o el agente de un movimiento.

• **줄줄** (adverbio) : 굵은 물줄기 등이 계속 흐르는 소리. 또는 그 모양.
corriendo
Sonido que se emite al correr continuamente un chorro grueso de agua. O tal forma de correr un chorro de agua.

• **나다** (verbo) : 몸에서 땀, 피, 눈물 등이 흐르다.
derramar, verter, sudar, correr, sangrar, lagrimear
Correr sudor, sangre, lágrimas, etc. por el cuerpo.

• -더라 : (아주낮춤으로) 말하는 이가 직접 경험하여 새롭게 알게 된 사실을 지금 전달함을 나타내는 종
   결 어미.
No hay expresión equivalente
(TRATAMIENTO DE MODESTIA MÁXIMA) Desinencia de terminación que se usa cuando el hablante transmite el nuevo hecho de lo que acaba de enterarse a través de una experiencia personal.

< 대화(diálogo) > - 68

나는 아내를 위해서 대신 죽을 수도 있을 것 같아.
나는 아내를 위해서 대신 주글 쑤도 이쓸 껃 가타.
naneun anaereul wihaeseo daesin jugeul sudo isseul geot gata.

네가 아내를 정말 사랑하는구나.
네가 아내를 정말 사랑하는구나.
nega anaereul jeongmal saranghaneunguna.

< 설명(explicación) / 번역(traducción) >

나+는 아내+[를 위해서] 대신 죽+[을 수+도 있]+[을 것 같]+아.

- **나 (pronombre)** : 말하는 사람이 친구나 아랫사람에게 자기를 가리키는 말.
  yo
  Pronombre que usa el hablante para referirse a sí mismo ante alguien de edad igual o menor.

- **는** : 문장 속에서 어떤 대상이 화제임을 나타내는 조사.
  No hay expresión equivalente
  Posposición que muestra que el referente es el tópico de una oración.

- **아내 (sustantivo)** : 결혼하여 남자의 짝이 된 여자.
  esposa, mujer
  Mujer que es pareja de un hombre por matrimonio.

- **를 위해서** : 어떤 대상에게 이롭게 하거나 어떤 목표나 목적을 이루려고 함을 나타내는 표현.
  No hay expresión equivalente
  Expresión que muestra hacer más ventajoso cierto objeto o realizar cierto propósito o fin.

- **대신 (sustantivo)** : 어떤 대상이 맡던 구실을 다른 대상이 새로 맡음. 또는 그렇게 새로 맡은 대상.
  reemplazo, sustitución
  Acción de encargar a alguien lo que era deber u ocupación de otro. O sujeto a quien se asigna tal trabajo.

- **죽다 (verbo)** : 생물이 생명을 잃다.
  morir, fallecer
  Dejar de vivir un organismo.

• -을 수 있다 : 어떤 행동이나 상태가 가능함을 나타내는 표현.
No hay expresión equivalente
Expresión que indica que es posible realizar cierta acción, o permanecer en cierto estado.

• 도 : 극단적인 경우를 들어 다른 경우는 말할 것도 없음을 나타내는 조사.
(No hay expresión equivalente)
Posposición que indica que es algo innecesario de ser comentado alegando un caso extremo.

• -을 것 같다 : 추측을 나타내는 표현.
No hay expresión equivalente
Expresión que indica suposición.

• -아 : (두루낮춤으로) 어떤 사실을 서술하거나 물음, 명령, 권유를 나타내는 종결 어미.
No hay expresión equivalente
(TRATAMIENTO DE MODESTIA GENERAL) Desinencia de terminación que se usa cuando se describe cierto hecho; o pregunta, ordena o reclama algo. **<narración>**

네+가 아내+를 정말 사랑하+는구나.

• 네 (pronombre) : '너'에 조사 '가'가 붙을 때의 형태.
tú
Forma que toma la palabra '너' cuando va antecedida de la posposición '가'.

• 가 : 어떤 상태나 상황에 놓인 대상이나 동작의 주체를 나타내는 조사.
No hay expresión equivalente
Posposición que se usa para indicar el objeto de cierto estado o situación o el agente de un movimiento.

• 아내 (sustantivo) : 결혼하여 남자의 짝이 된 여자.
esposa, mujer
Mujer que es pareja de un hombre por matrimonio.

• 를 : 동작이 직접적으로 영향을 미치는 대상을 나타내는 조사.
No hay expresión equivalente
Posposición que indica el objeto que influye directamente en la acción.

• 정말 (adverbio) : 거짓이 없이 진짜로.
verdaderamente, realmente
De verdad, sin falsedad.

- **사랑하다 (verbo)** : 상대에게 성적으로 매력을 느껴 열렬히 좋아하다.
  amar, querer
  Querer fervientemente una persona por sentir atractivo sexual.

- **-는구나** : (아주낮춤으로) 새롭게 알게 된 사실에 어떤 느낌을 실어 말함을 나타내는 종결 어미.
  No hay expresión equivalente
  (TRATAMIENTO DE MODESTIA MÁXIMA) Desinencia de terminación que se usa cuando se muestra cierto sentimiento tras haberse enterado de un nuevo hecho.

< 대화(diálogo) > - 69

이 약은 하루에 몇 번이나 먹어야 하나요?
이 야근 하루에 몔 버니나 머거야 하나요?
i yageun harue myeot beonina meogeoya hanayo?

아침저녁으로 두 번만 드시면 됩니다.
아침저녀그로 두 번만 드시면 됩니다.
achimjeonyeogeuro du beonman deusimyeon doemnida.

< 설명(explicación) / 번역(traducción) >

이 약+은 하루+에 몇 번+이나 먹+[어야 하]+나요?

• **이** (determinante) : 말하는 사람에게 가까이 있거나 말하는 사람이 생각하고 있는 대상을 가리킬 때 쓰는 말.
este
Palabra que se utiliza para designar al sujeto sobre el que se está pensando o se encuentra cerca de la persona que está hablando.

• **약** (sustantivo) : 병이나 상처 등을 낮게 하거나 예방하기 위하여 먹거나 바르거나 주사하는 물질.
medicina, droga
Sustancia que se consume, aplica o inyecta para prevenir o curar una enfermedad o herida.

• **은** : 문장 속에서 어떤 대상이 화제임을 나타내는 조사.
No hay expresión equivalente
Posposición que se usa para indicar que cierto objeto es tópico en la oración.

• **하루** (sustantivo) : 밤 열두 시부터 다음 날 밤 열두 시까지의 스물네 시간.
día
Veinticuatro horas desde las doce de la noche hasta las doce de la noche del otro día.

• **에** : 앞말이 기준이 되는 대상이나 단위임을 나타내는 조사.
No hay expresión equivalente
Posposición que se usa cuando la palabra anterior es objeto o unidad de criterio.

- **몇 (determinante)** : 잘 모르는 수를 물을 때 쓰는 말.
  cuánto
  Palabra que se usa para inquirir el número o la cantidad de algo.

- **번 (sustantivo)** : 일의 횟수를 세는 단위.
  vez
  Unidad de conteo de número de veces de una cosa.

- **이나** : 수량이나 정도를 대강 짐작할 때 쓰는 조사.
  No hay expresión equivalente
  Posposición que se usa al conjeturar más o menos la cantidad o el límite.

- **먹다 (verbo)** : 약을 입에 넣어 삼키다.
  pasar, deglutir
  Tragar una medicina sin masticarla.

- **-어야 하다** : 앞에 오는 말이 어떤 일을 하거나 어떤 상황에 이르기 위한 의무적인 행동이거나 필수적인 조건임을 나타내는 표현.
  No hay expresión equivalente
  Expresión que indica que el comentario anterior es una condición fundamental o una acción requerida para alcanzar una situación o para realizar un trabajo.

- **-나요** : (두루높임으로) 앞의 내용에 대해 상대방에게 물어볼 때 쓰는 표현.
  No hay expresión equivalente
  (TRATAMIENTO HONORÍFICO GENERAL) Expresión que se usa para hacer preguntas al adversario sobre el comentario anterior.

아침저녁+으로 두 번+만 들(드)+시+[면 되]+ㅂ니다.
드시면 됩니다

- **아침저녁 (sustantivo)** : 아침과 저녁.
  mañana y noche
  Mañana y noche.

- **으로** : 시간을 나타내는 조사.
  No hay expresión equivalente
  Posposición que indica la hora.

- **두 (determinante)** : 둘의.
  dos
  Dos.

• **번 (sustantivo)** : 일의 횟수를 세는 단위.
vez
Unidad de conteo de número de veces de una cosa.

• **만** : 다른 것은 제외하고 어느 것을 한정함을 나타내는 조사.
No hay expresión equivalente
Posposición que indica la limitación de cierta cosa tras excluir otra cosa.

• **들다 (verbo)** : (높임말로) 먹다.
alimentarse
(TRATAMIENTO HONORÍFICO) Comer

• **-시-** : 어떤 동작이나 상태의 주체를 높이는 뜻을 나타내는 어미.
No hay expresión equivalente
Desinencia que se usa para dar un tratamiento honorífico al agente de una acción verbal o de un determinado estado.

• **-면 되다** : 조건이 되는 어떤 행동을 하거나 어떤 상태만 갖추어지면 문제가 없거나 충분함을 나타내는 표현.
No hay expresión equivalente
Expresión que indica la realización de una acción que sirve de condición o muestra de que no hay problema o es suficiente con que se llegue a cierto nivel.

• **-ㅂ니다** : (아주높임으로) 현재의 동작이나 상태, 사실을 정중하게 설명함을 나타내는 종결 어미.
No hay expresión equivalente
(TRATAMIENTO HONORÍFICO MÁXIMO) Desinencia de terminación que se usa cuando se explica cortésmente una acción, un estado, o un hecho del presente.

< 대화(diálogo) > - 70

다음부터는 수업 시간에 떠들면 안 돼.
다음부터는 수업 시가네 떠들면 안 돼.
daeumbuteoneun sueop sigane tteodeulmyeon an dwae.

네, 선생님. 다음부터는 절대 떠들지 않을게요.
네, 선생님. 다음부터는 절대 떠들지 아늘께요.
ne, seonsaengnim. daeumbuteoneun jeoldae tteodeulji aneulgeyo.

< 설명(explicación) / 번역(traducción) >

다음+부터+는 수업 시간+에 떠들+[면 안 되]+어.
떠들면 안 돼

- **다음 (sustantivo)** : 이번 차례의 바로 뒤.
  próximo, siguiente
  Según un orden de sucesión, el que inmediatamente sigue.

- **부터** : 어떤 일의 시작이나 처음을 나타내는 조사.
  No hay expresión equivalente
  Posposición que indica el inicio o la partida de cierta cosa.

- **는** : 어떤 대상이 다른 것과 대조됨을 나타내는 조사.
  No hay expresión equivalente
  Posposición que indica que el referente contrasta con otro.

- **수업 (sustantivo)** : 교사가 학생에게 지식이나 기술을 가르쳐 줌.
  enseñanza, instrucción
  Acción de enseñar un profesor a un estudiante algún conocimiento o técnica.

- **시간 (sustantivo)** : 어떤 일이 시작되어 끝날 때까지의 동안.
  tiempo
  Período desde el comienzo hasta el final de un hecho.

- **에** : 앞말이 시간이나 때임을 나타내는 조사.
  No hay expresión equivalente
  Posposición que se usa cuando la palabra anterior indica hora o tiempo.

• 떠들다 (verbo) : 큰 소리로 시끄럽게 말하다.
alborotar
Dícese del ruido que produce el revuelo de personas.

• -면 안 되다 : 어떤 행동이나 상태를 금지하거나 제한함을 나타내는 표현.
No hay expresión equivalente
Expresión que indica prohibición o limitación de una acción o una situación.

• -어 : (두루낮춤으로) 어떤 사실을 서술하거나 물음, 명령, 권유를 나타내는 종결 어미.
No hay expresión equivalente
(TRATAMIENTO DE MODESTIA GENERAL) Desinencia de terminación que se usa cuando se describe cierto hecho; o pregunta, ordena o reclama algo. <orden>

네, 선생님.

다음+부터+는 절대 떠들+[지 않]+을게요.

• 네 (interjección) : 윗사람의 물음이나 명령 등에 긍정하여 대답할 때 쓰는 말.
sí
Exclamación para responder positivamente a una pregunta u orden de un mayor.

• 선생님 (sustantivo) : (높이는 말로) 학생을 가르치는 사람.
profesor
(EXPRESIÓN DE RESPETO) Persona que enseña a los alumnos.

• 다음 (sustantivo) : 이번 차례의 바로 뒤.
próximo, siguiente
Según un orden de sucesión, el que inmediatamente sigue.

• 부터 : 어떤 일의 시작이나 처음을 나타내는 조사.
No hay expresión equivalente
Posposición que indica el inicio o la partida de cierta cosa.

• 는 : 어떤 대상이 다른 것과 대조됨을 나타내는 조사.
No hay expresión equivalente
Posposición que indica que el referente contrasta con otro.

• 절대 (adverbio) : 어떤 경우라도 반드시.
absolutamente, plenamente, totalmente, completamente, decididamente, definitivamente
De manera absoluta, fuere lo que fuere.

- **떠들다 (verbo)** : 큰 소리로 시끄럽게 말하다.
  alborotar
  Dícese del ruido que produce el revuelo de personas.

- -지 않다 : 앞의 말이 나타내는 행위나 상태를 부정하는 뜻을 나타내는 표현.
  No hay expresión equivalente
  Expresión para negar la acción o la situación de lo que se mencionó anteriormente.

- -을게요 : (두루높임으로) 말하는 사람이 어떤 행동을 할 것을 듣는 사람에게 약속하거나 의지를 나타내
  는 표현.
  No hay expresión equivalente
  (TRATAMIENTO HONORÍFICO GENERAL) Expresión que se usa para prometer o avisar al oyente una acción que realizará el hablante.

< 대화(diálogo) > - 71

엄마, 할머니 댁은 아직 멀었어요?
엄마, 할머니 대근 아직 머러써요?
eomma, halmeoni daegeun ajik meoreosseoyo?

아냐. 다 와 가. 삼십 분만 더 가면 되니까 조금만 참아.
아냐. 다 와 가. 삼십 분만 더 가면 되니까 조금만 차마.
anya. da wa ga. samsip bunman deo gamyeon doenikka jogeumman chama.

< 설명(explicación) / 번역(traducción) >

엄마, 할머니 댁+은 아직 멀+었+어요?

- **엄마 (sustantivo)** : 격식을 갖추지 않아도 되는 상황에서 어머니를 이르거나 부르는 말.
  mamá
  Palabra que se usa para referirse o llamar a la madre de uno en un entorno informal.

- **할머니 (sustantivo)** : 아버지의 어머니, 또는 어머니의 어머니를 이르거나 부르는 말.
  halmeoni, abuela
  Respecto de una persona, palabra usada para referirse o llamar a la madre de su propio padre o madre.

- **댁 (sustantivo)** : (높이는 말로) 남의 집이나 가정.
  casa, hogar
  (EXPRESIÓN DE RESPETO) Hogar o casa de otros.

- **은** : 문장 속에서 어떤 대상이 화제임을 나타내는 조사.
  No hay expresión equivalente
  Posposición que se usa para indicar que cierto objeto es tópico en la oración.

- **아직 (adverbio)** : 어떤 일이나 상태 또는 어떻게 되기까지 시간이 더 지나야 함을 나타내거나, 어떤 일이나 상태가 끝나지 않고 계속 이어지고 있음을 나타내는 말.
  todavía, aún, ni hasta ahora
  Palabra que indica que es necesario esperar más tiempo hasta que algún asunto alcance determinado nivel o estado, o denota que algo continúa en determinado nivel o estado sin cambiar.

- **멀다 (adjetivo)** : 지금으로부터 시간이 많이 남아 있다. 오랜 시간이 필요하다.
  lejano, distanciado
  Que queda mucho tiempo para algo desde ahora. Que se necesita mucho tiempo.

- **-었-** : 어떤 사건이 과거에 완료되었거나 그 사건의 결과가 현재까지 지속되는 상황을 나타내는 어미.
  No hay expresión equivalente
  Desinencia que se usa cuando cierto suceso fue acabado en el pasado o cuando el resultado de ese suceso continúa hasta el presente.

- **-어요** : (두루높임으로) 어떤 사실을 서술하거나 질문, 명령, 권유함을 나타내는 종결 어미.
  No hay expresión equivalente
  (TRATAMIENTO HONORÍFICO GENERAL) Desinencia de terminación que se usa cuando se describe cierto hecho; o pregunta, ordena o reclama algo. **<pregunta>**

아냐.

다 오+[아 가]+(아).
와 가

삼십 분+만 더 가+[면 되]+니까 조금+만 참+아.

- **아냐 (interjección)** : 묻는 말에 대하여 강조하며, 또는 단호하게 부정하며 대답할 때 쓰는 말.
  ¡no!
  Interjección que se usa para negar con énfasis o dar una respuesta negativa rotunda a una pregunta.

- **다 (adverbio)** : 행동이나 상태의 정도가 한정된 정도에 거의 가깝게.
  todo
  Dícese de alguna acción o estado que casi alcanza el límite.

- **오다 (adverbio)** : 가고자 하는 곳에 이르다.
  alcanzar
  Llegar al lugar que se quería ir.

- **-아 가다** : 앞의 말이 나타내는 행동이나 상태가 계속 진행됨을 나타내는 표현.
  No hay expresión equivalente
  Expresión que indica que la acción o la situación que representa el comentario previo continúa.

• -아 : (두루낮춤으로) 어떤 사실을 서술하거나 물음, 명령, 권유를 나타내는 종결 어미.
No hay expresión equivalente
(TRATAMIENTO DE MODESTIA GENERAL) Desinencia de terminación que se usa cuando se describe cierto hecho; o pregunta, ordena o reclama algo. <narración>

• **삼십 (determinante)** : 서른의.
treinta
Que representa este número.

• **분 (sustantivo)** : 한 시간의 60분의 1을 나타내는 시간의 단위.
No hay expresión equivalente
Unidad de tiempo que muestra una sexagésima parte de una hora.

• 만 : 앞의 말이 어떤 것에 대한 조건임을 나타내는 조사.
No hay expresión equivalente
Posposición que indica que es la condición de cierta cosa la palabra anterior.

• **더 (adverbio)** : 보태어 계속해서.
más
En adición a lo ya hecho.

• **가다 (adverbio)** : 한 곳에서 다른 곳으로 장소를 이동하다.
Ir
Trasladarse de un lugar a otro.

• -면 되다 : 조건이 되는 어떤 행동을 하거나 어떤 상태만 갖추어지면 문제가 없거나 충분함을 나타내는 표현.
No hay expresión equivalente
Expresión que indica la realización de una acción que sirve de condición o muestra de que no hay problema o es suficiente con que se llegue a cierto nivel.

• -니까 : 뒤에 오는 말에 대하여 앞에 오는 말이 원인이나 근거, 전제가 됨을 강조하여 나타내는 연결 어미.
No hay expresión equivalente
Desinencia conectora que se usa cuando la palabra anterior es una causa, fundamento o premisa de la palabra posterior.

• **조금 (sustantivo)** : 짧은 시간 동안.
poco
Corto tiempo.

• 만 : 말하는 사람이 기대하는 최소의 선을 나타내는 조사.
No hay expresión equivalente
Posposición que indica la mínima línea a la que el hablante espera llegar.

- **참다 (adverbio)** : 어떤 시간 동안을 견디고 기다리다.
  aguantar, resistir, contener, tolerar
  Soportar y esperar por un tiempo.

- **-아** : (두루낮춤으로) 어떤 사실을 서술하거나 물음, 명령, 권유를 나타내는 종결 어미.
  No hay expresión equivalente
  (TRATAMIENTO DE MODESTIA GENERAL) Desinencia de terminación que se usa cuando se describe cierto hecho; o pregunta, ordena o reclama algo. **<orden>**

< 대화(diálogo) > - 72

부산까지는 시간이 꽤 오래 걸리니까 번갈아 가면서 운전하는 게 어때?
부산까지는 시가니 꽤 오래 걸리니까 번가라 가면서 운전하는 게 어때?
busankkajineun sigani kkwae orae geollinikka beongara gamyeonseo unjeonhaneun ge eottae?

그래. 그게 좋겠다.
그래. 그게 조켇따.
geurae. geuge joketda.

< 설명(explicación) / 번역(traducción) >

부산+까지+는 시간+이 꽤 오래 걸리+니까 번갈+[아 가]+면서

운전하+[는 것(거)]+이 어떻+어?
　　운전하는 게　　　　어때

- **부산 (sustantivo)** : 경상남도 동남부에 있는 광역시. 서울에 다음가는 대도시이며 한국 최대의 무역항이 있다.
  No hay expresión equivalente
  Ciudad metropolitana ubicada en la parte sureste de la Provincia de Gyeongsang del Sur. Es la segunda ciudad más grande de Corea, después de Seúl, y tiene el puerto comercial más grande de Corea.

- 까지 : 어떤 범위의 끝임을 나타내는 조사.
  No hay expresión equivalente
  Posposición que se usa para denotar el término o límite de algo.

- 는 : 문장 속에서 어떤 대상이 화제임을 나타내는 조사.
  No hay expresión equivalente
  Posposición que muestra que el referente es el tópico de una oración.

- **시간 (sustantivo)** : 어떤 때에서 다른 때까지의 동안.
  tiempo
  Período tal como se especifica.

• 이 : 어떤 상태나 상황의 대상이나 동작의 주체를 나타내는 조사.
No hay expresión equivalente
Posposición que se usa para indicar el objeto de cierto estado o situación o el agente de un movimiento.

• 꽤 (adverbio) : 예상이나 기대 이상으로 상당히.
bastante, considerablemente
De modo que supere en gran medida las previsiones o expectativas.

• 오래 (adverbio) : 긴 시간 동안.
tiempo largo, tiempo prolongado
Por mucho tiempo.

• 걸리다 (verbo) : 시간이 들다.
pasar, correr
Gastarse tiempo.

• -니까 : 뒤에 오는 말에 대하여 앞에 오는 말이 원인이나 근거, 전제가 됨을 강조하여 나타내는 연결 어미.
No hay expresión equivalente
Desinencia conectora que se usa cuando la palabra anterior es una causa, fundamento o premisa de la palabra posterior.

• 번갈다 (verbo) : 여럿이 어떤 일을 할 때, 일정한 시간 동안 한 사람씩 차례를 바꾸다.
alternar, turnar, relevar
En un trabajo colectivo, cambiar de turno cada determinado tiempo.

• -아 가다 : 앞의 말이 나타내는 행동을 이따금 반복함과 동시에 또 다른 행동을 이어 함을 나타내는 표현.
No hay expresión equivalente
Expresión que indica la repetición de las acciones que indica el comentario anterior, al mismo tiempo de continuar realizando otras acciones.

• -면서 : 두 가지 이상의 동작이나 상태가 함께 일어남을 나타내는 연결 어미.
No hay expresión equivalente
Desinencia conectora que se usa cuando se contraponen más de dos acciones o estados.

• 운전하다 (verbo) : 기계나 자동차를 움직이고 조종하다.
conducir
Manejar maquinas o vehículos.

• -는 것 : 명사가 아닌 것을 문장에서 명사처럼 쓰이게 하거나 '이다' 앞에 쓰일 수 있게 할 때 쓰는 표현.

No hay expresión equivalente

Expresión que se usa para hacer que una palabra que no es sustantivo sea utilizada como tal en una oración, o para hacer que se use delante de '이다'.

• 이 : 어떤 상태나 상황의 대상이나 동작의 주체를 나타내는 조사.

No hay expresión equivalente

Posposición que se usa para indicar el objeto de cierto estado o situación o el agente de un movimiento.

• 어떻다 (adjetivo) : 생각, 느낌, 상태, 형편 등이 어찌 되어 있다.

cómo, qué tal

Estar de tal forma pensamientos, sentimientos, estados, situaciones, etc.

• 어 : (두루낮춤으로) 어떤 사실을 서술하거나 물음, 명령, 권유를 나타내는 종결 어미.

No hay expresión equivalente

(TRATAMIENTO DE MODESTIA GENERAL) Desinencia de terminación que se usa cuando se describe cierto hecho; o pregunta, ordena o reclama algo. <interrogación>

그래.

그것(그거)+이 좋+겠+다.
그게

• 그래 (interjección) : '그렇게 하겠다, 그렇다, 알았다' 등 긍정하는 뜻으로, 대답할 때 쓰는 말.

¡sí!

Exclamación para responder positivamente como '그렇게 하겠다, 그렇다, 알았다'.

• 그것 (pronombre) : 앞에서 이미 이야기한 대상을 가리키는 말.

eso, esa persona

Pronombre que designa a un referente ya mencionado.

• 이 : 어떤 상태나 상황의 대상이나 동작의 주체를 나타내는 조사.

No hay expresión equivalente

Posposición que se usa para indicar el objeto de cierto estado o situación o el agente de un movimiento.

• 좋다 (adjetivo) : 어떤 일이나 대상이 마음에 들고 만족스럽다.

conforme

Que un hecho o una persona es agradable y satisface.

- -겠- : 미래의 일이나 추측을 나타내는 어미.
  No hay expresión equivalente
  Desinencia que se usa para indicar algo del futuro o una conjetura.

- -다 : (아주낮춤으로) 어떤 사건이나 사실, 상태를 서술함을 나타내는 종결 어미.
  No hay expresión equivalente
  (TRATAMIENTO DE MODESTIA MÁXIMA) Desinencia de terminación que se usa cuando se describe un suceso o hecho del presente.

< 대화(diálogo) > - 73

처음 해 보는 일에 새롭게 도전하는 것이 두렵지 않으세요?
처음 해 보는 이레 새롭께 도전하는 거시 두렵찌 아느세요?
cheoeum hae boneun ire saeropge dojeonhaneun geosi duryeopji aneuseyo?

아니요. 더디지만 하나씩 알아 나가는 재미가 있어요.
아니요. 더디지만 하나씩 아라 나가는 재미가 이써요.
aniyo. deodijiman hanassik ara naganeun jaemiga isseoyo.

< 설명(explicación) / 번역(traducción) >

처음 <u>하+[여 보]</u>+는 일+에 새롭+게 도전하+[는 것]+이 두렵+[지 않]+으세요?
　　　해 보는

- **처음 (sustantivo)** : 차례나 시간상으로 맨 앞.
  principio, inicio
  Delante de todo en orden o en tiempo.

- **하다 (verbo)** : 어떤 행동이나 동작, 활동 등을 행하다.
  hacer, realizar
  Llevar a cabo un acto o una acción.

- **-여 보다** : 앞의 말이 나타내는 행동을 시험 삼아 함을 나타내는 표현.
  No hay expresión equivalente
  Expresión que indica la realización de la acción que indica el comentario anterior a modo de prueba.

- **-는** : 앞의 말이 관형어의 기능을 하게 만들고 사건이나 동작이 현재 일어남을 나타내는 어미.
  No hay expresión equivalente
  Desinencia que hace que la palabra antecedente ejerza la función de un componente determinante, e indica que un suceso o una acción se produce en el presente.

- **일 (sustantivo)** : 무엇을 이루려고 몸이나 정신을 사용하는 활동. 또는 그 활동의 대상.
  tarea, trabajo
  Actividad psíquica y física que se hace para realizar algo. U objeto de esa actvidad.

• 에 : 앞말이 어떤 행위나 감정 등의 대상임을 나타내는 조사.
No hay expresión equivalente
Posposición que se usa cuando la palabra anterior es objeto de cierta acción, sentimiento, etc.

• **새롭다 (adjetivo)** : 지금까지의 것과 다르거나 있은 적이 없다.
nuevo
Diferido de algo que había antes o algo que no había antes.

• -게 : 앞의 말이 뒤에서 가리키는 일의 목적이나 결과, 방식, 정도 등이 됨을 나타내는 연결 어미.
No hay expresión equivalente
Desinencia conectora que se usa cuando la palabra anterior es el objetivo, resultado, método, grado, etc. que indica al posterior. <método>

• **도전하다 (verbo)** : (비유적으로) 가치 있는 것이나 목표한 것을 얻기 위해 어려움에 맞서다.
desafiar
(FIGURADO) Afrontar o enfrentarse a una dificultad para el logro de algún fin.

• -는 것 : 명사가 아닌 것을 문장에서 명사처럼 쓰이게 하거나 '이다' 앞에 쓰일 수 있게 할 때 쓰는 표현.
No hay expresión equivalente
Expresión que se usa para hacer que una palabra que no es sustantivo sea utilizada como tal en una oración, o para hacer que se use delante de '이다'.

• 이 : 어떤 상태나 상황의 대상이나 동작의 주체를 나타내는 조사.
No hay expresión equivalente
Posposición que se usa para indicar el objeto de cierto estado o situación o el agente de un movimiento.

• **두렵다 (adjetivo)** : 걱정되고 불안하다.
preocupado, inquieto, intranquilo
Que está preocupado e inquieto.

• -지 않다 : 앞의 말이 나타내는 행위나 상태를 부정하는 뜻을 나타내는 표현.
No hay expresión equivalente
Expresión para negar la acción o la situación de lo que se mencionó anteriormente.

• -으세요 : (두루높임으로) 설명, 의문, 명령, 요청의 뜻을 나타내는 종결 어미.
No hay expresión equivalente
(TRATAMIENTO HONORÍFICO GENERAL) Desinencia de terminación que se usa cuando se manifiesta el sentido de explicación, duda, orden, reclamación, etc. <pregunta>

아니요.

더디+지만 하나+씩 알+[아 나가]+는 재미+가 있+어요.

- **아니요 (interjección)** : 윗사람이 묻는 말에 대하여 부정하며 대답할 때 쓰는 말.
¡no!
Interjección que se usa para dar una respuesta negativa a una pregunta hecha por alguien de edad o rango mayor que el hablante.

- **더디다 (adjetivo)** : 속도가 느려 무엇을 하는 데 걸리는 시간이 길다.
lento, tardo
Pausado en el movimiento o la acción, por lo que tarda mucho tiempo en hacer algo.

- **-지만** : 앞에 오는 말을 인정하면서 그와 반대되거나 다른 사실을 덧붙일 때 쓰는 연결 어미.
No hay expresión equivalente
Desinencia conectora que se usa cuando alguien acepta el contenido anterior pero agrega otro hecho o un hecho contario a él.

- **하나 (pronombre numeral)** : 숫자를 셀 때 맨 처음의 수.
uno
El primero en orden numérico.

- **씩** : '그 수량이나 크기로 나뉨'의 뜻을 더하는 접미사.
No hay expresión equivalente
Sufijo que añade el significado de 'que se divide por tal número o tamaño'.

- **알다 (verbo)** : 교육이나 경험, 생각 등을 통해 사물이나 상황에 대한 정보 또는 지식을 갖추다.
saber, conocer, aprender
Adquirir un conocimiento o una información sobre la situación de un objeto mediante la educación, experiencia o pensamiento.

- **-아 나가다** : 앞의 말이 나타내는 행동을 계속 진행함을 나타내는 표현.
No hay expresión equivalente
Expresión que indica que la acción que representa el comentario previo continúa.

- **-는** : 앞의 말이 관형어의 기능을 하게 만들고 사건이나 동작이 현재 일어남을 나타내는 어미.
No hay expresión equivalente
Desinencia que hace que la palabra antecedente ejerza la función de un componente determinante, e indica que un suceso o una acción se produce en el presente.

- **재미 (sustantivo)** : 어떤 것이 주는 즐거운 기분이나 느낌.
diversión, placer, entretenimiento
Sentimiento o humor alegre que proporciona algo.

• 가 : 어떤 상태나 상황에 놓인 대상이나 동작의 주체를 나타내는 조사.

No hay expresión equivalente

Posposición que se usa para indicar el objeto de cierto estado o situación o el agente de un movimiento.

• **있다 (adjetivo)** : 사실이나 현상이 존재하다.

existente

Que existe un hecho o un fenómeno.

• -어요 : (두루높임으로) 어떤 사실을 서술하거나 질문, 명령, 권유함을 나타내는 종결 어미.

No hay expresión equivalente

(TRATAMIENTO HONORÍFICO GENERAL) Desinencia de terminación que se usa cuando se describe cierto hecho; o pregunta, ordena o reclama algo. **<narración>**

< 대화(diálogo) > - 74

너 지우랑 화해했니?
너 지우랑 화해핸니?
neo jiurang hwahaehaenni?

아니. 난 지우한테 먼저 사과를 받아 낼 거야.
아니. 난 지우한테 먼저 사과를 바다 낼 꺼야.
ani. nan jiuhante meonjeo sagwareul bada nael geoya.

< 설명(explicación) / 번역(traducción) >

너 지우+랑 화해하+였+니?
화해했니

- **너 (pronombre)** : 듣는 사람이 친구나 아랫사람일 때, 그 사람을 가리키는 말.
  tú, vos
  Pronombre que designa al oyente cuando éste es de la misma edad o menor que el hablante.

- **지우 (sustantivo)** : nombre de una persona

- **랑** : 누군가를 상대로 하여 어떤 일을 할 때 그 상대임을 나타내는 조사.
  No hay expresión equivalente
  Posposición que indica a la contraparte cuando uno realiza cierta actividad con alguien.

- **화해하다 (verbo)** : 싸움을 멈추고 서로 가지고 있던 안 좋은 감정을 풀어 없애다.
  reconciliarse
  Detener la pelea y eliminar los sentimientos negativos que se tenían entre sí.

- **-였-** : 어떤 사건이 과거에 완료되었거나 그 사건의 결과가 현재까지 지속되는 상황을 나타내는 어미.
  No hay expresión equivalente
  Desinencia que se usa cuando cierto suceso fue acabado en el pasado o cuando el resultado de ese suceso continúa hasta el presente.

- **-니** : (아주낮춤으로) 물음을 나타내는 종결 어미.
  No hay expresión equivalente
  (TRATAMIENTO DE MODESTIA MÁXIMA) Desinencia de terminación que se usa cuando se interroga algo.

아니.

<u>나+는</u> 지우+한테 먼저 사과+를 <u>받+[아 내]+[ㄹ 것(거)]+(이)+야</u>.
  난   받아 낼 거야

- **아니 (interjección)** : 아랫사람이나 나이나 지위 등이 비슷한 사람이 물어보는 말에 대해 부정하여 대답
    할 때 쓰는 말.
  ¡no!
  Interjección que se usa para dar una respuesta negativa a una pregunta hecha por alguien
  de edad o rango igual o menor que el hablante.

- **나 (pronombre)** : 말하는 사람이 친구나 아랫사람에게 자기를 가리키는 말.
  yo
  Pronombre que usa el hablante para referirse a sí mismo ante alguien de edad igual o
  menor.

- **는** : 문장 속에서 어떤 대상이 화제임을 나타내는 조사.
  No hay expresión equivalente
  Posposición que muestra que el referente es el tópico de una oración.

- **지우 (sustantivo)** : nombre de una persona

- **한테** : 어떤 행동의 주체이거나 비롯되는 대상임을 나타내는 조사.
  No hay expresión equivalente
  Posposición usada para referirse al agente de una acción o la fuente o causa de tal acción.

- **먼저 (adverbio)** : 시간이나 순서에서 앞서.
  primero, primeramente, antes
  Por adelantado en tiempo u orden.

- **사과 (sustantivo)** : 자신의 잘못을 인정하며 용서해 달라고 빎.
  disculpa, perdón, exculpación
  Rogar para que le perdone reconociendo su culpabilidad.

- **를** : 동작이 직접적으로 영향을 미치는 대상을 나타내는 조사.
  No hay expresión equivalente
  Posposición que indica el objeto que influye directamente en la acción.

- **받다 (verbo)** : 요구나 신청, 질문, 공격, 신호 등과 같은 작용을 당하거나 그에 응하다.
  recibir, aceptar, acoger, admitir, responder, contestar
  Recibir o responder a las acciones como demanda, petición, pregunta, ataque, señal, etc..

• -아 내다 : 앞의 말이 나타내는 행동을 스스로의 힘으로 끝내 이룸을 나타내는 표현.
No hay expresión equivalente
Expresión que indica que ha logrado realizar con su propio esfuerzo algo a lo que hace referencia el comentario anterior.

• -ㄹ 것 : 명사가 아닌 것을 문장에서 명사처럼 쓰이게 하거나 '이다' 앞에 쓰일 수 있게 할 때 쓰는 표현.
No hay expresión equivalente
Expresión que se usa para hacer que una palabra que no es sustantivo sea utilizada como tal en una oración, o para hacer que se use delante de '이다'.

• 이다 : 주어가 지시하는 대상의 속성이나 부류를 지정하는 뜻을 나타내는 서술격 조사.
No hay expresión equivalente
Posposición de caso atributivo, que se usa para designar el atributo o la clase del objeto al que se refiere el sujeto.

• -야 : (두루낮춤으로) 어떤 사실에 대하여 서술하거나 물음을 나타내는 종결 어미.
No hay expresión equivalente
(TRATAMIENTO DE MODESTIA GENERAL) Desinencia de terminación que se usa cuando se describe o interroga sobre cierto hecho. **<narración>**

< 대화(diálogo) > - 75

왜 교실에 안 들어가고 밖에 서 있어?
왜 교시레 안 드러가고 바께 서 이써?
wae gyosire an deureogago bakke seo isseo?

누가 문을 잠가 놓았는지 문이 안 열려요.
누가 무늘 잠가 노안는지 무니 안 열려요.
nuga muneul jamga noanneunji muni an yeollyeoyo.

< 설명(explicación) / 번역(traducción) >

왜 교실+에 안 들어가+고 밖+에 서+[(어) 있]+어?
서 있어

• **왜 (adverbio)** : 무슨 이유로. 또는 어째서.
por qué, porque
Por qué causa. O el porqué.

• **교실 (sustantivo)** : 유치원, 초등학교, 중학교, 고등학교에서 교사가 학생들을 가르치는 방.
aula
Sala en donde el maestro enseña a los estudiantes, ya sea de jardín de infantes, primaria, secundaria, etc.

• **에** : 앞말이 목적지이거나 어떤 행위의 진행 방향임을 나타내는 조사.
No hay expresión equivalente
Posposición que se usa cuando la palabra anterior indica el destino o la dirección de avance de cierta acción.

• **안 (adverbio)** : 부정이나 반대의 뜻을 나타내는 말.
no
Palabra que expresa negación u oposición.

• **들어가다 (verbo)** : 밖에서 안으로 향하여 가다.
entrar
Pasar de fuera hacia adentro.

- 245 -

• -고 : 앞의 말이 나타내는 행동이나 그 결과가 뒤에 오는 행동이 일어나는 동안에 그대로 지속됨을 나타내는 연결 어미.
No hay expresión equivalente
Desinencia conectora que se usa cuando la acción y su resultado que indica la palabra anterior siguen igual que durante el desarrollo de la acción que viene después.

• 밖 (sustantivo) : 선이나 경계를 넘어선 쪽.
afuera
Lado que traspasa un límite o una línea.

• 에 : 앞말이 어떤 장소나 자리임을 나타내는 조사.
No hay expresión equivalente
Posposición que se usa cuando la palabra anterior indica cierto lugar o sitio.

• 서다 (verbo) : 사람이나 동물이 바닥에 발을 대고 몸을 곧게 하다.
levantar
Poner derecho o en posición vertical el cuerpo de una persona o un animal.

• -어 있다 : 앞의 말이 나타내는 상태가 계속됨을 나타내는 표현.
No hay expresión equivalente
Expresión que indica la continuación del estado que indica el comentario anterior.

• -어 : (두루낮춤으로) 어떤 사실을 서술하거나 물음, 명령, 권유를 나타내는 종결 어미.
No hay expresión equivalente
(TRATAMIENTO DE MODESTIA GENERAL) Desinencia de terminación que se usa cuando se describe cierto hecho; o pregunta, ordena o reclama algo. <pregunta>

누(구)+가 문+을 잠그(잠ㄱ)+[아 놓]+았+는지 문+이 안 열리+어요.
누가　　　　　　잠가 놓았는지　　　　　　열려요

• 누구 (pronombre) : 모르는 사람을 가리키는 말.
alguien, quién
Pronombre que designa a alguien desconocido.

• 가 : 어떤 상태나 상황에 놓인 대상이나 동작의 주체를 나타내는 조사.
No hay expresión equivalente
Posposición que se usa para indicar el objeto de cierto estado o situación o el agente de un movimiento.

- **문 (sustantivo)** : 사람이 안과 밖을 드나들거나 물건을 넣고 꺼낼 수 있게 하기 위해 열고 닫을 수 있도록 만든 시설.
  puerta, portón, entrada
  Instalación que se abre y se cierra, creada para que la persona pueda entrar y salir o para guardar y sacar cosas.

- **을** : 동작이 직접적으로 영향을 미치는 대상을 나타내는 조사.
  No hay expresión equivalente
  Posposición que se usa para indicar el objeto que ha sido influido directamente por una acción.

- **잠그다 (verbo)** : 문 등을 자물쇠나 고리로 남이 열 수 없게 채우다.
  cerrar
  Asegurar con cerradura o pasador, como una puerta, para impedir que abra otra persona.

- **-아 놓다** : 앞의 말이 나타내는 행동을 끝내고 그 결과를 유지함을 나타내는 표현.
  No hay expresión equivalente
  Expresión que indica que el resultado de la acción o la situación de lo dicho anteriormente se conserva.

- **-았-** : 어떤 사건이 과거에 완료되었거나 그 사건의 결과가 현재까지 지속되는 상황을 나타내는 어미.
  No hay expresión equivalente
  Desinencia que se usa cuando cierto suceso fue acabado en el pasado o cuando el resultado de ese suceso continúa hasta el presente.

- **-는지** : 뒤에 오는 말의 내용에 대한 막연한 이유나 판단을 나타내는 연결 어미.
  No hay expresión equivalente
  Desinencia conectora que se usa cuando se indica una razón o un juicio vago sobre el contenido de la palabra posterior.

- **문 (sustantivo)** : 사람이 안과 밖을 드나들거나 물건을 넣고 꺼낼 수 있게 하기 위해 열고 닫을 수 있도록 만든 시설.
  puerta, portón, entrada
  Instalación que se abre y se cierra, creada para que la persona pueda entrar y salir o para guardar y sacar cosas.

- **이** : 어떤 상태나 상황의 대상이나 동작의 주체를 나타내는 조사.
  No hay expresión equivalente
  Posposición que se usa para indicar el objeto de cierto estado o situación o el agente de un movimiento.

- **안 (adverbio)** : 부정이나 반대의 뜻을 나타내는 말.
  no
  Palabra que expresa negación u oposición.

• **열리다 (verbo)** : 닫히거나 잠겨 있던 것이 트이거나 풀리다.

abrirse

Descubrirse o abrirse lo que estaba cerrado u oculto.

• -어요 : (두루높임으로) 어떤 사실을 서술하거나 질문, 명령, 권유함을 나타내는 종결 어미.

No hay expresión equivalente

(TRATAMIENTO HONORÍFICO GENERAL) Desinencia de terminación que se usa cuando se describe cierto hecho; o pregunta, ordena o reclama algo. **<narración>**

< 대화(diálogo) > - 76

오늘 행사는 아홉 시부터 시작인데 왜 벌써 가?
오늘 행사는 아홉 시부터 시자긴데 왜 벌써 가?
oneul haengsaneun ahop sibuteo sijaginde wae beolsseo ga?

준비할 게 많으니까 조금 일찍 와 달라는 부탁을 받았어.
준비할 께 마느니까 조금 일찍 와 달라는 부타글 바다써.
junbihal ge maneunikka jogeum iljjik wa dallaneun butageul badasseo.

< 설명(explicación) / 번역(traducción) >

오늘 행사+는 아홉 시+부터 <u>시작+이+ㄴ데</u> 왜 벌써 <u>가+(아)</u>?
　　　　　　　　　　　　시작인데　　　　　　　가

- **오늘 (sustantivo)** : 지금 지나가고 있는 이날.
  hoy
  Día actual que está transcurriendo ahora.

- **행사 (sustantivo)** : 목적이나 계획을 가지고 절차에 따라서 어떤 일을 시행함. 또는 그 일.
  evento, acto, ceremonia
  Acción de realizar una determinada tarea con un propósito o plan, y de acuerdo a un procedimiento. O tal tarea misma.

- **는** : 문장 속에서 어떤 대상이 화제임을 나타내는 조사.
  No hay expresión equivalente
  Posposición que muestra que el referente es el tópico de una oración.

- **아홉 (determinante)** : 여덟에 하나를 더한 수의.
  nueve
  Ocho más uno.

- **시 (sustantivo)** : 하루를 스물넷으로 나누었을 때 그 하나를 나타내는 시간의 단위.
  No hay expresión equivalente
  Unidad de tiempo que indica cada una de las 24 horas en que se divide un día.

- **부터** : 어떤 일의 시작이나 처음을 나타내는 조사.
  No hay expresión equivalente
  Posposición que indica el inicio o la partida de cierta cosa.

• **시작 (sustantivo)** : 어떤 일이나 행동의 처음 단계를 이루거나 이루게 함. 또는 그런 단계.
comienzo, inicio
Principio, inicio u origen de una cosa. O ese proceso.

• **이다** : 주어가 지시하는 대상의 속성이나 부류를 지정하는 뜻을 나타내는 서술격 조사.
No hay expresión equivalente
Posposición de caso atributivo, que se usa para designar el atributo o la clase del objeto al que se refiere el sujeto.

• **-ㄴ데** : 뒤의 말을 하기 위하여 그 대상과 관련이 있는 상황을 미리 말함을 나타내는 연결 어미.
No hay expresión equivalente
Desinencia conectora que se usa cuando se habla de antemano una circunstancia relacionada con ese objeto para hablar de la palabra posterior.

• **왜 (adverbio)** : 무슨 이유로. 또는 어째서.
por qué, porque
Por qué causa. O el porqué.

• **벌써 (adverbio)** : 생각보다 빠르게.
ya
Más rápido de lo pensado.

• **가다 (verbo)** : 한 곳에서 다른 곳으로 장소를 이동하다.
Ir
Trasladarse de un lugar a otro.

• **-아** : (두루낮춤으로) 어떤 사실을 서술하거나 물음, 명령, 권유를 나타내는 종결 어미.
No hay expresión equivalente
(TRATAMIENTO DE MODESTIA GENERAL) Desinencia de terminación que se usa cuando se describe cierto hecho; o pregunta, ordena o reclama algo. **<pregunta>**

준비하+[ㄹ 것(거)]+이 많+으니까
준비할 게

조금 일찍 오+[아 달]+라는 부탁+을 받+았+어.
와 달라는

• **준비하다 (verbo)** : 미리 마련하여 갖추다.
preparar
Tener listo preparándolo anticipadamente.

• **-ㄹ 것** : 명사가 아닌 것을 문장에서 명사처럼 쓰이게 하거나 '이다' 앞에 쓰일 수 있게 할 때 쓰는 표현.

No hay expresión equivalente

Expresión que se usa para hacer que una palabra que no es sustantivo sea utilizada como tal en una oración, o para hacer que se use delante de '이다'.

• **이** : 어떤 상태나 상황의 대상이나 동작의 주체를 나타내는 조사.

No hay expresión equivalente

Posposición que se usa para indicar el objeto de cierto estado o situación o el agente de un movimiento.

• **많다 (adjetivo)** : 수나 양, 정도 등이 일정한 기준을 넘다.

mucho, generoso, abundante, satisfactorio, cuantioso

Que supera un determinado criterio en número, cantidad o nivel.

• **-으니까** : 뒤에 오는 말에 대하여 앞에 오는 말이 원인이나 근거, 전제가 됨을 강조하여 나타내는 연결 어미.

No hay expresión equivalente

Desinencia conectora que se usa cuando la palabra anterior es una causa, fundamento o premisa de la palabra posterior.

• **조금 (adverbio)** : 시간이 짧게.

poco, breve

De corto tiempo.

• **일찍 (adverbio)** : 정해진 시간보다 빠르게.

tempranamente, anticipadamente

Más rápido que el tiempo fijado.

• **오다 (verbo)** : 무엇이 다른 곳에서 이곳으로 움직이다.

venir, llegar

Trasladarse de otro lugar a donde está la persona que habla.

• **-아 달다** : 앞의 말이 나타내는 행동을 해 줄 것을 요구함을 나타내는 표현.

No hay expresión equivalente

Expresión que indica petición de que realice una acción que indica el comentario anterior.

• **-라는** : 명령이나 요청 등의 말을 인용하여 전달하면서 그 뒤에 오는 명사를 꾸며 줄 때 쓰는 표현.

No hay expresión equivalente

Expresión que se usa para determinar el sustantivo que sigue mientras trasmite algún comentario citando orden o petición.

• **부탁 (sustantivo)** : 어떤 일을 해 달라고 하거나 맡김.

favor, petición, solicitud

Pedir a la otra persona que le haga un trabajo o dejar el trabajo en sus manos.

- 을 : 동작이 직접적으로 영향을 미치는 대상을 나타내는 조사.
  No hay expresión equivalente
  Posposición que se usa para indicar el objeto que ha sido influido directamente por una acción.

- **받다 (verbo)** : 요구나 신청, 질문, 공격, 신호 등과 같은 작용을 당하거나 그에 응하다.
  recibir, aceptar, acoger, admitir, responder, contestar
  Recibir o responder a las acciones como demanda, petición, pregunta, ataque, señal, etc..

- -았- : 어떤 사건이 과거에 완료되었거나 그 사건의 결과가 현재까지 지속되는 상황을 나타내는 어미.
  No hay expresión equivalente
  Desinencia que se usa cuando cierto suceso fue acabado en el pasado o cuando el resultado de ese suceso continúa hasta el presente.

- -어 : (두루낮춤으로) 어떤 사실을 서술하거나 물음, 명령, 권유를 나타내는 종결 어미.
  No hay expresión equivalente
  (TRATAMIENTO DE MODESTIA GENERAL) Desinencia de terminación que se usa cuando se describe cierto hecho; o pregunta, ordena o reclama algo. **<narración>**

< 대화(diálogo) > - 77

이 옷 한번 입어 봐도 되죠?
이 옫 한번 이버 봐도 되죠?
i ot hanbeon ibeo bwado doejyo?

그럼요, 손님. 탈의실은 이쪽입니다.
그러묘, 손님. 타리시른 이쪼김니다.
geureomyo, sonnim. tarisireun ijjogimnida.

< 설명(explicación) / 번역(traducción) >

이 옷 한번 입+[어 보]+[아도 되]+죠?
입어 봐도 되죠

- 이 (determinante) : 말하는 사람에게 가까이 있거나 말하는 사람이 생각하고 있는 대상을 가리킬 때 쓰는 말.

  este

  Palabra que se utiliza para designar al sujeto sobre el que se está pensando o se encuentra cerca de la persona que está hablando.

- 옷 (sustantivo) : 사람의 몸을 가리고 더위나 추위 등으로부터 보호하며 멋을 내기 위하여 입는 것.

  ropa, prenda, indumentaria

  Lo que se viste para cubrir el cuerpo de una persona protegiéndola del frio o calor y para estar a la moda.

- 한번 (adverbio) : 어떤 일을 시험 삼아 시도함을 나타내는 말.

  No hay expresión equivalente

  Palabra que se usa para indicar que intentan probar algo.

- 입다 (verbo) : 옷을 몸에 걸치거나 두르다.

  vestirse

  Llevarse o ponerse ropa en el cuerpo.

- -어 보다 : 앞의 말이 나타내는 행동을 시험 삼아 함을 나타내는 표현.

  No hay expresión equivalente

  Expresión que indica la realización de la acción que indica el comentario anterior a modo de prueba.

• -아도 되다 : 어떤 행동에 대한 허락이나 허용을 나타낼 때 쓰는 표현.
No hay expresión equivalente
Expresión que indica permiso o autorización sobre una acción.

• -죠 : (두루높임으로) 말하는 사람이 듣는 사람에게 친근함을 나타내며 물을 때 쓰는 종결 어미.
No hay expresión equivalente
(TRATAMIENTO HONORÍFICO GENERAL) Desinencia de terminación que se usa cuando el hablante interroga íntimamente al oyente.

그럼+요, 손님.

탈의실+은 이쪽+이+ㅂ니다.
이쪽입니다

• **그럼 (interjección)** : 말할 것도 없이 당연하다는 뜻으로 대답할 때 쓰는 말.
No hay expresión equivalente
Exclamación para responder que algo es obvio sin duda alguna.

• **요** : 높임의 대상인 상대방에게 존대의 뜻을 나타내는 조사.
No hay expresión equivalente
Posposición con la que se expresa respeto a alguien que merece tratamiento honorífico.

• **손님 (sustantivo)** : (높임말로) 여관이나 음식점 등의 가게에 찾아온 사람.
cliente
(TRATAMIENTO HONORÍFICO) Persona que visita un establecimiento como un hostal o un restaurante.

• **탈의실 (sustantivo)** : 옷을 벗거나 갈아입는 방.
probador, vestuario, cambiador
Habitación en donde se cambia o se desviste la ropa.

• **은** : 문장 속에서 어떤 대상이 화제임을 나타내는 조사.
No hay expresión equivalente
Posposición que se usa para indicar que cierto objeto es tópico en la oración.

• **이쪽 (pronombre)** : 말하는 사람에게 가까운 곳이나 방향을 가리키는 말.
aquí
Palabra que se usa para señalar un lugar o una dirección cercana al hablante.

• 이다 : 주어가 지시하는 대상의 속성이나 부류를 지정하는 뜻을 나타내는 서술격 조사.

No hay expresión equivalente

Posposición de caso atributivo, que se usa para designar el atributo o la clase del objeto al que se refiere el sujeto.

• -ㅂ니다 : (아주높임으로) 현재의 동작이나 상태, 사실을 정중하게 설명함을 나타내는 종결 어미.

No hay expresión equivalente

(TRATAMIENTO HONORÍFICO MÁXIMO) Desinencia de terminación que se usa cuando se explica cortésmente una acción, un estado, o un hecho del presente.

< 대화(diálogo) > - 78

많이 취하신 거 같아요. 제가 택시 잡아 드릴게요.
마니 취하신 거 가타요. 제가 택씨 자바 드릴께요.
mani chwihasin geo gatayo. jega taeksi jaba deurilgeyo.

괜찮아요. 좀 걷다가 지하철 타고 가면 됩니다.
괜차나요. 좀 걷따가 지하철 타고 가면 됨니다.
gwaenchanayo. jom geotdaga jihacheol tago gamyeon doemnida.

< 설명(explicación) / 번역(traducción) >

많이 <u>취하</u>+시+[<u>ㄴ 것(거) 같</u>]+아요.
취하신 거 같아요

제+가 택시 <u>잡</u>+[<u>아 드리</u>]+ㄹ게요.
잡아 드릴게요

- **많이 (adverbio)** : 수나 양, 정도 등이 일정한 기준보다 넘게.
  mucho, abundantemente, copiosamente
  Más de un determinado número, cantidad o nivel de referencia.

- **취하다 (verbo)** : 술이나 약 등의 기운으로 정신이 흐려지고 몸을 제대로 움직일 수 없게 되다.
  estar borracho, estar ebrio, estar intoxicado, estar adicto
  No poder mover debidamente el cuerpo y tener la mente borrosa por influencia del alcohol o un fármaco.

- **-시-** : 어떤 동작이나 상태의 주체를 높이는 뜻을 나타내는 어미.
  No hay expresión equivalente
  Desinencia que se usa para dar un tratamiento honorífico al agente de una acción verbal o de un determinado estado.

- **-ㄴ 것 같다** : 추측을 나타내는 표현.
  No hay expresión equivalente
  Expresión que se usa a la hora de conjeturar algo.

• -아요 : (두루높임으로) 어떤 사실을 서술하거나 질문, 명령, 권유함을 나타내는 종결 어미.
No hay expresión equivalente
(TRATAMIENTO HONORÍFICO GENERAL) Desinencia de terminación que se usa cuando se describe cierto hecho; o pregunta, ordena o reclama algo. **<narración>**

• 제 (pronombre) : 말하는 사람이 자신을 낮추어 가리키는 말인 '저'에 조사 '가'가 붙을 때의 형태.
yo
Forma que toma '저' -palabra que usa el hablante para referirse a sí mismo en tono de humildad- cuando va antecedida de la posposición '가'.

• 가 : 어떤 상태나 상황에 놓인 대상이나 동작의 주체를 나타내는 조사.
No hay expresión equivalente
Posposición que se usa para indicar el objeto de cierto estado o situación o el agente de un movimiento.

• 택시 (sustantivo) : 돈을 받고 손님이 원하는 곳까지 태워 주는 일을 하는 승용차.
taxi
Vehículo que lleva a los pasajeros hasta su destino a cambio de dinero.

• 잡다 (verbo) : 자동차 등을 타기 위하여 세우다.
tomar, parar
Hacer que se detenga un vehículo para subirse en él.

• -아 드리다 : (높임말로) 남을 위해 앞의 말이 나타내는 행동을 함을 나타내는 표현.
No hay expresión equivalente
(TRATAMIENTO HONORÍFICO) Expresión que indica la realización de una acción que representa el comentario anterior para una persona a quien se le da un trato respetuoso.

• -ㄹ게요 : (두루높임으로) 말하는 사람이 어떤 행동을 할 것을 듣는 사람에게 약속하거나 의지를 나타내는 표현.
No hay expresión equivalente
(TRATAMIENTO HONORÍFICO GENERAL) Expresión que se usa para prometer o anunciar al oyente una acción que realizará el hablante.

괜찮+아요.

좀 걷+다가 지하철 타+고 가+[면 되]+ㅂ니다.
                    가면 됩니다

• 괜찮다 (adjetivo) : 별 문제가 없다.
estar bien, no importar, no haber problema
Que no hay problema.

• -아요 : (두루높임으로) 어떤 사실을 서술하거나 질문, 명령, 권유함을 나타내는 종결 어미.
No hay expresión equivalente
(TRATAMIENTO HONORÍFICO GENERAL) Desinencia de terminación que se usa cuando se describe cierto hecho; o pregunta, ordena o reclama algo. <narración>

• 좀 (adverbio) : 시간이 짧게.
en corto tiempo
En corto tiempo.

• 걷다 (verbo) : 바닥에서 발을 번갈아 떼어 옮기면서 움직여 위치를 옮기다.
andar
Despegar intercaladamente un pie y luego otro del suelo.

• -다가 : 어떤 행동이나 상태 등이 중단되고 다른 행동이나 상태로 바뀜을 나타내는 연결 어미.
No hay expresión equivalente
Desinencia conectora que se usa cuando se suspende cierta acción o estado se suspende y se convierte en otra acción o estado.

• 지하철 (sustantivo) : 지하 철도로 다니는 전동차.
metro, subte
Vehículo eléctrico que anda por vías férreas subterráneas.

• 타다 (verbo) : 탈것이나 탈것으로 이용하는 짐승의 몸 위에 오르다.
montar, subir, andar
Subir a algún juego o al cuerpo de un animal que se usa como transporte.

• -고 : 앞의 말이 나타내는 행동이나 그 결과가 뒤에 오는 행동이 일어나는 동안에 그대로 지속됨을 나타내는 연결 어미.
No hay expresión equivalente
Desinencia conectora que se usa cuando la acción y su resultado que indica la palabra anterior siguen igual que durante el desarrollo de la acción que viene después.

• 가다 (verbo) : 한 곳에서 다른 곳으로 장소를 이동하다.
Ir
Trasladarse de un lugar a otro.

• -면 되다 : 조건이 되는 어떤 행동을 하거나 어떤 상태만 갖추어지면 문제가 없거나 충분함을 나타내는 표현.
No hay expresión equivalente
Expresión que indica la realización de una acción que sirve de condición o muestra de que no hay problema o es suficiente con que se llegue a cierto nivel.

• -ㅂ니다 : (아주높임으로) 현재의 동작이나 상태, 사실을 정중하게 설명함을 나타내는 종결 어미.
No hay expresión equivalente
(TRATAMIENTO HONORÍFICO MÁXIMO) Desinencia de terminación que se usa cuando se explica cortésmente una acción, un estado, o un hecho del presente.

< 대화(diálogo) > - 79

책상 위에 있는 쓰레기 같은 것들은 좀 치워 버려라.
책쌍 위에 인는 쓰레기 가튼 걷뜨른 좀 치워 버려라.
chaeksang wie inneun sseuregi gateun geotdeureun jom chiwo beoryeora.

아냐. 다 필요한 것들이니까 버리면 안 돼.
아냐. 다 피료한 걷뜨리니까 버리면 안 돼.
anya. da piryohan geotdeurinikka beorimyeon an dwae.

< 설명(explicación) / 번역(traducción) >

책상 위+에 있+는 쓰레기 같+[은 것]+들+은 좀 치우+[어 버리]+어라.
치워 버려라

- **책상 (sustantivo)** : 책을 읽거나 글을 쓰거나 사무를 볼 때 앞에 놓고 쓰는 상.
  escritorio
  Mesa que se utiliza para leer libros, escribir o realizar tareas.

- **위 (sustantivo)** : 어떤 것의 겉면이나 평평한 표면.
  arriba, superficie
  Parte exterior de algo o superficie llana.

- **에** : 앞말이 어떤 장소나 자리임을 나타내는 조사.
  No hay expresión equivalente
  Posposición que se usa cuando la palabra anterior indica cierto lugar o sitio.

- **있다 (adjetivo)** : 무엇이 어떤 곳에 자리나 공간을 차지하고 존재하는 상태이다.
  existente
  Que ocupa o se halla algo en cierto lugar o espacio.

- **-는** : 앞의 말이 관형어의 기능을 하게 만들고 사건이나 동작이 현재 일어남을 나타내는 어미.
  No hay expresión equivalente
  Desinencia que hace que la palabra antecedente ejerza la función de un componente determinante, e indica que un suceso o una acción se produce en el presente.

- **쓰레기 (sustantivo)** : 쓸어 낸 먼지, 또는 못 쓰게 되어 내다 버릴 물건이나 내다 버린 물건.
  basura, barreduras, residuos
  Desperdicios que se recogen cuando se barre, o materiales u objetos inservibles desechados o a desechar.

- **같다 (adjetivo)** : 무엇과 비슷한 종류에 속해 있음을 나타내는 말.
  como
  Se usa para denotar que pertenecen a una clase similar.

- **-은 것** : 명사가 아닌 것을 문장에서 명사처럼 쓰이게 하거나 '이다' 앞에 쓰일 수 있게 할 때 쓰는 표현.
  No hay expresión equivalente
  Expresión que se usa para hacer que una palabra que no es sustantivo sea utilizada como tal en una oración, o para hacer que se use delante de '이다'.

- **들** : '복수'의 뜻을 더하는 접미사.
  No hay expresión equivalente
  Sufijo que añade el significado de 'plural'.

- **은** : 문장 속에서 어떤 대상이 화제임을 나타내는 조사.
  No hay expresión equivalente
  Posposición que se usa para indicar que cierto objeto es tópico en la oración.

- **좀 (adverbio)** : 주로 부탁이나 동의를 구할 때 부드러운 느낌을 주기 위해 넣는 말.
  por favor
  Palabra que generalmente se añade para dar sensación de suavidad al pedir un favor o apoyo.

- **치우다 (verbo)** : 청소하거나 정리하다.
  remover, limpiar, ordenar
  Limpiar y poner en orden.

- **-어 버리다** : 앞의 말이 나타내는 행동이 완전히 끝났음을 나타내는 표현.
  No hay expresión equivalente
  Expresión que indica que la acción que indica el comentario anterior ha finalizado completamente.

- **-어라** : (아주낮춤으로) 명령을 나타내는 종결 어미.
  No hay expresión equivalente
  (TRATAMIENTO DE MODESTIA MÁXIMA) Desinencia de terminación que se usa cuando se mandan órdenes

<u>아니야</u>.
아냐

다 <u>필요하</u>+[ㄴ 것]+들+이+니까 <u>버리</u>+[면 안 되]+어.
　　필요한 것들이니까　　　　버리면 안 돼

• **아니야 (interjección)** : 묻는 말에 대하여 강조하며, 또는 단호하게 부정하며 대답할 때 쓰는 말.
¡no!
Interjección que se usa para negar con énfasis o dar una respuesta negativa rotunda a una pregunta.

• **다 (adverbio)** : 남거나 빠진 것이 없이 모두.
todo
Enteramente, sin falta alguna.

• **필요하다 (adjetivo)** : 꼭 있어야 하다.
necesario
Que tiene que haber sin falta.

• **-ㄴ 것** : 명사가 아닌 것을 문장에서 명사처럼 쓰이게 하거나 '이다' 앞에 쓰일 수 있게 할 때 쓰는 표현.
No hay expresión equivalente
Expresión que posibilita que, en una oración, sea usado como sustantivo algo que no es, o se anteponga a '이다'.

• **들** : '복수'의 뜻을 더하는 접미사.
No hay expresión equivalente
Sufijo que añade el significado de 'plural'.

• **이다** : 주어가 지시하는 대상의 속성이나 부류를 지정하는 뜻을 나타내는 서술격 조사.
No hay expresión equivalente
Posposición de caso atributivo, que se usa para designar el atributo o la clase del objeto al que se refiere el sujeto.

• **-니까** : 뒤에 오는 말에 대하여 앞에 오는 말이 원인이나 근거, 전제가 됨을 강조하여 나타내는 연결 어미.
No hay expresión equivalente
Desinencia conectora que se usa cuando la palabra anterior es una causa, fundamento o premisa de la palabra posterior.

• **버리다 (verbo)** : 가지고 있을 필요가 없는 물건을 내던지거나 쏟거나 하다.
tirar, arrojar, botar, verter, echar
Tirar o desechar cosas innecesarias.

• -면 안 되다 : 어떤 행동이나 상태를 금지하거나 제한함을 나타내는 표현.
No hay expresión equivalente
Expresión que indica prohibición o limitación de una acción o una situación.

• -어 : (두루낮춤으로) 어떤 사실을 서술하거나 물음, 명령, 권유를 나타내는 종결 어미.
No hay expresión equivalente
(TRATAMIENTO DE MODESTIA GENERAL) Desinencia de terminación que se usa cuando se describe cierto hecho; o pregunta, ordena o reclama algo. **<narración>**

< 대화(diálogo) > - 80

좋은 일 있었나 봐? 기분이 좋아 보이네.
조은 일 이썬나 봐? 기부니 조아 보이네.
joeun il isseonna bwa? gibuni joa boine.

아, 어제 남자 친구한테 반지를 선물로 받았거든요.
아, 어제 남자 친구한테 반지를 선물로 바닫꺼드뇨.
a, eoje namja chinguhante banjireul seonmullo badatgeodeunyo.

< 설명(explicación) / 번역(traducción) >

좋+은 일 있+었+[나 보]+아?
　　　　　　있었나 봐

기분+이 좋+[아 보이]+네.

- **좋다 (adjetivo)** : 어떤 일이나 대상이 마음에 들고 만족스럽다.
  conforme
  Que un hecho o una persona es agradable y satisface.

- **-은** : 앞의 말이 관형어의 기능을 하게 만들고 현재의 상태를 나타내는 어미.
  No hay expresión equivalente
  Desinencia que hace que la palabra antecedente ejerza la función de un componente determinante, e indica que el estado del presente.

- **일 (sustantivo)** : 어떤 내용을 가진 상황이나 사실.
  cosa, hecho
  Circunstancia o verdad con cierto contexto.

- **있다 (adjetivo)** : 어떤 사람에게 무슨 일이 생긴 상태이다.
  existente
  Que le ha ocurrido algo a alguien.

- **-었-** : 사건이 과거에 일어났음을 나타내는 어미.
  No hay expresión equivalente
  Desinencia que se usa cuando indica que el suceso ocurrió en el pasado.

- -나 보다 : 앞의 말이 나타내는 사실을 추측함을 나타내는 표현.

  No hay expresión equivalente

  Expresión que se usa para mostrar que el hablante está suponiendo un acto o estado que representa el comentario anterior.

- -아 : (두루낮춤으로) 어떤 사실을 서술하거나 물음, 명령, 권유를 나타내는 종결 어미.

  No hay expresión equivalente

  (TRATAMIENTO DE MODESTIA GENERAL) Desinencia de terminación que se usa cuando se describe cierto hecho; o pregunta, ordena o reclama algo. <pregunta>

- **기분 (sustantivo)** : 불쾌, 유쾌, 우울, 분노 등의 감정 상태.

  estado de ánimo, humor

  Disposición de ánimo que se manifiesta en estados como ofensa, alegría, tristeza o enojo.

- 이 : 어떤 상태나 상황의 대상이나 동작의 주체를 나타내는 조사.

  No hay expresión equivalente

  Posposición que se usa para indicar el objeto de cierto estado o situación o el agente de un movimiento.

- **좋다 (adjetivo)** : 감정 등이 기쁘고 흐뭇하다.

  bueno

  Que está complacido y contento emocionalmente.

- -아 보이다 : 겉으로 볼 때 앞의 말이 나타내는 것처럼 느껴지거나 추측됨을 나타내는 표현.

  No hay expresión equivalente

  Expresión que indica que externamente, puede sentir o especular lo que quiere decir el comentario anterior.

- -네 : (아주낮춤으로) 지금 깨달은 일에 대하여 말함을 나타내는 종결 어미.

  No hay expresión equivalente

  (TRATAMIENTO DE MODESTIA MÁXIMA) Desinencia de terminación que se usa cuando se habla de lo que se ha enterado ahora.

아, 어제 남자 친구+한테 반지+를 선물+로 받+았+거든요.

- **아 (interjección)** : 기쁨이나 감동의 느낌을 나타낼 때 내는 소리.

  ¡ah!

  Interjección que se usa para expresar sentimientos como alegría o emoción.

- **어제 (adverbio)** : 오늘의 하루 전날에.

  ayer

  En el día que precede al de hoy.

• **남자 친구 (sustantivo)** : 여자가 사랑하는 감정을 가지고 사귀는 남자.
novio
Hombre con quien una mujer mantiene una relación amorosa.

• **한테** : 어떤 행동의 주체이거나 비롯되는 대상임을 나타내는 조사.
No hay expresión equivalente
Posposición usada para referirse al agente de una acción o la fuente o causa de tal acción.

• **반지 (sustantivo)** : 손가락에 끼는 동그란 장신구.
anillo, sortija
Accesorio en forma de aro que se lleva en los dedos.

• **를** : 동작이 직접적으로 영향을 미치는 대상을 나타내는 조사.
No hay expresión equivalente
Posposición que indica el objeto que influye directamente en la acción.

• **선물 (sustantivo)** : 고마움을 표현하거나 어떤 일을 축하하기 위해 다른 사람에게 물건을 줌. 또는 그
물건.
regalamiento, regalo
Acción de dar algo a alguien como expresión de agradecimiento o en ocasión del festejo de algún suceso, u objeto de esta naturaleza.

• **로** : 신분이나 자격을 나타내는 조사.
No hay expresión equivalente
Posposición que indica la posición social o la facultad de alguien.

• **받다 (verbo)** : 다른 사람이 주거나 보내온 것을 가지다.
recibir, percibir, obtener, aceptar, tomar, coger
Tomar alguien lo que le dan o le envían otras personas.

• **-았-** : 사건이 과거에 일어났음을 나타내는 어미.
No hay expresión equivalente
Desinencia que se usa para mostrar que el suceso ocurrió en el pasado.

• **-거든요** : (두루높임으로) 앞의 내용에 대해 말하는 사람이 생각한 이유나 원인, 근거를 나타내는 표현.
No hay expresión equivalente
(TRATAMIENTO HONORÍFICO GENERAL) Expresión que se usa cuando el hablante quiere mostrar su propia opinión sobre la causa o el fundamento de lo que se ha dicho en el comentario anterior de la cláusula.

< 대화(diálogo) > - 81

저는 한국에 온 지 일 년쯤 됐어요.
저는 한구게 온 지 일 년쯤 돼써요.
jeoneun hanguge on ji il nyeonjjeum dwaesseoyo.

일 년밖에 안 됐는데도 한국어를 정말 잘하시네요.
일 년바께 안 됀는데도 한구거를 정말 잘하시네요.
il nyeonbakke an dwaenneundedo hangugeoreul jeongmal jalhasineyo.

< 설명(explicación) / 번역(traducción) >

저+는 한국+에 <u>오+[ㄴ 지]</u> 일 년+쯤 <u>되+었+어요</u>.
　　　　　　　온 지　　　　　　　　됐어요

- **저 (pronombre)** : 말하는 사람이 듣는 사람에게 자신을 낮추어 가리키는 말.
  yo
  Palabra que usa el hablante delante del oyente con tono de humildad.

- **는** : 문장 속에서 어떤 대상이 화제임을 나타내는 조사.
  No hay expresión equivalente
  Posposición que muestra que el referente es el tópico de una oración.

- **한국 (sustantivo)** : 아시아 대륙의 동쪽에 있는 나라. 한반도와 그 부속 섬들로 이루어져 있으며, 대한 민국이라고도 부른다. 1950년에 일어난 육이오 전쟁 이후 휴전선을 사이에 두고 국 토가 둘로 나뉘었다. 언어는 한국어이고, 수도는 서울이다.
  Corea, Corea del Sur
  País situado al este del continente asiático. Está compuesto por la península coreana y las islas colindantes, y también es conocido por el nombre de Daehanminguk. Permanece dividido en dos por la línea de armisticio desde la Guerra de Corea, que estalló en 1950. Su idioma oficial es el coreano y su capital es Seúl.

- **에** : 앞말이 목적지이거나 어떤 행위의 진행 방향임을 나타내는 조사.
  No hay expresión equivalente
  Posposición que se usa cuando la palabra anterior indica el destino o la dirección de avance de cierta acción.

• 오다 (verbo) : 무엇이 다른 곳에서 이곳으로 움직이다.
venir, llegar
Trasladarse de otro lugar a donde está la persona que habla.

• -ㄴ 지 : 앞의 말이 나타내는 행동을 한 후 시간이 얼마나 지났는지를 나타내는 표현.
No hay expresión equivalente
Expresión que se usa para mostrar cuánto tiempo ha pasado tras realizarse un acto que muestra el comentario anterior.

• 일 (determinante) : 하나의.
No hay expresión equivalente
Uno.

• 년 (sustantivo) : 한 해를 세는 단위.
año
Unidad de conteo de años.

• 쯤 : '정도'의 뜻을 더하는 접미사.
No hay expresión equivalente
Sufijo que añade el significado de 'nivel'.

• 되다 (verbo) : 어떤 때나 시기, 상태에 이르다.
llegar
Alcanzar o acercarse cierto tiempo, momento, período, etc.

• -었- : 어떤 사건이 과거에 완료되었거나 그 사건의 결과가 현재까지 지속되는 상황을 나타내는 어미.
No hay expresión equivalente
Desinencia que se usa cuando cierto suceso fue acabado en el pasado o cuando el resultado de ese suceso continúa hasta el presente.

• -어요 : (두루높임으로) 어떤 사실을 서술하거나 질문, 명령, 권유함을 나타내는 종결 어미.
No hay expresión equivalente
(TRATAMIENTO HONORÍFICO GENERAL) Desinencia de terminación que se usa cuando se describe cierto hecho; o pregunta, ordena o reclama algo. **<narración>**

일 년+밖에 안 되+었+는데도 한국어+를 정말 잘하+시+네요.
됐는데도

• 일 (determinante) : 하나의.
No hay expresión equivalente
Uno.

- **년 (sustantivo)** : 한 해를 세는 단위.
  año
  Unidad de conteo de años.

- **밖에** : '그것을 제외하고는', '그것 말고는'의 뜻을 나타내는 조사.
  No hay expresión equivalente
  Posposición que muestra la significación de 'excluyendo eso' o 'a excepción de eso'.

- **안 (adverbio)** : 부정이나 반대의 뜻을 나타내는 말.
  no
  Palabra que expresa negación u oposición.

- **되다 (verbo)** : 어떤 때나 시기, 상태에 이르다.
  llegar
  Alcanzar o acercarse cierto tiempo, momento, período, etc.

- **-었-** : 어떤 사건이 과거에 완료되었거나 그 사건의 결과가 현재까지 지속되는 상황을 나타내는 어미.
  No hay expresión equivalente
  Desinencia que se usa cuando cierto suceso fue acabado en el pasado o cuando el resultado de ese suceso continúa hasta el presente.

- **-는데도** : 앞에 오는 말이 나타내는 상황에 상관없이 뒤에 오는 말이 나타내는 상황이 일어남을 나타내는 표현.
  No hay expresión equivalente
  Expresión que indica que ha surgido algo posteriormente que no tiene relación con lo anterior.

- **한국어 (sustantivo)** : 한국에서 사용하는 말.
  idioma coreano, lengua coreana
  Idioma que se usa en Corea.

- **를** : 동작이 직접적으로 영향을 미치는 대상을 나타내는 조사.
  No hay expresión equivalente
  Posposición que indica el objeto que influye directamente en la acción.

- **정말 (adverbio)** : 거짓이 없이 진짜로.
  verdaderamente, realmente
  De verdad, sin falsedad.

- **잘하다 (verbo)** : 익숙하고 솜씨가 있게 하다.
  hacer bien
  Hacer hábilmente e ingeniosamente.

• -시- : 어떤 동작이나 상태의 주체를 높이는 뜻을 나타내는 어미.

No hay expresión equivalente

Desinencia que se usa para dar un tratamiento honorífico al agente de una acción verbal o de un determinado estado.

• -네요 : (두루높임으로) 말하는 사람이 직접 경험하여 새롭게 알게 된 사실에 대해 감탄함을 나타낼 때 쓰는 표현.

No hay expresión equivalente

(TRATAMIENTO HONORÍFICO GENERAL) Expresión que se usa para mostrar que el hablante presenta una emoción sobre algo nuevo que se acaba de conocer por haberlo experimentado directamente.

< 대화(diálogo) > - 82

지우가 결혼하더니 많이 밝아졌지?
지우가 결혼하더니 마니 발가젿찌?
jiuga gyeolhonhadeoni mani balgajeotji?

맞아. 지우를 십 년 동안 봐 왔지만 요새처럼 행복해 보일 때가 없었어.
마자. 지우를 십 년 동안 봐 왇찌만 요새처럼 행보캐 보일 때가 업써써.
maja. jiureul sip nyeon dongan bwa watjiman yosaecheoreom haengbokae boil ttaega eopseosseo.

< 설명(explicación) / 번역(traducción) >

지우+가 결혼하+더니 많이 밝아지+었+지?
밝아졌지

- **지우 (sustantivo)** : nombre de una persona

- **가** : 어떤 상태나 상황에 놓인 대상이나 동작의 주체를 나타내는 조사.
  No hay expresión equivalente
  Posposición que se usa para indicar el objeto de cierto estado o situación o el agente de un movimiento.

- **결혼하다 (verbo)** : 남자와 여자가 법적으로 부부가 되다.
  casarse
  Convertirse un hombre y una mujer en cónyuges legales.

- **-더니** : 과거의 사실이나 상황에 뒤이어 어떤 사실이나 상황이 일어남을 나타내는 연결 어미.
  No hay expresión equivalente
  Desinencia conectora que se usa cuando sucede cierto hecho o circunstancia tras ocurrir hechos o circunstancias pasados.

- **많이 (adverbio)** : 수나 양, 정도 등이 일정한 기준보다 넘게.
  mucho, abundantemente, copiosamente
  Más de un determinado número, cantidad o nivel de referencia.

- **밝아지다 (verbo)** : 밝게 되다.
  iluminarse, clarearse, alegrarse, alumbrarse, aclararse
  Llegar a alumbrarse.

• -었- : 어떤 사건이 과거에 완료되었거나 그 사건의 결과가 현재까지 지속되는 상황을 나타내는 어미.
No hay expresión equivalente
Desinencia que se usa cuando cierto suceso fue acabado en el pasado o cuando el resultado de ese suceso continúa hasta el presente.

• -지 : (두루낮춤으로) 이미 알고 있는 것을 다시 확인하듯이 물을 때 쓰는 종결 어미.
No hay expresión equivalente
(TRATAMIENTO DE MODESTIA GENERAL) Desinencia de terminación que se usa cuando se interroga algo como si reconfirmara lo que ya se sabe.

맞+아.

지우+를 십 년 동안 보+[아 오]+았+지만
봐 왔지만

요새+처럼 행복하+[여 보이]+[ㄹ 때]+가 없+었+어.
행복해 보일 때가

• 맞다 (verbo) : 그렇거나 옳다.
acertarse
Hacerse una cosa conforme a la razón.

• -아 : (두루낮춤으로) 어떤 사실을 서술하거나 물음, 명령, 권유를 나타내는 종결 어미.
No hay expresión equivalente
(TRATAMIENTO DE MODESTIA GENERAL) Desinencia de terminación que se usa cuando se describe cierto hecho; o pregunta, ordena o reclama algo. **<narración>**

• 지우 (sustantivo) : nombre de una persona

• 를 : 동작이 간접적인 영향을 미치는 대상이나 목적임을 나타내는 조사.
No hay expresión equivalente
Posposición que indica el objeto o el objetivo que influye indirectamente la acción.

• 십 (determinante) : 열의.
No hay expresión equivalente
diez

• 년 (sustantivo) : 한 해를 세는 단위.
año
Unidad de conteo de años.

• **동안 (sustantivo)** : 한때에서 다른 때까지의 시간의 길이.
periodo, duración, intervalo
Duración del tiempo transcurrido entre un momento y otro.

• **보다 (verbo)** : 사람을 만나다.
ver, encontrarse
Encontrarse con una persona.

• **-아 오다** : 앞의 말이 나타내는 행동이나 상태가 어떤 기준점으로 가까워지면서 계속 진행됨을 나타내는 표현.
No hay expresión equivalente
Expresión que indica la sucesiva continuación de una acción o un estado que indica el comentario anterior, a medida que se acerca a su objetivo.

• **-았-** : 어떤 사건이 과거에 완료되었거나 그 사건의 결과가 현재까지 지속되는 상황을 나타내는 어미.
No hay expresión equivalente
Desinencia que se usa cuando cierto suceso fue acabado en el pasado o cuando el resultado de ese suceso continúa hasta el presente.

• **-지만** : 앞에 오는 말을 인정하면서 그와 반대되거나 다른 사실을 덧붙일 때 쓰는 연결 어미.
No hay expresión equivalente
Desinencia conectora que se usa cuando alguien acepta el contenido anterior pero agrega otro hecho o un hecho contario a él.

• **요새 (sustantivo)** : 얼마 전부터 이제까지의 매우 짧은 동안.
recientemente
Corto tiempo desde hace poco hasta ahora.

• **처럼** : 모양이나 정도가 서로 비슷하거나 같음을 나타내는 조사.
como, al igual que, de modo que, de manera que
Posposición que representa igualdad o similitud de la forma o de un estado.

• **행복하다 (adjetivo)** : 삶에서 충분한 만족과 기쁨을 느껴 흐뭇하다.
feliz, alegre, satisfecho
Que siente la alegría que viene de suficiente satisfacción o goce en la vida.

• **-여 보이다** : 겉으로 볼 때 앞의 말이 나타내는 것처럼 느껴지거나 추측됨을 나타내는 표현.
No hay expresión equivalente
Expresión que indica que externamente, puede sentir o especular lo que quiere decir el comentario anterior.

• -ㄹ 때 : 어떤 행동이나 상황이 일어나는 동안이나 그 시기 또는 그러한 일이 일어난 경우를 나타내는
　　　　표현.
No hay expresión equivalente
Expresión que indica el surgimiento de un mismo hecho o de algo en un mismo tiempo, mientras surge alguna situación o se realiza alguna acción.

• 가 : 어떤 행동이나 상황이 일어나는 동안이나 그 시기 또는 그러한 일이 일어난 경우를 나타내는 표현.
No hay expresión equivalente
Posposición que se usa para indicar el objeto de cierto estado o situación o el agente de un movimiento.

• **없다 (adjetivo)** : 어떤 사실이나 현상이 현실로 존재하지 않는 상태이다.
inexistente, irreal
Que una verdad o un fenómeno no existe en la realidad.

• -었- : 사건이 과거에 일어났음을 나타내는 어미.
No hay expresión equivalente
Desinencia que se usa cuando indica que el suceso ocurrió en el pasado.

• -어 : (두루낮춤으로) 어떤 사실을 서술하거나 물음, 명령, 권유를 나타내는 종결 어미.
No hay expresión equivalente
(TRATAMIENTO DE MODESTIA GENERAL) Desinencia de terminación que se usa cuando se describe cierto hecho; o pregunta, ordena o reclama algo. **<narración>**

< 대화(diálogo) > - 83

나는 먼저 가 있을 테니까 너도 빨리 와.
나는 먼저 가 이쏠 테니까 너도 빨리 와.
naneun meonjeo ga isseul tenikka neodo ppalli wa.

응. 알았어. 금방 따라갈게.
응. 아라써. 금방 따라갈께.
eung. arasseo. geumbang ttaragalge.

< 설명(explicación) / 번역(traducción) >

나+는 먼저 가+[(아) 있]+[을 테니까] 너+도 빨리 오+아.
        가 있을 테니까   와

- 나 (pronombre) : 말하는 사람이 친구나 아랫사람에게 자기를 가리키는 말.
  yo
  Pronombre que usa el hablante para referirse a sí mismo ante alguien de edad igual o menor.

- 는 : 어떤 대상이 다른 것과 대조됨을 나타내는 조사.
  No hay expresión equivalente
  Posposición que indica que el referente contrasta con otro.

- 먼저 (adverbio) : 시간이나 순서에서 앞서.
  primero, primeramente, antes
  Por adelantado en tiempo u orden.

- 가다 (verbo) : 한 곳에서 다른 곳으로 장소를 이동하다.
  Ir
  Trasladarse de un lugar a otro.

- -아 있다 : 앞의 말이 나타내는 상태가 계속됨을 나타내는 표현.
  No hay expresión equivalente
  Expresión que indica la continuación del estado que indica el comentario anterior.

• -을 테니까 : 뒤에 오는 말에 대한 조건임을 강조하여 앞에 오는 말에 대한 말하는 사람의 의지를 나타
　　　　　내는 표현.
No hay expresión equivalente
Expresión que indica la voluntad del hablante sobre un trabajo o una acción, siendo una condición sobre el comentario que sigue posteriormente.

• 너 (pronombre) : 듣는 사람이 친구나 아랫사람일 때, 그 사람을 가리키는 말.
tú, vos
Pronombre que designa al oyente cuando éste es de la misma edad o menor que el hablante.

• 도 : 이미 있는 어떤 것에 다른 것을 더하거나 포함함을 나타내는 조사.
No hay expresión equivalente
Posposición que añade o incluye algo a cierta cosa ya existente.

• 빨리 (adverbio) : 걸리는 시간이 짧게.
rápidamente, ágilmente
Demorando poco tiempo.

• 오다 (verbo) : 무엇이 다른 곳에서 이곳으로 움직이다.
venir, llegar
Trasladarse de otro lugar a donde está la persona que habla.

• -아 : (두루낮춤으로) 어떤 사실을 서술하거나 물음, 명령, 권유를 나타내는 종결 어미.
No hay expresión equivalente
(TRATAMIENTO DE MODESTIA GENERAL) Desinencia de terminación que se usa cuando se describe cierto hecho; o pregunta, ordena o reclama algo. **<orden>**

응.

알+았+어.

금방 **따라가**+ㄹ게.
　　　따라갈게

• 응 (interjección) : 상대방의 물음이나 명령 등에 긍정하여 대답할 때 쓰는 말.
¡sí!
Interjección que se usa para contestar afirmativamente la pregunta o la orden de otra persona.

· **알다 (verbo)** : 상대방의 어떤 명령이나 요청에 대해 그대로 하겠다는 동의의 뜻을 나타내는 말.
acordar, coincidir
Palabra para expresar consenso sobre una petición o una orden de la contraparte.

· **-았-** : 어떤 사건이 과거에 완료되었거나 그 사건의 결과가 현재까지 지속되는 상황을 나타내는 어미.
No hay expresión equivalente
Desinencia que se usa cuando cierto suceso fue acabado en el pasado o cuando el resultado de ese suceso continúa hasta el presente.

· **-어** : (두루낮춤으로) 어떤 사실을 서술하거나 물음, 명령, 권유를 나타내는 종결 어미.
No hay expresión equivalente
(TRATAMIENTO DE MODESTIA GENERAL) Desinencia de terminación que se usa cuando se describe cierto hecho; o pregunta, ordena o reclama algo. **<narración>**

· **금방 (adverbio)** : 시간이 얼마 지나지 않아 곧바로.
en seguida, pronto, dentro de poco, inmediatamente
Inmediatamente, sin que transcurra mucho tiempo.

· **따라가다 (verbo)** : 앞에서 가는 것을 뒤에서 그대로 쫓아가다.
seguir
Ir detrás de otro.

· **-ㄹ게** : (두루낮춤으로) 말하는 사람이 어떤 행동을 할 것을 듣는 사람에게 약속하거나 의지를 나타내는 종결 어미.
No hay expresión equivalente
(TRATAMIENTO DE MODESTIA GENERAL) Desinencia de terminación que se usa cuando el hablante promete o informa al oyente que efectuará cierta acción.

< 대화(diálogo) > - 84

오늘 정말 잘 먹고 갑니다. 초대해 주셔서 감사합니다.
오늘 정말 잘 먹꼬 감니다. 초대해 주셔서 감사함니다.
oneul jeongmal jal meokgo gamnida. chodaehae jusyeoseo gamsahamnida.

아니에요. 바쁜데 이렇게 먼 곳까지 와 줘서 고마워요.
아니에요. 바쁜데 이러케 먼 곧까지 와 줘서 고마워요.
anieyo. bappeunde ireoke meon gotkkaji wa jwoseo gomawoyo.

< 설명(explicación) / 번역(traducción) >

오늘 정말 잘 먹+고 <u>가+ㅂ니다</u>.
갑니다

<u>초대하</u>+[여 주]+시+어서 <u>감사하</u>+ㅂ니다.
초대해 주셔서   감사합니다

• 오늘 (adverbio) : 지금 지나가고 있는 이날에.
  hoy
  En este preciso día que está transcurriendo.

• 정말 (adverbio) : 거짓이 없이 진짜로.
  verdaderamente, realmente
  De verdad, sin falsedad.

• 잘 (adverbio) : 충분히 만족스럽게.
  bien
  Suficientemente satisfactorio.

• 먹다 (verbo) : 음식 등을 입을 통하여 배 속에 들여보내다.
  comer
  Introducir por boca alimentos, etc. en el estómago.

• -고 : 앞의 말과 뒤의 말이 차례대로 일어남을 나타내는 연결 어미.
  No hay expresión equivalente
  Desinencia conectora que se usa cuando la palabra anterior y la posterior se producen sucesivamente.

• **가다 (verbo)** : 한 곳에서 다른 곳으로 장소를 이동하다.
  Ir
  Trasladarse de un lugar a otro.

• **-ㅂ니다** : (아주높임으로) 현재의 동작이나 상태, 사실을 정중하게 설명함을 나타내는 종결 어미.
  No hay expresión equivalente
  (TRATAMIENTO HONORÍFICO MÁXIMO) Desinencia de terminación que se usa cuando se explica cortésmente una acción, un estado, o un hecho del presente.

• **초대하다 (verbo)** : 다른 사람에게 어떤 자리, 모임, 행사 등에 와 달라고 요청하다.
  invitar
  Comunicar a alguien el deseo de que asista o participe en una celebración, una reunión, o un acontecimiento.

• **-여 주다** : 남을 위해 앞의 말이 나타내는 행동을 함을 나타내는 표현.
  No hay expresión equivalente
  Expresión que indica la realización de una acción que indica el comentario anterior para el bien del otro.

• **-시-** : 어떤 동작이나 상태의 주체를 높이는 뜻을 나타내는 어미.
  No hay expresión equivalente
  Desinencia que se usa para dar un tratamiento honorífico al agente de una acción verbal o de un determinado estado.

• **-어서** : 이유나 근거를 나타내는 연결 어미.
  No hay expresión equivalente
  Desinencia conectora que se usa para indicar causa o fundamento.

• **감사하다 (verbo)** : 고맙게 여기다.
  agradecer
  Sentir gratitud.

• **-ㅂ니다** : (아주높임으로) 현재의 동작이나 상태, 사실을 정중하게 설명함을 나타내는 종결 어미.
  No hay expresión equivalente
  (TRATAMIENTO HONORÍFICO MÁXIMO) Desinencia de terminación que se usa cuando se explica cortésmente una acción, un estado, o un hecho del presente.

아니+에요.

바쁘+ㄴ데 이렇+게 멀+ㄴ 곳+까지 오+[아 주]+어서 고맙(고마우)+어요.
바쁜데   먼   와 줘서   고마워요

• **아니다 (adjetivo)** : 어떤 사실이나 내용을 부정하는 뜻을 나타내는 말.
no
Palabra que denota el significado de negación de un hecho o un contenido.

• **-에요** : (두루높임으로) 어떤 사실을 서술하거나 질문함을 나타내는 종결 어미.
No hay expresión equivalente
(TRATAMIENTO HONORÍFICO GENERAL) Desinencia de terminación que se usa cuando se describe o interroga cierto hecho. <narración>

• **바쁘다 (adjetivo)** : 할 일이 많거나 시간이 없어서 다른 것을 할 여유가 없다.
ocupado, atareado, ajetreado
Que no tiene margen para hacer otra cosa porque tiene mucho trabajo o no dispone de tiempo extra.

• **-ㄴ데** : 뒤의 말을 하기 위하여 그 대상과 관련이 있는 상황을 미리 말함을 나타내는 연결 어미.
No hay expresión equivalente
Desinencia conectora que se usa cuando se habla de antemano una circunstancia relacionada con ese objeto para hablar de la palabra posterior.

• **이렇다 (adjetivo)** : 상태, 모양, 성질 등이 이와 같다.
tal
Dicho del estado, la forma o el carácter de algo: que es como este.

• **-게** : 앞의 말이 뒤에서 가리키는 일의 목적이나 결과, 방식, 정도 등이 됨을 나타내는 연결 어미.
No hay expresión equivalente
Desinencia conectora que se usa cuando la palabra anterior es el objetivo, resultado, método, grado, etc. que indica al posterior.

• **멀다 (adjetivo)** : 두 곳 사이의 떨어진 거리가 길다.
lejos, distante, alejado
Que es larga la distancia entre dos lugares.

• **-ㄴ** : 앞의 말이 관형어의 기능을 하게 만들고 현재의 상태를 나타내는 어미.
No hay expresión equivalente
Desinencia que hace que la palabra antecedente ejerza la función de una palabra determinante, e indica el estado del presente.

• **곳 (sustantivo)** : 일정한 장소나 위치.
lugar, sitio, localización
Ubicación o espacio determinado.

• **까지** : 어떤 범위의 끝임을 나타내는 조사.
No hay expresión equivalente
Posposición que se usa para denotar el término o límite de algo.

• **오다 (verbo)** : 무엇이 다른 곳에서 이곳으로 움직이다.

venir, llegar

Trasladarse de otro lugar a donde está la persona que habla.

• -아 주다 : 남을 위해 앞의 말이 나타내는 행동을 함을 나타내는 표현.

No hay expresión equivalente

Expresión que indica la realización de una acción que indica el comentario anterior para el bien del otro.

• -어서 : 이유나 근거를 나타내는 연결 어미.

No hay expresión equivalente

Desinencia conectora que se usa para indicar causa o fundamento.

• **고맙다 (adjetivo)** : 남이 자신을 위해 무엇을 해주어서 마음이 흐뭇하고 보답하고 싶다.

agradecido

Que está satisfecho uno porque otra persona hizo algo para él y desea devolverle el favor.

• -어요 : (두루높임으로) 어떤 사실을 서술하거나 질문, 명령, 권유함을 나타내는 종결 어미.

No hay expresión equivalente

(TRATAMIENTO HONORÍFICO GENERAL) Desinencia de terminación que se usa cuando se describe cierto hecho; o pregunta, ordena o reclama algo. **<narración>**

< 대화(diálogo) > - 85

백화점에는 왜 다시 가려고?
배콰저메는 왜 다시 가려고?
baekwajeomeneun wae dasi garyeogo?

어제 산 옷이 맞는 줄 알았더니 작아서 교환해야 해.
어제 산 오시 만는 줄 아랃떠니 자가서 교환해야 해.
eoje san osi manneun jul aratdeoni jagaseo gyohwanhaeya hae.

< 설명(explicación) / 번역(traducción) >

백화점+에+는 왜 다시 가+려고?

- **백화점 (sustantivo)** : 한 건물 안에 온갖 상품을 종류에 따라 나누어 벌여 놓고 판매하는 큰 상점.
grandes almacenes
Establecimiento comercial de gran dimensión que contiene y vende dentro de un mismo edificio productos variados clasificados según su tipo.

- **에** : 앞말이 목적지이거나 어떤 행위의 진행 방향임을 나타내는 조사.
No hay expresión equivalente
Posposición que se usa cuando la palabra anterior indica el destino o la dirección de avance de cierta acción.

- **는** : 문장 속에서 어떤 대상이 화제임을 나타내는 조사.
No hay expresión equivalente
Posposición que muestra que el referente es el tópico de una oración.

- **왜 (adverbio)** : 무슨 이유로. 또는 어째서.
por qué, porque
Por qué causa. O el porqué.

- **다시 (adverbio)** : 같은 말이나 행동을 반복해서 또.
otra vez, nuevamente
Otra vez, volviendo a decir o actuar de la misma manera que antes.

- **가다 (verbo)** : 한 곳에서 다른 곳으로 장소를 이동하다.
Ir
Trasladarse de un lugar a otro.

• -려고 : (두루낮춤으로) 어떤 주어진 상황에 대하여 의심이나 반문을 나타내는 종결 어미.
No hay expresión equivalente
(TRATAMIENTO DE MODESTIA GENERAL) Desinencia de terminación que se usa cuando se duda o se replica sobre cierta circunstancia.

어제 <u>사</u>+ㄴ 옷+이 맞+[는 줄] 알+았더니 작+아서 <u>교환하</u>+[여야 하]+여.
　　 산 　　　　　　　　　　　　　　　　　　　　 교환해야 해

• **어제 (adverbio)** : 오늘의 하루 전날에.
ayer
En el día que precede al de hoy.

• **사다 (verbo)** : 돈을 주고 어떤 물건이나 권리 등을 자기 것으로 만들다.
comprar, adquirir, obtener
Apoderarse de cierta cosa o derecho tras pagar el dinero.

• -ㄴ : 앞의 말이 관형어의 기능을 하게 만들고 사건이나 동작이 과거에 일어났음을 나타내는 어미.
No hay expresión equivalente
Desinencia que hace que la palabra antecedente ejerza la función de una palabra determinante, e indica que un suceso o una acción se produjo en el pasado.

• **옷 (sustantivo)** : 사람의 몸을 가리고 더위나 추위 등으로부터 보호하며 멋을 내기 위하여 입는 것.
ropa, prenda, indumentaria
Lo que se viste para cubrir el cuerpo de una persona protegiéndola del frio o calor y para estar a la moda.

• 이 : 어떤 상태나 상황의 대상이나 동작의 주체를 나타내는 조사.
No hay expresión equivalente
Posposición que se usa para indicar el objeto de cierto estado o situación o el agente de un movimiento.

• **맞다 (verbo)** : 크기나 규격 등이 어떤 것과 일치하다.
ajustarse
Estar apretada una cosa en relación con la cantidad o la medida de otra.

• -는 줄 : 어떤 사실이나 상태에 대해 알고 있거나 모르고 있음을 나타내는 표현.
No hay expresión equivalente
Expresión que indica que sabe o no sabe la verdad de lo ocurrido o el método para realizar una tarea.

• **알다 (verbo)** : 어떤 사실을 그러하다고 여기거나 생각하다.
pensar, creer
Considerar o pensar que una verdad es tal como se cree.

• -았더니 : 과거의 사실이나 상황과 다른 새로운 사실이나 상황이 있음을 나타내는 표현.
No hay expresión equivalente
Expresión que indica el surgimiento de una nueva realidad o hecho que es diferente a los del pasado.

• **작다 (adjetivo)** : 정해진 크기에 모자라서 맞지 아니하다.
pequeño, chico
Que no es adecuado por ser insuficiente para el tamaño determinado.

• -아서 : 이유나 근거를 나타내는 연결 어미.
No hay expresión equivalente
Desinencia conectora que se usa para indicar causa o fundamento.

• **교환하다 (verbo)** : 무엇을 다른 것으로 바꾸다.
canjear
Dar o recibir una cosa por otra que la sustituya.

• -여야 하다 : 앞에 오는 말이 어떤 일을 하거나 어떤 상황에 이르기 위한 의무적인 행동이거나 필수적인 조건임을 나타내는 표현.
No hay expresión equivalente
Expresión que indica que el comentario anterior es una condición fundamental o una acción requerida para alcanzar a una situación o para realizar un trabajo.

• -여 : (두루낮춤으로) 어떤 사실을 서술하거나 물음, 명령, 권유를 나타내는 종결 어미.
No hay expresión equivalente
(TRATAMIENTO DE MODESTIA GENERAL) Desinencia de terminación que se usa cuando se describe cierto hecho; o pregunta, ordena o reclama algo. <narración>

< 대화(diálogo) > - 86

물을 계속 틀어 놓은 채 설거지를 하지 마세요.
무를 계속 트러 노은 채 설거지를 하지 마세요.
mureul gesok teureo noeun chae seolgeojireul haji maseyo.

방금 잠갔어요. 앞으로는 헹굴 때만 물을 틀어 놓을게요.
방금 잠가써요. 아프로는 헹굴 때만 무를 트러 노을께요.
banggeum jamgasseoyo. apeuroneun henggul ttaeman mureul teureo noeulgeyo.

< 설명(explicación) / 번역(traducción) >

물+을 계속 틀+[어 놓]+[은 채] 설거지+를 <u>하+[지 말(마)]+세요</u>.
하지 마세요

- **물 (sustantivo)** : 강, 호수, 바다, 지하수 등에 있으며 순수한 것은 빛깔, 냄새, 맛이 없고 투명한 액체.
  agua
  Líquido transparente insípido, inodoro e incoloro que se encuentra en el río, lago, mar o bajo tierra.

- **을** : 동작이 직접적으로 영향을 미치는 대상을 나타내는 조사.
  No hay expresión equivalente
  Posposición que se usa para indicar el objeto que ha sido influido directamente por una acción.

- **계속 (adverbio)** : 끊이지 않고 잇따라.
  seguidamente, continuamente, sin cesar, sin interrupción
  De seguido, sin interrupción.

- **틀다 (verbo)** : 수도와 같은 장치를 작동시켜 물이 나오게 하다.
  abrir
  Activar un dispositivo como grifo de agua para hacer correr el agua.

- **-어 놓다** : 앞의 말이 나타내는 행동을 끝내고 그 결과를 유지함을 나타내는 표현.
  No hay expresión equivalente
  Expresión que se refiere a la finalización de una acción que indica el comentario anterior y conserva su resultado.

• -은 채 : 앞의 말이 나타내는 어떤 행위를 한 상태 그대로 있음을 나타내는 표현.
No hay expresión equivalente
Expresión que indica que está en el mismo estado en que se realiza una acción que indica el comentario anterior.

• 설거지 (sustantivo) : 음식을 먹고 난 뒤에 그릇을 씻어서 정리하는 일.
limpieza de los platos, lavada de los platos
Acción de lavar y poner aparte los platos después de comer.

• 를 : 동작이 직접적으로 영향을 미치는 대상을 나타내는 조사.
No hay expresión equivalente
Posposición que indica el objeto que influye directamente en la acción.

• 하다 (verbo) : 어떤 행동이나 동작, 활동 등을 행하다.
hacer, realizar
Llevar a cabo un acto o una acción.

• -지 말다 : 앞의 말이 나타내는 행동을 하지 못하게 함을 나타내는 표현.
No hay expresión equivalente
Expresión que se usa para prohibir la acción del comentario mencionado anteriormente.

• -세요 : (두루높임으로) 설명, 의문, 명령, 요청의 뜻을 나타내는 종결 어미.
No hay expresión equivalente
(TRATAMIENTO HONORÍFICO GENERAL) Desinencia de terminación que se usa cuando se manifiesta el sentido de explicación, duda, orden, reclamación, etc. <orden>

방금 잠그(잠ㄱ)+았+어요.
　　　　잠갔어요

앞+으로+는 헹구+[ㄹ 때]+만 물+을 틀+[어 놓]+을게요.
　　　　　　헹굴 때만

• 방금 (adverbio) : 말하고 있는 시점보다 바로 조금 전에.
recién, hace poco, hace un instante
Justo antes del momento en que se habla.

• 잠그다 (verbo) : 물, 가스 등이 나오지 않도록 하다.
cerrar
Hacer que no salga agua, gas, etc.

• -았- : 어떤 사건이 과거에 완료되었거나 그 사건의 결과가 현재까지 지속되는 상황을 나타내는 어미.

No hay expresión equivalente

Desinencia que se usa cuando cierto suceso fue acabado en el pasado o cuando el resultado de ese suceso continúa hasta el presente.

• -어요 : (두루높임으로) 어떤 사실을 서술하거나 질문, 명령, 권유함을 나타내는 종결 어미.

No hay expresión equivalente

(TRATAMIENTO HONORÍFICO GENERAL) Desinencia de terminación que se usa cuando se describe cierto hecho; o pregunta, ordena o reclama algo. **<narración>**

• 앞 (sustantivo) : 다가올 시간.

futuro

Tiempo que está por llegar.

• 으로 : 시간을 나타내는 조사.

No hay expresión equivalente

Posposición que indica la hora.

• 는 : 어떤 대상이 다른 것과 대조됨을 나타내는 조사.

No hay expresión equivalente

Posposición que indica que el referente contrasta con otro.

• 헹구다 (verbo) : 깨끗한 물에 넣어 비눗물이나 더러운 때가 빠지도록 흔들어 씻다.

enjuagar

Poner la ropa, etc., en agua limpia y agitar suavemente para quitar los restos del jabón o la suciedad.

• -ㄹ 때 : 어떤 행동이나 상황이 일어나는 동안이나 그 시기 또는 그러한 일이 일어난 경우를 나타내는 표현.

No hay expresión equivalente

Expresión que indica el surgimiento de un mismo hecho o de algo en un mismo tiempo, mientras surge alguna situación o se realiza alguna acción.

• 만 : 다른 것은 제외하고 어느 것을 한정함을 나타내는 조사.

No hay expresión equivalente

Posposición que indica la limitación de cierta cosa tras excluir otra cosa.

• 물 (sustantivo) : 강, 호수, 바다, 지하수 등에 있으며 순수한 것은 빛깔, 냄새, 맛이 없고 투명한 액체.

agua

Líquido transparente insípido, inodoro e incoloro que se encuentra en el río, lago, mar o bajo tierra.

• 을 : 동작이 직접적으로 영향을 미치는 대상을 나타내는 조사.

No hay expresión equivalente

Posposición que se usa para indicar el objeto que ha sido influido directamente por una acción.

• **틀다 (verbo)** : 수도와 같은 장치를 작동시켜 물이 나오게 하다.

abrir

Activar un dispositivo como grifo de agua para hacer correr el agua.

• -어 놓다 : 앞의 말이 나타내는 행동을 끝내고 그 결과를 유지함을 나타내는 표현.

No hay expresión equivalente

Expresión que se refiere a la finalización de una acción que indica el comentario anterior y conserva su resultado.

• -을게요 : (두루높임으로) 말하는 사람이 어떤 행동을 할 것을 듣는 사람에게 약속하거나 의지를 나타내는 표현.

No hay expresión equivalente

(TRATAMIENTO HONORÍFICO GENERAL) Expresión que se usa para prometer o avisar al oyente una acción que realizará el hablante.

< 대화(diálogo) > - 87

작년에 갔던 그 바닷가에 또 가고 싶다.
장녀네 갇떤 그 바닫까에 또 가고 십따.
jangnyeone gatdeon geu badatgae tto gago sipda.

나도 그래. 그때 우리 참 재밌게 놀았었지.
나도 그래. 그때 우리 참 재믿께 노라썯찌.
nado geurae. geuttae uri cham jaemitge norasseotji.

< 설명(explicación) / 번역(traducción) >

작년+에 가+았던 그 바닷가+에 또 가+[고 싶]+다.
갔던

- **작년 (sustantivo)** : 지금 지나가고 있는 해의 바로 전 해.
  año pasado
  Año inmediatamente anterior a este año.

- **에** : 앞말이 시간이나 때임을 나타내는 조사.
  No hay expresión equivalente
  Posposición que se usa cuando la palabra anterior indica hora o tiempo.

- **가다 (verbo)** : 한 곳에서 다른 곳으로 장소를 이동하다.
  Ir
  Trasladarse de un lugar a otro.

- **-았던** : 과거의 사건이나 상태를 다시 떠올리거나 그 사건이나 상태가 완료되지 않고 중단되었다는 의미를 나타내는 표현.
  No hay expresión equivalente
  Expresión que indica la suspensión de un caso o un estado sin concluir, o recuerda otra vez a aquellos hechos del pasado.

- **그 (determinante)** : 듣는 사람에게 가까이 있거나 듣는 사람이 생각하고 있는 대상을 가리킬 때 쓰는 말.
  ese
  Expresión con la que se designa a alguien o algo que está cerca del interlocutor, o señala lo que éste tiene en mente.

• **바닷가 (sustantivo)** : 바다와 육지가 맞닿은 곳이나 그 근처.
playa, costa
Margen o faja de tierra que linda con las aguas del mar.

• **에** : 앞말이 목적지이거나 어떤 행위의 진행 방향임을 나타내는 조사.
No hay expresión equivalente
Posposición que se usa cuando la palabra anterior indica el destino o la dirección de avance de cierta acción.

• **또 (adverbio)** : 어떤 일이나 행동이 다시.
otra vez
Repitiéndose una situación o una acción.

• **가다 (verbo)** : 한 곳에서 다른 곳으로 장소를 이동하다.
Ir
Trasladarse de un lugar a otro.

• **-고 싶다** : 앞의 말이 나타내는 행동을 하기를 원함을 나타내는 표현.
No hay expresión equivalente
Expresión que se usa para mostrar el deseo de hacer un acto que representa el comentario anterior de la cláusula.

• **-다** : (아주낮춤으로) 어떤 사건이나 사실, 상태를 서술함을 나타내는 종결 어미.
No hay expresión equivalente
(TRATAMIENTO DE MODESTIA MÁXIMA) Desinencia de terminación que se usa cuando se describe un suceso o hecho del presente.

나+도 그렇+어.
그래

그때 우리 참 재밌+게 놀+았었+지.

• **나 (pronombre)** : 말하는 사람이 친구나 아랫사람에게 자기를 가리키는 말.
yo
Pronombre que usa el hablante para referirse a sí mismo ante alguien de edad igual o menor.

• **도** : 이미 있는 어떤 것에 다른 것을 더하거나 포함함을 나타내는 조사.
No hay expresión equivalente
Posposición que añade o incluye algo a cierta cosa ya existente.

- **그렇다 (adjetivo)** : 상태, 모양, 성질 등이 그와 같다.
  tal, semejante
  Que es de tal estado, forma o naturaleza.

- **-어** : (두루낮춤으로) 어떤 사실을 서술하거나 물음, 명령, 권유를 나타내는 종결 어미.
  No hay expresión equivalente
  (TRATAMIENTO DE MODESTIA GENERAL) Desinencia de terminación que se usa cuando se describe cierto hecho; o pregunta, ordena o reclama algo.

- **그때 (sustantivo)** : 앞에서 이야기한 어떤 때.
  ese momento, en ese entonces
  Cierto momento mencionado con anterioridad.

- **우리 (pronombre)** : 말하는 사람이 자기와 듣는 사람 또는 이를 포함한 여러 사람들을 가리키는 말.
  nosotros
  Palabra que el hablante usa para referirse a sí mismo y al oyente u otras personas.

- **참 (adverbio)** : 사실이나 이치에 조금도 어긋남이 없이 정말로.
  verdaderamente, realmente, muy, mucho
  Sinceramente, sin siquiera la más mínima perturbación sobre una verdad o un valor.

- **재밌다 (adjetivo)** : 즐겁고 유쾌한 느낌이 있다.
  divertido, interesante, entretenido, encantador
  Que ofrece una sensación alegre y jovial.

- **-게** : 앞의 말이 뒤에서 가리키는 일의 목적이나 결과, 방식, 정도 등이 됨을 나타내는 연결 어미.
  No hay expresión equivalente
  Desinencia conectora que se usa cuando la palabra anterior es el objetivo, resultado, método, grado, etc. que indica al posterior.

- **놀다 (verbo)** : 놀이 등을 하면서 재미있고 즐겁게 지내다.
  divertirse
  Pasar el tiempo divirtiéndose con juegos.

- **-았었-** : 현재와 비교하여 다르거나 현재로 이어지지 않는 과거의 사건을 나타내는 어미.
  No hay expresión equivalente
  Desinencia que se usa para indicar un asunto pasado que se difiere comparando con el presente o que no continúa hasta el presente.

- **-지** : (두루낮춤으로) 말하는 사람이 듣는 사람이 이미 알고 있다고 생각하는 것을 확인하며 말할 때 쓰는 종결 어미.
  No hay expresión equivalente
  (TRATAMIENTO DE MODESTIA GENERAL) Desinencia de terminación que se usa cuando el hablante confirma algo que supuestamente el oyente ya sabe.

< 대화(diálogo) > - 88

계속 돌아다녔더니 배고프다. 점심은 뭘 먹을까?
계속 도라다녈떠니 배고프다. 점시믄 뭘 머글까?
gesok doradanyeotdeoni baegopeuda. jeomsimeun mwol meogeulkka?

전주에 왔으면 비빔밥을 먹어야지.
전주에 와쓰면 비빔빠블 머거야지.
jeonjue wasseumyeon bibimbabeul meogeoyaji.

< 설명(explicación) / 번역(traducción) >

계속 돌아다니+었더니 배고프+다.
    돌아다녔더니

점심+은 뭐+를 먹+을까?
        뭘

• 계속 (adverbio) : 끊이지 않고 잇따라.
  seguidamente, continuamente, sin cesar, sin interrupción
  De seguido, sin interrupción.

• 돌아다니다 (verbo) : 여기저기를 두루 다니다.
  recorrer, vagar, deambular
  Andar, pasear, dar vueltas sin rumbo fijo.

• -었더니 : 과거의 사실이나 상황이 뒤에 오는 말의 원인이나 이유가 됨을 나타내는 표현.
  No hay expresión equivalente
  Expresión que indica que un hecho o una situación del pasado es la razón o la causa del comentario que sigue a continuación.

• 배고프다 (adjetivo) : 배 속이 빈 것을 느껴 음식이 먹고 싶다.
  hambriento, famélico
  Que siente el estómago vacío y ganas de comer.

- -다 : (아주낮춤으로) 어떤 사건이나 사실, 상태를 서술함을 나타내는 종결 어미.
  No hay expresión equivalente
  (TRATAMIENTO DE MODESTIA MÁXIMA) Desinencia de terminación que se usa cuando se describe un suceso o hecho del presente.

- **점심 (sustantivo)** : 아침과 저녁 식사 중간에, 낮에 하는 식사.
  almuerzo
  Comida que se toma al mediodía entre el desayuno y la cena.

- 은 : 문장 속에서 어떤 대상이 화제임을 나타내는 조사.
  No hay expresión equivalente
  Posposición que se usa para indicar que cierto objeto es tópico en la oración.

- **뭐 (pronombre)** : 모르는 사실이나 사물을 가리키는 말.
  ¿qué?, ¿cuál?
  Pronombre interrogativo que se usa para inquirir un hecho o una cosa.

- 를 : 동작이 직접적으로 영향을 미치는 대상을 나타내는 조사.
  No hay expresión equivalente
  Posposición que indica el objeto que influye directamente en la acción.

- **먹다 (verbo)** : 음식 등을 입을 통하여 배 속에 들여보내다.
  comer
  Introducir por boca alimentos, etc. en el estómago.

- -을까 : (두루낮춤으로) 듣는 사람의 의사를 물을 때 쓰는 종결 어미.
  No hay expresión equivalente
  (TRATAMIENTO DE MODESTIA GENERAL) Desinencia de terminación que se usa para mostrar la idea o la conjetura del hablante o cuando alguien pregunta la opinión de la contraparte.

전주+에 오+았으면 비빔밥+을 먹+어야지.
왔으면

- **전주 (sustantivo)** : 한국의 전라북도 중앙부에 있는 시. 전라북도의 도청 소재지이며, 창호지, 장판지의 생산과 전주비빔밥 등으로 유명하다.
  Jeonju
  Ciudad situada en el centro de Jeollabuk-do o Provincia de Jeolla del Norte de Corea. Capital de Provincia de Jeolla del Norte y que es famoso de la producción de papel para la puerta corrediza y papel laqueado con aceite de soja y jeonju bibimbap.

• 에 : 앞말이 목적지이거나 어떤 행위의 진행 방향임을 나타내는 조사.
No hay expresión equivalente
Posposición que se usa cuando la palabra anterior indica el destino o la dirección de avance de cierta acción.

• 오다 (verbo) : 가고자 하는 곳에 이르다.
alcanzar
Llegar al lugar que se quería ir.

• -았으면 : 앞의 말이 나타내는 과거의 상황이 뒤의 내용의 조건이 됨을 나타내는 표현.
No hay expresión equivalente
Expresión que indica que la situación del pasado que representa el comentario anterior es la condición del comentario que sigue a continuación.

• 비빔밥 (sustantivo) : 고기, 버섯, 계란, 나물 등에 여러 가지 양념을 넣고 비벼 먹는 밥.
bibimbap
Plato de arroz con carne, huevo, hongos, una variedad de verduras y diferentes condimentos encima, para mezclar antes de servirse.

• 을 : 동작이 직접적으로 영향을 미치는 대상을 나타내는 조사.
No hay expresión equivalente
Posposición que se usa para indicar el objeto que ha sido influido directamente por una acción.

• 먹다 (verbo) : 음식 등을 입을 통하여 배 속에 들여보내다.
comer
Introducir por boca alimentos, etc. en el estómago.

• -어야지 : (두루낮춤으로) 말하는 사람의 결심이나 의지를 나타내는 종결 어미.
No hay expresión equivalente
(TRATAMIENTO DE MODESTIA GENERAL) Desinencia de terminación que se usa cuando se manifiesta la decisión o la voluntad del hablante.

< 대화(diálogo) > - 89

내일이 소풍인데 비가 너무 많이 오네.
내이리 소풍인데 비가 너무 마니 오네.
naeiri sopunginde biga neomu mani one.

그러게. 내일은 날씨가 맑았으면 좋겠다.
그러게. 내이른 날씨가 말가쓰면 조켇따.
geureoge. naeireun nalssiga malgasseumyeon joketda.

< 설명(explicación) / 번역(traducción) >

내일+이 소풍+이+ㄴ데 비+가 너무 많이 오+네.
　　　　소풍인데

- **내일 (sustantivo)** : 오늘의 다음 날.
  mañana
  El día que sigue a hoy.

- **이** : 어떤 상태나 상황의 대상이나 동작의 주체를 나타내는 조사.
  No hay expresión equivalente
  Posposición que se usa para indicar el objeto de cierto estado o situación o el agente de un movimiento.

- **소풍 (sustantivo)** : 경치를 즐기거나 놀이를 하기 위하여 야외에 나갔다 오는 일.
  excursión, correría
  Acción de salir fuera para admirar el paisaje o para relajarse, recrearse, etc.

- **이다** : 주어가 지시하는 대상의 속성이나 부류를 지정하는 뜻을 나타내는 서술격 조사.
  No hay expresión equivalente
  Posposición de caso atributivo, que se usa para designar el atributo o la clase del objeto al que se refiere el sujeto.

- **-ㄴ데** : 뒤의 말을 하기 위하여 그 대상과 관련이 있는 상황을 미리 말함을 나타내는 연결 어미.
  No hay expresión equivalente
  Desinencia conectora que se usa cuando se habla de antemano una circunstancia relacionada con ese objeto para hablar de la palabra posterior.

• 비 (sustantivo) : 높은 곳에서 구름을 이루고 있던 수증기가 식어서 뭉쳐 떨어지는 물방울.
lluvia, precipitación
Gota de agua que cae por enfriarse el vapor que formaba una nube en un lugar alto.

• 가 : 어떤 상태나 상황에 놓인 대상이나 동작의 주체를 나타내는 조사.
No hay expresión equivalente
Posposición que se usa para indicar el objeto de cierto estado o situación o el agente de un movimiento.

• 너무 (adverbio) : 일정한 정도나 한계를 훨씬 넘어선 상태로.
demasiado, excesivamente
Habiendo excedido en gran medida determinado nivel o límite.

• 많이 (adverbio) : 수나 양, 정도 등이 일정한 기준보다 넘게.
mucho, abundantemente, copiosamente
Más de un determinado número, cantidad o nivel de referencia.

• 오다 (verbo) : 비, 눈 등이 내리거나 추위 등이 닥치다.
azotar, arribar, llegar
Presentarse una ola de frío o lluvia o nieve.

• -네 : (아주낮춤으로) 지금 깨달은 일에 대하여 말함을 나타내는 종결 어미.
No hay expresión equivalente
(TRATAMIENTO DE MODESTIA MÁXIMA) Desinencia de terminación que se usa cuando se habla de lo que se ha enterado ahora.

그러게.

내일+은 날씨+가 맑+[았으면 좋겠]+다.

• 그러게 (interjección) : 상대방의 말에 찬성하거나 동의하는 뜻을 나타낼 때 쓰는 말.
de verdad, de veras
Exclamación para expresar acuerdo o consentimiento respecto al comentario de la otra persona.

• 내일 (sustantivo) : 오늘의 다음 날.
mañana
El día que sigue a hoy.

• 은 : 어떤 대상이 다른 것과 대조됨을 나타내는 조사.
No hay expresión equivalente
Posposición que se usa para indicar que cierto objeto es contrastante con otro.

- **날씨 (sustantivo)** : 그날그날의 기온이나 공기 중에 비, 구름, 바람, 안개 등이 나타나는 상태.
  tiempo
  Término genérico para referirse a las variaciones diarias del estado atmosférico en las cuales se incluyen la temperatura y fenómenos climáticos como la lluvia, la nubosidad, el viento y la neblina.

- **가** : 어떤 상태나 상황에 놓인 대상이나 동작의 주체를 나타내는 조사.
  No hay expresión equivalente
  Posposición que se usa para indicar el objeto de cierto estado o situación o el agente de un movimiento.

- **맑다 (adjetivo)** : 구름이나 안개가 끼지 않아 날씨가 좋다.
  despejado, disipado
  Dícese del tiempo: Que está bueno porque el cielo no está cubierto de nubes ni neblinas.

- **-았으면 좋겠다** : 말하는 사람의 소망이나 바람을 나타내거나 현실과 다르게 되기를 바라는 것을 나타내는 표현.
  No hay expresión equivalente
  Expresión que indica deseo o anhelo del hablante, o que espera que suceda algo que sea diferente a la realidad.

- **-다** : (아주낮춤으로) 어떤 사건이나 사실, 상태를 서술함을 나타내는 종결 어미.
  No hay expresión equivalente
  (TRATAMIENTO DE MODESTIA MÁXIMA) Desinencia de terminación que se usa cuando se describe un suceso o hecho del presente.

< 대화(diálogo) > - 90

교수님, 오늘 수업 내용에 대한 질문이 있습니다.
교수님, 오늘 수업 내용에 대한 질무니 읻씀니다.
gyosunim, oneul sueop naeyonge daehan jilmuni itseumnida.

이해가 안 되는 부분이 있으면 편하게 얘기하세요.
이해가 안 되는 부부니 이쓰면 편하게 얘기하세요.
ihaega an doeneun bubuni isseumyeon pyeonhage yaegihaseyo.

< 설명(explicación) / 번역(traducción) >

교수+님, 오늘 수업 내용+[에 대한] 질문+이 있+습니다.

• **교수 (sustantivo)** : 대학에서 학문을 연구하고 가르치는 일을 하는 사람. 또는 그 직위.
profesor, catedrático
Persona que enseña o investiga estudios académicos en una universidad, o persona en tal cargo.

• **님** : '높임'의 뜻을 더하는 접미사.
No hay expresión equivalente
Sufijo que añade tono honorífico.

• **오늘 (sustantivo)** : 지금 지나가고 있는 이날.
hoy
Día actual que está transcurriendo ahora.

• **수업 (sustantivo)** : 교사가 학생에게 지식이나 기술을 가르쳐 줌.
enseñanza, instrucción
Acción de enseñar un profesor a un estudiante algún conocimiento o técnica.

• **내용 (sustantivo)** : 사물이나 일의 속을 이루는 사정이나 형편.
materia, sustancia
Significado o estado de algún objeto o asunto.

- 에 대한 : 뒤에 오는 명사를 수식하며 앞에 오는 명사를 뒤에 오는 명사의 대상으로 함을 나타내는 표현.

No hay expresión equivalente

Expresión que se usa para modificar el sustantivo posterior; el sustantivo anterior es el objeto del sustantivo posterior.

- 질문 (sustantivo) : 모르는 것이나 알고 싶은 것을 물음.

pregunta

Interrogación acerca de algo que se desea saber o se desconoce.

- 이 : 어떤 상태나 상황의 대상이나 동작의 주체를 나타내는 조사.

No hay expresión equivalente

Posposición que se usa para indicar el objeto de cierto estado o situación o el agente de un movimiento.

- 있다 (adjetivo) : 사실이나 현상이 존재하다.

existente

Que existe un hecho o un fenómeno.

- -습니다 : (아주높임으로) 현재의 동작이나 상태, 사실을 정중하게 설명함을 나타내는 종결 어미.

No hay expresión equivalente

(TRATAMIENTO HONORÍFICO MÁXIMO) Desinencia de terminación que se usa cuando se explica respetuosamente la acción, estado o hecho del presente.

이해+가 안 되+는 부분+이 있+으면 편하+게 얘기하+세요.

- 이해 (sustantivo) : 무엇을 깨달아 앎. 또는 잘 알아서 받아들임.

comprensión, entendimiento

Acción y efecto de captar o asimilar algo por estar bien enterado.

- 가 : 바뀌게 되는 대상이나 부정하는 대상임을 나타내는 조사.

No hay expresión equivalente

Posposición que se usa para indicar el objeto de cierto estado o situación o el agente de un movimiento.

- 안 (adverbio) : 부정이나 반대의 뜻을 나타내는 말.

no

Palabra que expresa negación u oposición.

- 되다 (verbo) : 어떠한 심리적인 상태에 있다.

sentirse, ser

Estar alguien de un cierto humor.

• -는 : 앞의 말이 관형어의 기능을 하게 만들고 사건이나 동작이 현재 일어남을 나타내는 어미.
No hay expresión equivalente
Desinencia que hace que la palabra antecedente ejerza la función de un componente determinante, e indica que un suceso o una acción se produce en el presente.

• **부분** (sustantivo) : 전체를 이루고 있는 작은 범위. 또는 전체를 여러 개로 나눈 것 가운데 하나.
parte
Porción pequeña que corresponde a un todo. O una de las porciones en las que se ha dividido un todo.

• **이** : 어떤 상태나 상황의 대상이나 동작의 주체를 나타내는 조사.
No hay expresión equivalente
Posposición que se usa para indicar el objeto de cierto estado o situación o el agente de un movimiento.

• **있다** (adjetivo) : 사실이나 현상이 존재하다.
existente
Que existe un hecho o un fenómeno.

• -으면 : 뒤에 오는 말에 대한 근거나 조건이 됨을 나타내는 연결 어미.
No hay expresión equivalente
Desinencia conectora que se usa para indicar la condición del contenido posterior.

• **편하다** (adjetivo) : 몸이나 마음이 괴롭지 않고 좋다.
confortable, pacífico
Que no tiene el cuerpo o la mente atormentada sino en estado relajado.

• -게 : 앞의 말이 뒤에서 가리키는 일의 목적이나 결과, 방식, 정도 등이 됨을 나타내는 연결 어미.
No hay expresión equivalente
Desinencia conectora que se usa cuando la palabra anterior es el objetivo, resultado, método, grado, etc. que indica al posterior.

• **얘기하다** (verbo) : 어떠한 사실이나 상태, 현상, 경험, 생각 등에 관해 누군가에게 말을 하다.
contar, relatar, narrar, referir, detallar, expresar
Referir cierto hecho, estado, fenómeno, experiencia, pensamiento, etc. a alguien.

• -세요 : (두루높임으로) 설명, 의문, 명령, 요청의 뜻을 나타내는 종결 어미.
No hay expresión equivalente
(TRATAMIENTO HONORÍFICO GENERAL) Desinencia de terminación que se usa cuando se manifiesta el sentido de explicación, duda, orden, reclamación, etc. <orden>

< 대화(diálogo) > - 91

어디 아프니? 안색이 안 좋아 보여.
어디 아프니? 안새기 안 조아 보여.
어디 아프니? 안색이 안 좋아 보여.

배가 고파서 빵을 급하게 먹었더니 체한 것 같아요.
배가 고파서 빵을 그파게 머걷떠니 체한 걷 가타요.
baega gopaseo ppangeul geupage meogeotdeoni chehan geot gatayo.

< 설명(explicación) / 번역(traducción) >

어디 아프+니?

안색+이 안 좋+[아 보이]+어.
　　　　　　좋아 보여

- **어디 (pronombre)** : 모르는 곳을 가리키는 말.
dónde
Palabra que señala un lugar desconocido.

- **아프다 (adjetivo)** : 다치거나 병이 생겨 통증이나 괴로움을 느끼다.
doloroso, dolorido
Que siente dolor y aflicción por lastimarse o padecer una enfermedad.

- **-니** : (아주낮춤으로) 물음을 나타내는 종결 어미.
No hay expresión equivalente
(TRATAMIENTO DE MODESTIA MÁXIMA) Desinencia de terminación que se usa cuando se interroga algo.

- **안색 (sustantivo)** : 얼굴에 나타나는 표정이나 빛깔.
semblante, cara, talante
Expresión o color que se muestra en la cara.

- **이** : 어떤 상태나 상황의 대상이나 동작의 주체를 나타내는 조사.
No hay expresión equivalente
Posposición que se usa para indicar el objeto de cierto estado o situación o el agente de un movimiento.

• **안** (adverbio) : 부정이나 반대의 뜻을 나타내는 말.
no
Palabra que expresa negación u oposición.

• **좋다** (adjetivo) : 신체적 조건이나 건강 상태 등이 보통보다 낫다.
bueno, sano, saludable
Que el estado de salud o la condición física es mejor de lo normal.

• **-아 보이다** : 겉으로 볼 때 앞의 말이 나타내는 것처럼 느껴지거나 추측됨을 나타내는 표현.
No hay expresión equivalente
Expresión que indica que externamente, puede sentir o especular lo que quiere decir el comentario anterior.

• **-어** : (두루낮춤으로) 어떤 사실을 서술하거나 물음, 명령, 권유를 나타내는 종결 어미.
No hay expresión equivalente
(TRATAMIENTO DE MODESTIA GENERAL) Desinencia de terminación que se usa cuando se describe cierto hecho; o pregunta, ordena o reclama algo. **<narración>**

배+가 고파(고프)+아서 빵+을 급하+게 먹+었더니 체하+[ㄴ 것 같]+아요.
고파서   체한 것 같아요

• **배** (sustantivo) : 사람이나 동물의 몸에서 음식을 소화시키는 위장, 창자 등의 내장이 있는 곳.
panza
Lugar donde se encuentra el estómago y los intestinos que digieren la comida dentro del cuerpo de una persona o un animal.

• **가** : 어떤 상태나 상황에 놓인 대상이나 동작의 주체를 나타내는 조사.
No hay expresión equivalente
Posposición que se usa para indicar el objeto de cierto estado o situación o el agente de un movimiento.

• **고프다** (adjetivo) : 뱃속이 비어 음식을 먹고 싶다.
hambriento
Con deseos de comer porque tiene el estómago vacío.

• **-아서** : 이유나 근거를 나타내는 연결 어미.
No hay expresión equivalente
Desinencia conectora que se usa para indicar causa o fundamento.

• **빵** (sustantivo) : 밀가루를 반죽하여 발효시켜 찌거나 구운 음식.
pan
Comida horneada o cocida al vapor con masa de harina fermentada.

- 을 : 동작이 직접적으로 영향을 미치는 대상을 나타내는 조사.
No hay expresión equivalente
Posposición que se usa para indicar el objeto que ha sido influido directamente por una acción.

- **급하다 (adjetivo)** : 시간적 여유 없이 일을 서둘러 매우 빠르다.
apresuradamente, rápidamente
Con mucha prisa, sin tiempo que demorar.

- -게 : 앞의 말이 뒤에서 가리키는 일의 목적이나 결과, 방식, 정도 등이 됨을 나타내는 연결 어미.
No hay expresión equivalente
Desinencia conectora que se usa cuando la palabra anterior es el objetivo, resultado, método, grado, etc. que indica al posterior.

- **먹다 (verbo)** : 음식 등을 입을 통하여 배 속에 들여보내다.
comer
Introducir por boca alimentos, etc. en el estómago.

- -었더니 : 과거의 사실이나 상황이 뒤에 오는 말의 원인이나 이유가 됨을 나타내는 표현.
No hay expresión equivalente
Expresión que indica que un hecho o una situación del pasado es la razón o la causa del comentario que sigue a continuación.

- **체하다 (verbo)** : 먹은 음식이 잘 소화되지 않아 배 속에 답답하게 남아 있다.
estar mal del estómago, sufrir de indigestión, tener el estómago descompuesto
Quedar dentro del estómago la comida consumida sin digerirse.

- -ㄴ 것 같다 : 추측을 나타내는 표현.
No hay expresión equivalente
Expresión que se usa a la hora de conjeturar algo.

- -아요 : (두루높임으로) 어떤 사실을 서술하거나 질문, 명령, 권유함을 나타내는 종결 어미.
No hay expresión equivalente
(TRATAMIENTO HONORÍFICO GENERAL) Desinencia de terminación que se usa cuando se describe cierto hecho; o pregunta, ordena o reclama algo. **<narración>**

< 대화(diálogo) > - 92

배가 좀 아픈데 우리 잠깐 쉬었다 가자.
배가 좀 아픈데 우리 잠깐 쉬얻따 가자.
baega jom apeunde uri jamkkan swieotda gaja.

음식을 먹은 다음에 바로 운동을 해서 그런가 보다.
음시글 머근 다으메 바로 운동을 해서 그런가 보다.
eumsigeul meogeun daeume baro undongeul haeseo geureonga boda.

< 설명(explicación) / 번역(traducción) >

배+가 좀 <u>아프+ㄴ데</u> 우리 잠깐 쉬+었+다 가+자.
아픈데

- **배 (sustantivo)** : 사람이나 동물의 몸에서 음식을 소화시키는 위장, 창자 등의 내장이 있는 곳.
  panza
  Lugar donde se encuentra el estómago y los intestinos que digieren la comida dentro del cuerpo de una persona o un animal.

- **가** : 어떤 상태나 상황에 놓인 대상이나 동작의 주체를 나타내는 조사.
  No hay expresión equivalente
  Posposición que se usa para indicar el objeto de cierto estado o situación o el agente de un movimiento.

- **좀 (adverbio)** : 분량이나 정도가 적게.
  de bajo nivel o poca cantidad
  De bajo nivel o poca cantidad.

- **아프다 (adjetivo)** : 다치거나 병이 생겨 통증이나 괴로움을 느끼다.
  doloroso, dolorido
  Que siente dolor y aflicción por lastimarse o padecer una enfermedad.

- **-ㄴ데** : 뒤의 말을 하기 위하여 그 대상과 관련이 있는 상황을 미리 말함을 나타내는 연결 어미.
  No hay expresión equivalente
  Desinencia conectora que se usa cuando se habla de antemano una circunstancia relacionada con ese objeto para hablar de la palabra posterior.

- **우리 (pronombre)** : 말하는 사람이 자기와 듣는 사람 또는 이를 포함한 여러 사람들을 가리키는 말.

  nosotros

  Palabra que el hablante usa para referirse a sí mismo y al oyente u otras personas.

- **잠깐 (adverbio)** : 아주 짧은 시간 동안에.

  por un tiempo, por un instante, por un rato

  Durante muy corto tiempo.

- **쉬다 (verbo)** : 피로를 없애기 위해 몸을 편안하게 하다.

  reposar, dormir, relajarse, echarse

  Hacer descansar el cuerpo para eliminar la fatiga.

- **-었-** : 어떤 사건이 과거에 완료되었거나 그 사건의 결과가 현재까지 지속되는 상황을 나타내는 어미.

  No hay expresión equivalente

  Desinencia que se usa cuando cierto suceso fue acabado en el pasado o cuando el resultado de ese suceso continúa hasta el presente.

- **-다** : 어떤 행동이나 상태 등이 중단되고 다른 행동이나 상태로 바뀜을 나타내는 연결 어미.

  No hay expresión equivalente

  Desinencia conectora que se usa cuando se suspende cierta acción o estado y se convierte en otra acción o estado.

- **가다 (verbo)** : 한 곳에서 다른 곳으로 장소를 이동하다.

  Ir

  Trasladarse de un lugar a otro.

- **-자** : (아주낮춤으로) 어떤 행동을 함께 하자는 뜻을 나타내는 종결 어미.

  No hay expresión equivalente

  (TRATAMIENTO DE MODESTIA MÁXIMA) Desinencia de terminación que se usa cuando alguien propone hacer cierta acción juntos.

음식+을 먹+[은 다음에] 바로 운동+을 <u>하+여서</u> <u>그렇(그러)+[ㄴ가 보]</u>+다.
　　　　　　　　　　　　　　　　　　해서　　　　　　그런가 보다

- **음식 (sustantivo)** : 사람이 먹거나 마시는 모든 것.

  alimento, comida

  Todo lo que una persona come o bebe.

- **을** : 동작이 직접적으로 영향을 미치는 대상을 나타내는 조사.

  No hay expresión equivalente

  Posposición que se usa para indicar el objeto que ha sido influido directamente por una acción.

· **먹다 (verbo)** : 음식 등을 입을 통하여 배 속에 들여보내다.
　comer
　Introducir por boca alimentos, etc. en el estómago.

· **-은 다음에** : 앞에 오는 말이 가리키는 일이나 과정이 끝난 뒤임을 나타내는 표현.
　No hay expresión equivalente
　Expresión que se usa para referirse a un comentario anterior o para indicar que ha terminado tal proceso.

· **바로 (adverbio)** : 시간 차를 두지 않고 곧장.
　inmediatamente, al instante, en el acto, en breve
　De inmediato, sin intervalo de tiempo.

· **운동 (sustantivo)** : 몸을 단련하거나 건강을 위하여 몸을 움직이는 일.
　ejercitación, ejercicio
　Acción de fortalecer el cuerpo o mover el cuerpo para la salud.

· **을** : 동작이 직접적으로 영향을 미치는 대상을 나타내는 조사.
　No hay expresión equivalente
　Posposición que se usa para indicar el objeto que ha sido influido directamente por una acción.

· **하다 (verbo)** : 어떤 행동이나 동작, 활동 등을 행하다.
　hacer, realizar
　Llevar a cabo un acto o una acción.

· **-여서** : 이유나 근거를 나타내는 연결 어미.
　No hay expresión equivalente
　Desinencia conectora que se usa para indicar causa o fundamento.

· **그렇다 (adjetivo)** : 상태, 모양, 성질 등이 그와 같다.
　tal, semejante
　Que es de tal estado, forma o naturaleza.

· **-ㄴ가 보다** : 앞의 말이 나타내는 사실을 추측함을 나타내는 표현.
　No hay expresión equivalente
　Expresión que se usa para suponer lo que dice el comentario anterior.

· **-다** : (아주낮춤으로) 어떤 사건이나 사실, 상태를 서술함을 나타내는 종결 어미.
　No hay expresión equivalente
　(TRATAMIENTO DE MODESTIA MÁXIMA) Desinencia de terminación que se usa cuando se describe un suceso o hecho del presente.

< 대화(diálogo) > - 93

우리 저기 보이는 카페에 가서 같이 커피 마실까요?
우리 저기 보이는 카페에 가서 가치 커피 마실까요?
uri jeogi boineun kapee gaseo gachi keopi masilkkayo?

좋아요. 오늘은 제가 살게요.
조아요. 오느른 제가 살께요.
joayo. oneureun jega salgeyo.

< 설명(explicación) / 번역(traducción) >

우리 저기 보이+는 카페+에 <u>가+(아)서</u> 같이 커피 <u>마시+ㄹ까요</u>?
　　　　　　　　　　　　　　　 가서 　　　　　　　　　**마실까요**

- **우리 (pronombre)** : 말하는 사람이 자기와 듣는 사람 또는 이를 포함한 여러 사람들을 가리키는 말.
  nosotros
  Palabra que el hablante usa para referirse a sí mismo y al oyente u otras personas.

- **저기 (pronombre)** : 말하는 사람이나 듣는 사람으로부터 멀리 떨어져 있는 곳을 가리키는 말.
  allí
  Palabra que se usa para referirse a un lugar que está lejos del hablante o el oyente.

- **보이다 (verbo)** : 눈으로 대상의 존재나 겉모습을 알게 되다.
  verse, mirarse
  Percibir por los ojos la existencia o la apariencia de un objeto.

- **-는** : 앞의 말이 관형어의 기능을 하게 만들고 사건이나 동작이 현재 일어남을 나타내는 어미.
  No hay expresión equivalente
  Desinencia que hace que la palabra antecedente ejerza la función de un componente determinante, e indica que un suceso o una acción se produce en el presente.

- **카페 (sustantivo)** : 주로 커피와 차, 가벼운 간식거리 등을 파는 가게.
  café, cafetería, bar
  Establecimiento que vende infusiones como el café o el té y comidas ligeras.

• 에 : 앞말이 목적지이거나 어떤 행위의 진행 방향임을 나타내는 조사.
No hay expresión equivalente
Posposición que se usa cuando la palabra anterior indica el destino o la dirección de avance de cierta acción.

• 가다 (verbo) : 한 곳에서 다른 곳으로 장소를 이동하다.
Ir
Trasladarse de un lugar a otro.

• -아서 : 앞의 말과 뒤의 말이 순차적으로 일어남을 나타내는 연결 어미.
No hay expresión equivalente
Desinencia conectora que se usa cuando la palabra anterior y la posterior ocurren consecutivamente.

• 같이 (adjetivo) : 둘 이상이 함께.
junto a, con
Modo en que dos o más objetos o personas están unidos.

• 커피 (sustantivo) : 독특한 향기가 나고 카페인이 들어 있으며 약간 쓴, 커피나무의 열매로 만든 진한 갈색의 차.
café
Infusión de color marrón oscuro y con cafeína preparado con el fruto del árbol de café, de sabor amargo y con un aroma peculiar.

• 마시다 (verbo) : 물 등의 액체를 목구멍으로 넘어가게 하다.
beber
Hacer que un líquido pase de la boca al estómago.

• -ㄹ까요 : (두루높임으로) 듣는 사람에게 의견을 묻거나 제안함을 나타내는 표현.
No hay expresión equivalente
(TRATAMIENTO HONORÍFICO GENERAL) Expresión para preguntar la opinión del oyente o para hacerle una propuesta.

좋+아요.

오늘+은 제+가 사+ㄹ게요.
살게요

• 좋다 (adjetivo) : 어떤 일이나 대상이 마음에 들고 만족스럽다.
conforme
Que un hecho o una persona es agradable y satisface.

- -아요 : (두루높임으로) 어떤 사실을 서술하거나 질문, 명령, 권유함을 나타내는 종결 어미.
No hay expresión equivalente
(TRATAMIENTO HONORÍFICO GENERAL) Desinencia de terminación que se usa cuando se describe cierto hecho; o pregunta, ordena o reclama algo. <narración>

- 오늘 (sustantivo) : 지금 지나가고 있는 이날.
hoy
Día actual que está transcurriendo ahora.

- 은 : 어떤 대상이 다른 것과 대조됨을 나타내는 조사.
No hay expresión equivalente
Posposición que se usa para indicar que cierto objeto es contrastante con otro.

- 제 (pronombre) : 말하는 사람이 자신을 낮추어 가리키는 말인 '저'에 조사 '가'가 붙을 때의 형태.
yo
Forma que toma '저' -palabra que usa el hablante para referirse a sí mismo en tono de humildad- cuando va antecedida de la posposición '가'.

- 가 : 어떤 상태나 상황에 놓인 대상이나 동작의 주체를 나타내는 조사.
No hay expresión equivalente
Posposición que se usa para indicar el objeto de cierto estado o situación o el agente de un movimiento.

- 사다 (verbo) : 다른 사람과 함께 먹은 음식의 값을 치르다.
pagar
Pagar dinero de la comida que se ha consumido junto con otras personas.

- -ㄹ게요 : (두루높임으로) 말하는 사람이 어떤 행동을 할 것을 듣는 사람에게 약속하거나 의지를 나타내는 표현.
No hay expresión equivalente
(TRATAMIENTO HONORÍFICO GENERAL) Expresión que se usa para prometer o anunciar al oyente una acción que realizará el hablante.

< 대화(diálogo) > - 94

어떻게 공부를 했길래 하나도 안 틀렸어요?
어떠케 공부를 핻낄래 하나도 안 틀려써요?
eotteoke gongbureul haetgillae hanado an teullyeosseoyo?

전 그저 학교에서 배운 것을 빠짐없이 복습했을 뿐이에요.
전 그저 학꾜에서 배운 거슬 빠짐업씨 복쓰패쓸 뿌니에요.
jeon geujeo hakgyoeseo baeun geoseul ppajimeopsi bokseupaesseul ppunieyo.

< 설명(explicación) / 번역(traducción) >

어떻게 공부+를 <u>하+였+길래</u> 하나+도 안 <u>틀리+었+어요</u>?
　　　　　　　했길래　　　　　　　　　　**틀렸어요**

- **어떻게 (adverbio)** : 어떤 방법으로. 또는 어떤 방식으로.
  cómo
  Por cierta manera o método.

- **공부 (sustantivo)** : 학문이나 기술을 배워서 지식을 얻음.
  estudio, aprendizaje, formación, instrucción
  Adquisición del conocimiento mediante las ciencias o técnicas.

- **를** : 동작이 직접적으로 영향을 미치는 대상을 나타내는 조사.
  No hay expresión equivalente
  Posposición que indica el objeto que influye directamente en la acción.

- **하다 (verbo)** : 어떤 행동이나 동작, 활동 등을 행하다.
  hacer, realizar
  Llevar a cabo un acto o una acción.

- **-였-** : 어떤 사건이 과거에 완료되었거나 그 사건의 결과가 현재까지 지속되는 상황을 나타내는 어미.
  No hay expresión equivalente
  Desinencia que se usa cuando cierto suceso fue acabado en el pasado o cuando el resultado de ese suceso continúa hasta el presente.

- -길래 : 뒤에 오는 말의 원인이나 근거를 나타내는 연결 어미.
No hay expresión equivalente
Desinencia conectora que se usa para indicar la causa o el fundamento de la palabra posterior.

- **하나 (sustantivo)** : 전혀, 조금도.
No hay expresión equivalente
Nada, ni un poquito.

- 도 : 극단적인 경우를 들어 다른 경우는 말할 것도 없음을 나타내는 조사.
No hay expresión equivalente
Posposición que indica que es algo innecesario de ser comentado alegando un caso extremo.

- **안 (adverbio)** : 부정이나 반대의 뜻을 나타내는 말.
no
Palabra que expresa negación u oposición.

- **틀리다 (verbo)** : 계산이나 답, 사실 등이 맞지 않다.
ser incorrecto
No ser correcto un cálculo, una respuesta, un hecho, etc.

- -었- : 어떤 사건이 과거에 완료되었거나 그 사건의 결과가 현재까지 지속되는 상황을 나타내는 어미.
No hay expresión equivalente
Desinencia que se usa cuando cierto suceso fue acabado en el pasado o cuando el resultado de ese suceso continúa hasta el presente.

- -어요 : (두루높임으로) 어떤 사실을 서술하거나 질문, 명령, 권유함을 나타내는 종결 어미.
No hay expresión equivalente
(TRATAMIENTO HONORÍFICO GENERAL) Desinencia de terminación que se usa cuando se describe cierto hecho; o pregunta, ordena o reclama algo. **<pregunta>**

저+는 그저 학교+에서 배우+[ㄴ 것]+을 빠짐없이 복습하+였+[을 뿐이]+에요.
전   배운 것을   복습했을 뿐이에요

- **저 (pronombre)** : 말하는 사람이 듣는 사람에게 자신을 낮추어 가리키는 말.
yo
Palabra que usa el hablante delante del oyente con tono de humildad.

- 는 : 문장 속에서 어떤 대상이 화제임을 나타내는 조사.
No hay expresión equivalente
Posposición que muestra que el referente es el tópico de una oración.

• **그저** (adverbio) : 다른 일은 하지 않고 그냥.
simplemente, meramente, solo
Sin hacer otra cosa.

• **학교** (sustantivo) : 일정한 목적, 교과 과정, 제도 등에 의하여 교사가 학생을 가르치는 기관.
escuela, colegio
Establecimiento en el que los docentes imparten educación a los alumnos de acuerdo con sus respectivos propósitos, planes de estudios, y sistemas.

• **에서** : 앞말이 행동이 이루어지고 있는 장소임을 나타내는 조사.
No hay expresión equivalente
Posposición que se usa para indicar el lugar en el que se realiza la acción de la palabra anterior.

• **배우다** (verbo) : 새로운 지식을 얻다.
aprender, asimilar
Adquirir nuevos conocimientos.

• **-ㄴ 것** : 명사가 아닌 것을 문장에서 명사처럼 쓰이게 하거나 '이다' 앞에 쓰일 수 있게 할 때 쓰는 표현.
No hay expresión equivalente
Expresión que posibilita que, en una oración, sea usado como sustantivo algo que no es, o se anteponga a '이다'.

• **을** : 동작이 직접적으로 영향을 미치는 대상을 나타내는 조사.
No hay expresión equivalente
Posposición que se usa para indicar el objeto que ha sido influido directamente por una acción.

• **빠짐없이** (adverbio) : 하나도 빠뜨리지 않고 다.
sin omisión, sin falta, sin excepción
Todos, sin excepción.

• **복습하다** (verbo) : 배운 것을 다시 공부하다.
repasar, revisar, releer
Estudiar de nuevo lo aprendido.

• **-였-** : 어떤 사건이 과거에 완료되었거나 그 사건의 결과가 현재까지 지속되는 상황을 나타내는 어미.
No hay expresión equivalente
Desinencia que se usa cuando cierto suceso fue acabado en el pasado o cuando el resultado de ese suceso continúa hasta el presente.

- -을 뿐이다 : 앞에 오는 말이 나타내는 상태나 상황 이외에 다른 어떤 것도 없음을 나타내는 표현.
No hay expresión equivalente
Expresión que indica que no hay otra posibilidad o situación además de la realidad, y por tanto no tiene otra opción.

- -에요 : (두루높임으로) 어떤 사실을 서술하거나 질문함을 나타내는 종결 어미.
No hay expresión equivalente
(TRATAMIENTO HONORÍFICO GENERAL) Desinencia de terminación que se usa cuando se describe o interroga cierto hecho. **<narración>**

< 대화(diálogo) > - 95

듣기 좋은 노래 좀 추천해 주세요.
듣끼 조은 노래 좀 추천해 주세요.
deutgi joeun norae jom chucheonhae juseyo.

신나는 노래 위주로 듣는다면 이건 어때요?
신나는 조용한 노래 위주로 든는다면 이건 어때요?
sinnaneun norae wijuro deunneundamyeon igeon eottaeyo?

< 설명(explicación) / 번역(traducción) >

듣+기 좋+은 노래 좀 추천하+[여 주]+세요.
추천해 주세요

- **듣다 (verbo)** : 귀로 소리를 알아차리다.
  oír
  Percibir los sonidos a través del oído.

- **-기** : 앞의 말이 명사의 기능을 하게 하는 어미.
  No hay expresión equivalente
  Desinencia que se usa cuando la palabra anterior ejerce la función del sustantivo.

- **좋다 (adjetivo)** : 어떤 것의 성질이나 내용 등이 훌륭하여 만족할 만하다.
  bueno, conforme
  Que es capaz de satisfacer por la excelencia del contenido o la cualidad.

- **-은** : 앞의 말이 관형어의 기능을 하게 만들고 현재의 상태를 나타내는 어미.
  No hay expresión equivalente
  Desinencia que hace que la palabra antecedente ejerza la función de un componente determinante, e indica que el estado del presente.

- **노래 (sustantivo)** : 운율에 맞게 지은 가사에 곡을 붙인 음악. 또는 그런 음악을 소리 내어 부름.
  canción, canto
  Música con que se canta una composición lírica. O la acción de cantar tal música.

- **좀 (adverbio)** : 주로 부탁이나 동의를 구할 때 부드러운 느낌을 주기 위해 넣는 말.
  por favor
  Palabra que generalmente se añade para dar sensación de suavidad al pedir un favor o apoyo.

- **추천하다 (verbo)** : 어떤 조건에 알맞은 사람이나 물건을 책임지고 소개하다.
  recomendar, sugerir
  Presentar a una persona o un objeto adecuado a los requisitos responsabilizándose de ello.

- **-여 주다** : 남을 위해 앞의 말이 나타내는 행동을 함을 나타내는 표현.
  No hay expresión equivalente
  Expresión que indica la realización de una acción que indica el comentario anterior para el bien del otro.

- **-세요** : (두루높임으로) 설명, 의문, 명령, 요청의 뜻을 나타내는 종결 어미.
  No hay expresión equivalente
  (TRATAMIENTO HONORÍFICO GENERAL) Desinencia de terminación que se usa cuando se manifiesta el sentido de explicación, duda, orden, reclamación, etc. <petición>

신나+는 노래 위주+로 듣+는다면 이것(이거)+은 어떻+어요?
이건   어때요

- **신나다 (verbo)** : 흥이 나고 기분이 아주 좋아지다.
  estar entusiasmado
  Sentir regocijo y alegría.

- **-는** : 앞의 말이 관형어의 기능을 하게 만들고 사건이나 동작이 현재 일어남을 나타내는 어미.
  No hay expresión equivalente
  Desinencia que hace que la palabra antecedente ejerza la función de un componente determinante, e indica que un suceso o una acción se produce en el presente.

- **노래 (sustantivo)** : 운율에 맞게 지은 가사에 곡을 붙인 음악. 또는 그런 음악을 소리 내어 부름.
  canción, canto
  Música con que se canta una composición lírica. O la acción de cantar tal música.

- **위주 (sustantivo)** : 무엇을 가장 중요한 것으로 삼음.
  cosa principal, preferencia
  Acción de tomar o considerar algo como un objeto más importante para un fin determinado.

- **로** : 어떤 일의 방법이나 방식을 나타내는 조사.
  No hay expresión equivalente
  Posposición que indica el método o la forma de cierto lugar.

• 듣다 (verbo) : 귀로 소리를 알아차리다.

oír

Percibir los sonidos a través del oído.

• -는다면 : 어떠한 사실이나 상황을 가정하는 뜻을 나타내는 연결 어미.

No hay expresión equivalente

Desinencia conectora que se usa cuando se conjetura cierto hecho o circunstancia.

• 이것 (pronombre) : 말하는 사람에게 가까이 있거나 말하는 사람이 생각하고 있는 것을 가리키는 말.

este

Palabra que se utiliza para designar al sujeto sobre el que se está pensando o se encuentra cerca de la persona que está hablando.

• 은 : 문장 속에서 어떤 대상이 화제임을 나타내는 조사.

No hay expresión equivalente

Posposición que se usa para indicar que cierto objeto es tópico en la oración.

• 어떻다 (adjetivo) : 생각, 느낌, 상태, 형편 등이 어찌 되어 있다.

cómo, qué tal

Estar de tal forma pensamientos, sentimientos, estados, situaciones, etc.

• -어요 : (두루높임으로) 어떤 사실을 서술하거나 질문, 명령, 권유함을 나타내는 종결 어미.

No hay expresión equivalente

(TRATAMIENTO HONORÍFICO GENERAL) Desinencia de terminación que se usa cuando se describe cierto hecho; o pregunta, ordena o reclama algo. **<pregunta>**

< 대화(diálogo) > - 96

너 모자를 새로 샀구나. 잘 어울린다.
너 모자를 새로 삳꾸나. 잘 어울린다.
neo mojareul saero satguna. jal eoullinda.

고마워. 가게에서 보자마자 마음에 들어서 바로 사 버렸지.
고마워. 가게에서 보자마자 마으메 드러서 바로 사 버렫찌.
gomawo. gageeseo bojamaja maeume deureoseo baro sa beoryeotji.

< 설명(explicación) / 번역(traducción) >

너 모자+를 새로 <u>사+았+구나</u>.
　　　　　　　　샀구나

잘 <u>어울리+ㄴ다</u>.
　　어울린다

- 너 (pronombre) : 듣는 사람이 친구나 아랫사람일 때, 그 사람을 가리키는 말.
  tú, vos
  Pronombre que designa al oyente cuando éste es de la misma edad o menor que el hablante.

- 모자 (sustantivo) : 예의를 차리거나 추위나 더위 등을 막기 위해 머리에 쓰는 물건.
  sombrero, gorro, bonete
  Prenda de vestir con que se cubre la cabeza, como expresión de cortesía o para protegerla del frío o el calor.

- 를 : 동작이 직접적으로 영향을 미치는 대상을 나타내는 조사.
  No hay expresión equivalente
  Posposición que indica el objeto que influye directamente en la acción.

- 새로 (adverbio) : 전과 달리 새롭게. 또는 새것으로.
  nuevamente
  Renovarse de nuevo.

• **사다 (verbo)** : 돈을 주고 어떤 물건이나 권리 등을 자기 것으로 만들다.
  comprar, adquirir, obtener
  Apoderarse de cierta cosa o derecho tras pagar el dinero.

• **-았-** : 어떤 사건이 과거에 완료되었거나 그 사건의 결과가 현재까지 지속되는 상황을 나타내는 어미.
  No hay expresión equivalente
  Desinencia que se usa cuando cierto suceso fue acabado en el pasado o cuando el resultado de ese suceso continúa hasta el presente.

• **-구나** : (아주낮춤으로) 새롭게 알게 된 사실에 어떤 느낌을 실어 말함을 나타내는 종결 어미.
  No hay expresión equivalente
  (TRATAMIENTO DE MODESTIA MÁXIMA) Desinencia de terminación que se usa cuando se suma cierto sentimiento en el nuevo hecho enterado.

• **잘 (adverbio)** : 아주 멋지고 예쁘게.
  bien
  Muy bonito y bueno.

• **어울리다 (verbo)** : 자연스럽게 서로 조화를 이루다.
  armonizarse
  Quedarse en armonía de manera natural.

• **-ㄴ다** : (아주낮춤으로) 현재 사건이나 사실을 서술함을 나타내는 종결 어미.
  No hay expresión equivalente
  (TRATAMIENTO DE MODESTIA MÁXIMA) Desinencia de terminación que se usa cuando se describe un suceso o hecho del presente.

<u>고맙(고마우)+어</u>.
　　고마워

가게+에서 보+자마자 [마음에 들]+어서 바로 <u>사+[(아) 버리]+었+지</u>.
　　　　　　　　　　　　　　　　　　사 버렸지

• **고맙다 (adjetivo)** : 남이 자신을 위해 무엇을 해주어서 마음이 흐뭇하고 보답하고 싶다.
  agradecido
  Que está satisfecho uno porque otra persona hizo algo para él y desea devolverle el favor.

• **-어** : (두루낮춤으로) 어떤 사실을 서술하거나 물음, 명령, 권유를 나타내는 종결 어미.
  No hay expresión equivalente
  (TRATAMIENTO DE MODESTIA GENERAL) Desinencia de terminación que se usa cuando se describe cierto hecho; o pregunta, ordena o reclama algo. <narración>

• **가게 (sustantivo)** : 작은 규모로 물건을 펼쳐 놓고 파는 집.
  tienda
  Lugar donde se exhiben y venden productos a pequeña escala.

• **에서** : 앞말이 어떤 일의 출처임을 나타내는 조사.
  No hay expresión equivalente
  Posposición que se usa para indicar que la palabra anterior es la fuente de algo.

• **보다 (verbo)** : 눈으로 대상의 존재나 겉모습을 알다.
  ver, mirar, observar
  Percibir por los ojos la existencia o la apariencia de un objeto.

• **-자마자** : 앞의 말이 나타내는 사건이나 상황이 일어나고 곧바로 뒤의 말이 나타내는 사건이나 상황이 일어남을 나타내는 연결 어미.
  No hay expresión equivalente
  Desinencia conectora que se usa cuando ocurre un asunto o una situación que indica la palabra posterior inmediatamente después de suceder el asunto o la situación que indica la palabra anterior.

• **마음에 들다 (modismo)** : 자신의 느낌이나 생각과 맞아 좋게 느껴지다.
  gustarle al corazón
  Sentirse bien por concordar con su sentimiento o pensamiento.

• **-어서** : 이유나 근거를 나타내는 연결 어미.
  No hay expresión equivalente
  Desinencia conectora que se usa para indicar causa o fundamento.

• **바로 (adverbio)** : 시간 차를 두지 않고 곧장.
  inmediatamente, al instante, en el acto, en breve
  De inmediato, sin intervalo de tiempo.

• **사다 (verbo)** : 돈을 주고 어떤 물건이나 권리 등을 자기 것으로 만들다.
  comprar, adquirir, obtener
  Apoderarse de cierta cosa o derecho tras pagar el dinero.

• **-아 버리다** : 앞의 말이 나타내는 행동이 완전히 끝났음을 나타내는 표현.
  (No hay expresión equivalente
  Expresión que indica que la acción que indica el comentario anterior ha finalizado completamente.

• **-었-** : 어떤 사건이 과거에 완료되었거나 그 사건의 결과가 현재까지 지속되는 상황을 나타내는 어미.
  No hay expresión equivalente
  Desinencia que se usa cuando cierto suceso fue acabado en el pasado o cuando el resultado de ese suceso continúa hasta el presente.

• -지 : (두루낮춤으로) 말하는 사람이 자신에 대한 이야기나 자신의 생각을 친근하게 말할 때 쓰는 종결 어미.

No hay expresión equivalente

(TRATAMIENTO DE MODESTIA GENERAL) Desinencia de terminación que se usa cuando el hablante habla íntimamente sobre su historia o idea.

< 대화(diálogo) > - 97

엄마, 약속 시간에 늦어서 밥 먹을 시간 없어요.
엄마, 약쏙 시가네 느저서 밥 머글 시간 업써요.
eomma, yaksok sigane neujeoseo bap meogeul sigan eopseoyo.

조금 늦더라도 밥은 먹고 가야지.
조금 늗떠라도 바븐 먹꼬 가야지.
jogeum neutdeorado babeun meokgo gayaji.

< 설명(explicación) / 번역(traducción) >

엄마, 약속 시간+에 늦+어서 밥 먹+을 시간 없+어요.

• **엄마 (sustantivo)** : 격식을 갖추지 않아도 되는 상황에서 어머니를 이르거나 부르는 말.
mamá
Palabra que se usa para referirse o llamar a la madre de uno en un entorno informal.

• **약속 (sustantivo)** : 다른 사람과 어떤 일을 하기로 미리 정함. 또는 그렇게 정한 내용.
promesa, compromiso, acuerdo
Acción de decidir hacer algo con otra persona, o el contenido de esa decisión.

• **시간 (sustantivo)** : 어떤 일을 하도록 정해진 때. 또는 하루 중의 어느 한 때.
tiempo
Momento determinado para realizar una tarea. O un momento del día.

• **에** : 앞말이 시간이나 때임을 나타내는 조사.
No hay expresión equivalente
Posposición que se usa cuando la palabra anterior indica hora o tiempo.

• **늦다 (verbo)** : 정해진 때보다 지나다.
tardar, retrasar, atrasar
Pasar el tiempo definido.

• **-어서** : 이유나 근거를 나타내는 연결 어미.
No hay expresión equivalente
Desinencia conectora que se usa para indicar causa o fundamento.

• 밥 (sustantivo) : 매일 일정한 때에 먹는 음식.

comida

Comida que se come todos los días en un momento determinado.

• 먹다 (verbo) : 음식 등을 입을 통하여 배 속에 들여보내다.

comer

Introducir por boca alimentos, etc. en el estómago.

• –을 : 앞의 말이 관형어의 기능을 하게 만들고 추측, 예정, 의지, 가능성 등을 나타내는 어미.

No hay expresión equivalente

Desinencia que hace que la palabra antecedente ejerza la función de un componente determinante, e indica conjetura, proyecto, voluntad, posibilidad, etc.

• 시간 (sustantivo) : 어떤 일을 할 여유.

tiempo

Ocasión o coyuntura de hacer algo.

• 없다 (adjetivo) : 어떤 사실이나 현상이 현실로 존재하지 않는 상태이다.

inexistente, irreal

Que una verdad o un fenómeno no existe en la realidad.

• –어요 : (두루높임으로) 어떤 사실을 서술하거나 질문, 명령, 권유함을 나타내는 종결 어미.

No hay expresión equivalente

(TRATAMIENTO HONORÍFICO GENERAL) Desinencia de terminación que se usa cuando se describe cierto hecho; o pregunta, ordena o reclama algo. **<narración>**

조금 늦+더라도 밥+은 먹+고 가+(아)야지.
가야지

• 조금 (adverbio) : 시간이 짧게.

poco, breve

De corto tiempo.

• 늦다 (verbo) : 정해진 때보다 지나다.

tardar, retrasar, atrasar

Pasar el tiempo definido.

• –더라도 : 앞에 오는 말을 가정하거나 인정하지만 뒤에 오는 말에는 관계가 없거나 영향을 끼치지 않음을 나타내는 연결 어미.

No hay expresión equivalente

Desinencia conectora que se usa cuando se conjetura o se acepta el contenido anterior pero no se relaciona con el contenido posterior ni influye en él.

- **밥 (sustantivo)** : 매일 일정한 때에 먹는 음식.
  comida
  Comida que se come todos los días en un momento determinado.

- 은 : 강조의 뜻을 나타내는 조사.
  No hay expresión equivalente
  Posposición que indica énfasis.

- **먹다 (verbo)** : 음식 등을 입을 통하여 배 속에 들여보내다.
  comer
  Introducir por boca alimentos, etc. en el estómago.

- -고 : 앞의 말과 뒤의 말이 차례대로 일어남을 나타내는 연결 어미.
  No hay expresión equivalente
  Desinencia conectora que se usa cuando la palabra anterior y la posterior se producen sucesivamente.

- **가다 (verbo)** : 한 곳에서 다른 곳으로 장소를 이동하다.
  Ir
  Trasladarse de un lugar a otro.

- -아야지 : (두루낮춤으로) 듣는 사람이나 다른 사람이 어떤 일을 해야 하거나 어떤 상태여야 함을 나타내는 종결 어미.
  No hay expresión equivalente
  (TRATAMIENTO DE MODESTIA GENERAL) Desinencia de terminación que se usa cuando el oyente u otra persona debe hacer algo o debe estar en cierto estado.

< 대화(diálogo) > - 98

너 오늘 많이 피곤해 보인다.
너 오늘 마니 피곤해 보인다.
neo oneul mani pigonhae boinda.

어제 늦게까지 술을 마셔 가지고 컨디션이 안 좋아.
어제 늗께까지 수를 마셔 가지고 컨디셔니 안 조아.
eoje neutgekkaji sureul masyeo gajigo keondisyeoni an joa.

< 설명(explicación) / 번역(traducción) >

너 오늘 많이 피곤하+[여 보이]+ㄴ다.
피곤해 보인다

• **너 (pronombre)** : 듣는 사람이 친구나 아랫사람일 때, 그 사람을 가리키는 말.
tú, vos
Pronombre que designa al oyente cuando éste es de la misma edad o menor que el hablante.

• **오늘 (adverbio)** : 지금 지나가고 있는 이날에.
hoy
En este preciso día que está transcurriendo.

• **많이 (adverbio)** : 수나 양, 정도 등이 일정한 기준보다 넘게.
mucho, abundantemente, copiosamente
Más de un determinado número, cantidad o nivel de referencia.

• **피곤하다 (adjetivo)** : 몸이나 마음이 지쳐서 힘들다.
cansado, exhausto, fatigado
Que tiene el cuerpo y alma agotados.

• **-여 보이다** : 겉으로 볼 때 앞의 말이 나타내는 것처럼 느껴지거나 추측됨을 나타내는 표현.
No hay expresión equivalente
Expresión que indica que externamente, puede sentir o especular lo que quiere decir el comentario anterior.

- -ㄴ다 : (아주낮춤으로) 현재 사건이나 사실을 서술함을 나타내는 종결 어미.
  No hay expresión equivalente
  (TRATAMIENTO DE MODESTIA MÁXIMA) Desinencia de terminación que se usa cuando se describe un suceso o hecho del presente.

어제 늦+게+까지 술+을 <u>마시+[어 가지고]</u> 컨디션+이 안 좋+아.
마셔 가지고

- **어제 (adverbio)** : 오늘의 하루 전날에.
  ayer
  En el día que precede al de hoy.

- **늦다 (adjetivo)** : 적당한 때를 지나 있다. 또는 시기가 한창인 때를 지나 있다.
  atrasado, retrasado
  Que se ha pasado el momento oportuno. O que ha pasado su apogeo.

- -게 : 앞의 말이 뒤에서 가리키는 일의 목적이나 결과, 방식, 정도 등이 됨을 나타내는 연결 어미.
  No hay expresión equivalente
  Desinencia conectora que se usa cuando la palabra anterior es el objetivo, resultado, método, grado, etc. que indica al posterior.

- 까지 : 어떤 범위의 끝임을 나타내는 조사.
  No hay expresión equivalente
  Posposición que se usa para denotar el término o límite de algo.

- **술 (sustantivo)** : 맥주나 소주 등과 같이 알코올 성분이 들어 있어서 마시면 취하는 음료.
  bebida alcohólica
  Bebida que embriaga por contener elementos alcohólicos tales como cerveza, sochu(aguardiente coreano), etc..

- 을 : 동작이 직접적으로 영향을 미치는 대상을 나타내는 조사.
  No hay expresión equivalente
  Posposición que se usa para indicar el objeto que ha sido influido directamente por una acción.

- **마시다 (verbo)** : 물 등의 액체를 목구멍으로 넘어가게 하다.
  beber
  Hacer que un líquido pase de la boca al estómago.

- -어 가지고 : 앞의 말이 나타내는 행동이나 상태가 뒤의 말의 원인이나 이유임을 나타내는 표현.
  No hay expresión equivalente
  Expresión que indica que la acción o el estado que representa el comentario anterior es la causa, el medio o la razón del comentario que le sigue detrás.

• **컨디션 (sustantivo)** : 몸이나 건강, 마음 등의 상태.
condición, estado
Estado corporal, emocional o de salud.

• 이 : 어떤 상태나 상황의 대상이나 동작의 주체를 나타내는 조사.
No hay expresión equivalente
Posposición que se usa para indicar el objeto de cierto estado o situación o el agente de un movimiento.

• **안 (adverbio)** : 부정이나 반대의 뜻을 나타내는 말.
no
Palabra que expresa negación u oposición.

• **좋다 (adjetivo)** : 신체적 조건이나 건강 상태 등이 보통보다 낫다.
bueno, sano, saludable
Que el estado de salud o la condición física es mejor de lo normal.

• -아 : (두루낮춤으로) 어떤 사실을 서술하거나 물음, 명령, 권유를 나타내는 종결 어미.
No hay expresión equivalente
(TRATAMIENTO DE MODESTIA GENERAL) Desinencia de terminación que se usa cuando se describe cierto hecho; o pregunta, ordena o reclama algo. <narración>

< 대화(diálogo) > - 99

요리 학원에 가서 수업이라도 들을까 봐.
요리 하궈네 가서 수어비라도 드를까 봐.
yori hagwone gaseo sueobirado deureulkka bwa.

갑자기 왜? 요리를 해야 할 일이 있어?
갑짜기 왜? 요리를 해야 할 이리 이써?
gapjagi wae? yorireul haeya hal iri isseo?

< 설명(explicación) / 번역(traducción) >

요리 학원+에 <u>가</u>+<u>(아)서</u> 수업+이라도 <u>듣(들)</u>+[을까 보]+아.
　　　　　　 가서　　　　　　　　 **들을까 봐**

- **요리 (sustantivo)** : 음식을 만듦.
  arte culinario, cocina
  Acción de cocinar.

- **학원 (sustantivo)** : 학생을 모집하여 지식, 기술, 예체능 등을 가르치는 사립 교육 기관.
  academia
  Institución educativa privada que recluta a estudiantes para impartir conocimientos, técnicas, arte, educación física, etc.

- **에** : 앞말이 목적지이거나 어떤 행위의 진행 방향임을 나타내는 조사.
  No hay expresión equivalente
  Posposición que se usa cuando la palabra anterior indica el destino o la dirección de avance de cierta acción.

- **가다 (verbo)** : 한 곳에서 다른 곳으로 장소를 이동하다.
  Ir
  Trasladarse de un lugar a otro.

- **-아서** : 앞의 말과 뒤의 말이 순차적으로 일어남을 나타내는 연결 어미.
  No hay expresión equivalente
  Desinencia conectora que se usa cuando la palabra anterior y la posterior ocurren consecutivamente.

• **수업 (sustantivo)** : 교사가 학생에게 지식이나 기술을 가르쳐 줌.
enseñanza, instrucción
Acción de enseñar un profesor a un estudiante algún conocimiento o técnica.

• **이라도** : 그것이 최선은 아니나 여럿 중에서는 그런대로 괜찮음을 나타내는 조사.
No hay expresión equivalente
Posposición que se usa para indicar que algo no es lo mejor pero es aceptable comparando entre otros.

• **듣다 (verbo)** : 다른 사람의 말이나 소리 등에 귀를 기울이다.
escuchar
Prestar atención a lo que se le dice.

• **–을까 보다** : 앞에 오는 말이 나타내는 행동을 할 의도가 있음을 나타내는 표현.
No hay expresión equivalente
Expresión que indica que está dispuesto a realizar la acción que describe el comentario anterior.

• **–아** : (두루낮춤으로) 어떤 사실을 서술하거나 물음, 명령, 권유를 나타내는 종결 어미.
No hay expresión equivalente
(TRATAMIENTO DE MODESTIA GENERAL) Desinencia de terminación que se usa cuando se describe cierto hecho; o pregunta, ordena o reclama algo. <narración>

갑자기 왜?

요리+를 하+[여야 하]+ㄹ 일+이 있+어?
해야 할

• **갑자기 (adverbio)** : 미처 생각할 틈도 없이 빨리.
de repente, repentinamente, de golpe, de pronto, súbitamente
Súbitamente, sin tiempo para discurrir.

• **왜 (adverbio)** : 무슨 이유로. 또는 어째서.
por qué, porque
Por qué causa. O el porqué.

• **요리 (sustantivo)** : 음식을 만듦.
arte culinario, cocina
Acción de cocinar.

• 를 : 동작이 직접적으로 영향을 미치는 대상을 나타내는 조사.

No hay expresión equivalente

Posposición que indica el objeto que influye directamente en la acción.

• **하다 (verbo)** : 어떤 행동이나 동작, 활동 등을 행하다.

hacer, realizar

Llevar a cabo un acto o una acción.

• **-여야 하다** : 앞에 오는 말이 어떤 일을 하거나 어떤 상황에 이르기 위한 의무적인 행동이거나 필수적인 조건임을 나타내는 표현.

No hay expresión equivalente

Expresión que indica que el comentario anterior es una condición fundamental o una acción requerida para alcanzar a una situación o para realizar un trabajo.

• **-ㄹ** : 앞의 말이 관형어의 기능을 하게 만들고 추측, 예정, 의지, 가능성 등을 나타내는 어미.

No hay expresión equivalente

Desinencia que hace que la palabra antecedente ejerza la función de un componente determinante, e indica conjetura, proyecto, voluntad, posibilidad, etc.

• **일 (sustantivo)** : 해결하거나 처리해야 할 문제나 사항.

asunto

Problema o caso que se debe solucionar o arreglar.

• **이** : 어떤 상태나 상황의 대상이나 동작의 주체를 나타내는 조사.

No hay expresión equivalente

Posposición que se usa para indicar el objeto de cierto estado o situación o el agente de un movimiento.

• **있다 (adjetivo)** : 어떤 사람에게 무슨 일이 생긴 상태이다.

existente

Que le ha ocurrido algo a alguien.

• **-어** : (두루낮춤으로) 어떤 사실을 서술하거나 물음, 명령, 권유를 나타내는 종결 어미.

No hay expresión equivalente

(TRATAMIENTO DE MODESTIA GENERAL) Desinencia de terminación que se usa cuando se describe cierto hecho; o pregunta, ordena o reclama algo. **<pregunta>**

< 대화(diálogo) > - 100

이 옷 사이즈도 맞고 너무 예뻐요.
이 옫 사이즈도 맏꼬 너무 예뻐요.
i ot saijeudo matgo neomu yeppeoyo.

다행이네. 너한테 작을까 봐 조금 걱정했는데.
다행이네. 너한테 자글까 봐 조금 걱쩡핸는데.
dahaengine. neohante jageulkka bwa jogeum geokjeonghaenneunde.

< 설명(explicación) / 번역(traducción) >

이 옷 사이즈+도 맞+고 너무 <u>예쁘(예쁘)+어요</u>.
예뻐요

- **이 (determinante)** : 말하는 사람에게 가까이 있거나 말하는 사람이 생각하고 있는 대상을 가리킬 때 쓰는 말.
  este
  Palabra que se utiliza para designar al sujeto sobre el que se está pensando o se encuentra cerca de la persona que está hablando.

- **옷 (sustantivo)** : 사람의 몸을 가리고 더위나 추위 등으로부터 보호하며 멋을 내기 위하여 입는 것.
  ropa, prenda, indumentaria
  Lo que se viste para cubrir el cuerpo de una persona protegiéndola del frio o calor y para estar a la moda.

- **사이즈 (sustantivo)** : 옷이나 신발 등의 크기나 치수.
  talla, tamaño
  Medida o tamaño de una ropa o un zapato.

- **도** : 이미 있는 어떤 것에 다른 것을 더하거나 포함함을 나타내는 조사.
  No hay expresión equivalente
  Posposición que añade o incluye algo a cierta cosa ya existente.

- **맞다 (verbo)** : 크기나 규격 등이 어떤 것과 일치하다.
  ajustarse
  Estar apretada una cosa en relación con la cantidad o la medida de otra.

- -고 : 두 가지 이상의 대등한 사실을 나열할 때 쓰는 연결 어미.
  No hay expresión equivalente
  Desinencia conectora que se usa cuando se enumeran más de dos hechos similares.

- 너무 (adverbio) : 일정한 정도나 한계를 훨씬 넘어선 상태로.
  demasiado, excesivamente
  Habiendo excedido en gran medida determinado nivel o límite.

- 예쁘다 (adjetivo) : 생긴 모양이 눈으로 보기에 좋을 만큼 아름답다.
  bonito, lindo, mono, monín
  Que es hermoso a los ojos el aspecto.

- -어요 : (두루높임으로) 어떤 사실을 서술하거나 질문, 명령, 권유함을 나타내는 종결 어미.
  No hay expresión equivalente
  (TRATAMIENTO HONORÍFICO GENERAL) Desinencia de terminación que se usa cuando se describe cierto hecho; o pregunta, ordena o reclama algo. **<narración>**

다행+이+네.

너+한테 작+[을까 보]+아 조금 걱정하+였+는데.
작을 까봐   걱정했는데

- 다행 (sustantivo) : 뜻밖에 운이 좋음.
  buena suerte, buena fortuna
  Buena suerte inesperada.

- 이다 : 주어가 지시하는 대상의 속성이나 부류를 지정하는 뜻을 나타내는 서술격 조사.
  No hay expresión equivalente
  Posposición de caso atributivo, que se usa para designar el atributo o la clase del objeto al que se refiere el sujeto.

- -네 : (아주낮춤으로) 지금 깨달은 일에 대하여 말함을 나타내는 종결 어미.
  No hay expresión equivalente
  (TRATAMIENTO DE MODESTIA MÁXIMA) Desinencia de terminación que se usa cuando se habla de lo que se ha enterado ahora.

- 너 (pronombre) : 듣는 사람이 친구나 아랫사람일 때, 그 사람을 가리키는 말.
  tú, vos
  Pronombre que designa al oyente cuando éste es de la misma edad o menor que el hablante.

• 한테 : 앞말이 기준이 되는 대상이나 단위임을 나타내는 조사.
No hay expresión equivalente
Posposición que se usa cuando la palabra anterior es objeto o unidad de criterio.

• **작다 (adjetivo)** : 정해진 크기에 모자라서 맞지 아니하다.
pequeño, chico
Que no es adecuado por ser insuficiente para el tamaño determinado.

• –을까 보다 : 앞에 오는 말이 나타내는 상황이 될 것을 걱정하거나 두려워함을 나타내는 표현.
No hay expresión equivalente
Expresión que indica miedo o preocupación de que surja una situación que describe el comentario anterior.

• –아 : 앞에 오는 말이 뒤에 오는 말에 대한 원인이나 이유임을 나타내는 연결 어미.
No hay expresión equivalente
Desinencia conectora que se usa cuando la palabra anterior es la causa o la razón de la palabra posterior.

• **조금 (adverbio)** : 분량이나 정도가 적게.
poco, pequeño
De pequeña cantidad o grado.

• **걱정하다 (verbo)** : 좋지 않은 일이 있을까 봐 두려워하고 불안해하다.
preocupar
Dícese de sentimiento de inquietud o miedo que se experimenta por algo que sucede.

• –였– : 어떤 사건이 과거에 완료되었거나 그 사건의 결과가 현재까지 지속되는 상황을 나타내는 어미.
No hay expresión equivalente
Desinencia que se usa cuando cierto suceso fue acabado en el pasado o cuando el resultado de ese suceso continúa hasta el presente.

• –는데 : (두루낮춤으로) 듣는 사람의 반응을 기대하며 어떤 일에 대해 감탄함을 나타내는 종결 어미.
No hay expresión equivalente
(TRATAMIENTO DE MODESTIA GENERAL) Desinencia de terminación que se usa cuando se admira cierto hecho del pasado esperando la reacción del oyente.

< 참고 문헌 (referencia) >

고려대학교 한국어대사전, 고려대학교 민족문화연구원, 2009
우리말샘, 국립국어원, 2016
표준국어대사전, 국립국어원, 1999
한국어교육 문법 자료편, 한글파크, 2016
한국어 교육학 사전, 하우, 2014
한국어기초사전, 국립국어원, 2016
한국어 문법 총론 Ⅰ, 집문당, 2015

HANPUK

대화로 배우는 한국어 español(traducción)

발　행 | 2024년 6월 20일
저　자 | 주식회사 한글2119연구소
펴낸이 | 한건희
펴낸곳 | 주식회사 부크크
출판사등록 | 2014.07.15.(제2014-16호)
주　소 | 서울특별시 금천구 가산디지털1로 119 SK트윈타워 A동 305호
전　화 | 1670-8316
이메일 | info@bookk.co.kr

ISBN | 979-11-410-9057-9

www.bookk.co.kr